AS CONEXÕES OCULTAS

AS CONEXÕES OCULTAS

Ciência para uma vida sustentável

Fritjof Capra

Tradução
Marcelo Brandão Cipolla

Editora
Cultrix
SÃO PAULO

Título do original: *The Hidden Connections.*

1ª edição 2002.
5ª reimpressão da 1ª edição de 2002 (catalogação na fonte 2005).
8ª reimpressão 2015.

Dados Internacionais de Catalogação na Publicação (CIP)
(Câmara Brasileira do Livro, SP, Brasil)

Capra, Fritjof
As conexões ocultas : ciência para uma vida sustentável / Fritjof Capra ; tradução Marcelo Brandão Cipolla. – São Paulo : Cultrix, 2005.

Título original : The hidden connections.
Bibliografia.
5ª reimpr. da 1ª ed. de 2002.
ISBN 978-85-316-0748-6

1. Biotecnologia 2. Ciência – Filosofia 3. Ecologia 4. Globalização 5. Política 6. Recursos naturais – Conservação 7. Redes sociais I. Título.

05-6013 CDD-501

Índices para catálogo sistemático:
1. Ciência : Filosofia 501

Direitos de tradução para a língua portuguesa
adquiridos com exclusividade pela
EDITORA PENSAMENTO-CULTRIX LTDA.
Rua Dr. Mário Vicente, 368 – 04270-000 – São Paulo, SP
Fone: (11) 2066-9000 – Fax: (11) 2066-9008
E-mail: atendimento@editoracultrix.com.br
http://www.editoracultrix.com.br
que se reserva a propriedade literária desta tradução.
Foi feito o depósito legal.

Impresso por : Graphium gráfica e editora

A Elizabeth e Juliette

Sumário

"A educação é a capacidade de perceber as conexões ocultas entre os fenômenos."

— *Václav Havel*

Agradecimentos

No decorrer dos últimos vinte e cinco anos, tenho praticado um estilo de pesquisa que depende fundamentalmente de diálogos e discussões travados com algumas pessoas e pequenos grupos de amigos e colegas. A maioria das minhas intuições e idéias originou-se e elaborou-se no decorrer desses contatos intelectuais, e as idéias apresentadas neste livro não são exceção a essa regra.

Sou especialmente grato:

- a Pier Luigi Luisi, pelas muitas e estimulantes discussões acerca da natureza e da origem da vida e pela calorosa hospitalidade que me dedicou na Escola de Verão de Cortona, em agosto de 1998, e na ETH de Zurique, em janeiro de 2001;
- a Brian Goodwin e Richard Strohman, pelos provocantes debates sobre a teoria da complexidade e a biologia celular;
- a Lynn Margulis, pelas esclarecedoras conversas sobre microbiologia e por ter-me apresentado a obra de Harold Morowitz;
- a Francisco Varela, Gerald Edelman e Rafael Nuñez, pelos produtivos debates acerca da natureza da consciência;
- a George Lakoff, por ter-me apresentado à lingüística cognitiva e pelas muitas e luminosas conversas;
- a Roger Fouts, pela esclarecedora correspondência acerca das origens evolutivas da linguagem e da consciência;
- a Mark Swilling, pelas instigantes discussões sobre as semelhanças e diferenças entre as ciências naturais e as sociais, e por ter-me apresentado a obra de Manuel Castells;

- a Manuel Castells, pelo encorajamento, pelo apoio e por toda uma série de debates sistemáticos sobre os conceitos fundamentais da teoria social, sobre as relações entre tecnologia e cultura e sobre as sútilezas da globalização;
- a William Medd e Otto Scharmer, pelas esclarecedoras conversas sobre as ciências sociais;
- a Margaret Wheatley e Myron Kellner-Rogers, pelos inspiradores diálogos que travamos no decorrer de vários anos sobre a complexidade e a auto-organização dos sistemas vivos e das organizações humanas;
- a Oscar Motomura e seus colegas da AMANA-KEY, por ter-me desafiado a aplicar minhas idéias abstratas à educação profissional e pela calorosa hospitalidade com que me receberam em São Paulo, Brasil;
- a Angelika Siegmund, Morten Flatau, Patricia Shaw, Peter Senge, Etienne Wenger, Manuel Manga, Ralph Stacey e a todo o grupo SOLAR do Nene Northampton College, pelas numerosas e estimulantes conversas acerca da teoria e da prática da administração;
- a Mae-Wan Ho, Brian Goodwin, Richard Strohman e David Suzuki, pelas discussões elucidativas sobre genética e engenharia genética;
- a Steve Duenes, por uma utilíssima conversa acerca da bibliografia sobre as redes metabólicas;
- a Miguel Altieri e Janet Brown, por ter-me ajudado a compreender a teoria e a prática da agroecologia e da agricultura e pecuária orgânicas;
- a Vandana Shiva, por diversas conversas esclarecedoras sobre a ciência, a filosofia, a ecologia, a noção de comunidade e a visão que o Terceiro Mundo tem da globalização;
- a Hazel Henderson, Jerry Mander, Douglas Tompkins e Debi Barker, pelos estimulantes diálogos sobre tecnologia, sustentabilidade e economia global;
- a David Orr, Paul Hawken e Amory Lovins, por muitas conversas informativas sobre o projeto ecológico (*ecodesign*);
- a Gunter Pauli, pelos diálogos prolongados e estimulantes sobre o agrupamento ecológico de indústrias, travados em três continentes;
- a Janine Benyus, por uma discussão longa e inspiradora acerca dos "milagres tecnológicos" da natureza;
- a Richard Register, pelas muitas discussões acerca de como os princípios de projeto ecológico podem ser aplicados ao planejamento urbano;
- a Wolfgang Sachs e Ernst-Ulrich von Weizsäcker, pelas informativas conversas sobre "política verde";
- e a Vera van Aaken, por ter-me falado pela primeira vez acerca de uma visão feminista do excesso de consumo material.

No decorrer destes últimos anos, enquanto trabalhava para escrever este livro, eu tive a felicidade de comparecer a diversos simpósios internacionais nos quais muitos dos assuntos que eu estudava foram discutidos por autoridades em diversos campos. Sou profundamente grato a Václav Havel, presidente da República Tcheca, e a Oldrich Cerny, diretor-executivo da Fundação Fórum 2000, por sua generosa hospitalidade durante o simpósio anual da Fórum 2000, realizado em Praga nos anos de 1997, 1999 e 2000.

Sou grato a Ivan Havel, diretor do Centro de Estudos Teóricos de Praga, pela oportunidade de participar de um simpósio sobre ciência e teleologia na Universidade Carlos, em maio de 1998.

Meu muito obrigado ao Centro Internacional de Pesquisas Piero Manzù, por ter-me convidado a participar de um simpósio sobre a natureza da consciência, em Rímini, na Itália, em outubro de 1999.

Sou grato a Helmut Milz e Michael Lerner, por ter-me dado a oportunidade de discutir as mais recentes pesquisas sobre psicossomática com os principais peritos nesse ramo do conhecimento, durante um simpósio de dois dias realizado no Commonweal Center, em Bolinas, Califórnia, em janeiro de 2000.

Agradeço ao Fórum Internacional sobre a Globalização por ter-me convidado a participar de dois de seus cursos intensivos e altamente informativos sobre a globalização, realizados respectivamente em San Francisco (abril de 1997) e Nova York (fevereiro de 2001).

Enquanto trabalhava neste livro, tive a valiosa oportunidade de apresentar idéias ainda em germe a um público composto de pessoas de diversos países em dois cursos dados no Schumacher College, na Inglaterra, nos verões de 1998 e 2000. Sou profundamente grato a Satish Kumar e a todo o pessoal do Schumacher College por terem recebido calorosamente a mim e à minha família, como fizeram muitas outras vezes no passado; e aos alunos que tive nesses dois cursos, pelas inúmeras perguntas críticas e sugestões úteis.

No decorrer do trabalho que desenvolvo no Center for Ecoliteracy (Centro de Eco-Alfabetização), em Berkeley, tive abundantes oportunidades de discutir novas idéias sobre a educação para uma vida sustentável com toda uma rede de educadores extraordinários, e isso ajudou-me imensamente a elaborar os detalhes da minha estrutura conceitual. Agradeço muito a Peter Buckley, Gay Hoagland e especialmente a Zenobia Barlow por ter-me dado essa oportunidade.

Gostaria de agradecer ao meu agente literário, John Brockman, pelo encorajamento e por ter-me ajudado a formular a proposta inicial do livro.

Sou profundamente grato a meu irmão, Bernt Capra, por ter lido o manuscrito inteiro, pelo apoio entusiasmado e pelos úteis conselhos que me deu em numerosas ocasiões. Meu muito obrigado também a Ernest Callenbach e Manuel Castells, por terem lido o manuscrito e feito muitos comentários críticos.

Agradeço ao meu editor, Michael Fishwick, da HarperCollins, pelo seu contínuo entusiasmo e estímulo, e à Kate Morris, pela maneira sensível e cuidadosa com que preparou os originais.

Agradeço à minha assistente, Trena Cleland, pela soberba organização do manuscrito e por ter mantido o meu escritório em bom funcionamento enquanto eu me concentrava totalmente na elaboração deste livro.

Por último quanto à ordem, mas não quanto à importância, expresso a minha mais profunda gratidão por minha esposa Elizabeth e minha filha Juliette, pela paciência e compreensão que tiveram no decorrer de vários meses de árduo trabalho.

Prefácio

Proponho-me, neste livro, a aplicar também ao domínio social a nova compreensão da vida que nasceu da teoria da complexidade. Para tanto, apresento uma estrutura conceitual que integra as dimensões biológica, cognitiva e social da vida. Meu objetivo não é somente o de oferecer uma visão unificada da vida, da mente e da sociedade, mas também o de desenvolver uma maneira coerente e sistêmica de encarar algumas das questões mais críticas da nossa época.

Este livro divide-se em duas partes. Na Parte I, apresento a nova estrutura teórica em três capítulos, que tratam respectivamente da natureza da vida, da natureza da mente e da consciência e da natureza da realidade social. Os leitores que se interessem mais pelas aplicações práticas dessa estrutura teórica devem dirigir-se imediatamente à Parte II (Capítulos 4-7). É possível ler somente esses capítulos, mas, para o bem dos que desejam aprofundar-se no assunto, faço neles diversas referências aos capítulos teóricos que lhes dizem respeito.

No Capítulo 4, aplico à administração das organizações humanas a teoria social desenvolvida no capítulo anterior, centrando-me particularmente na seguinte pergunta: em que medida uma organização humana pode ser considerada um sistema vivo?

No Capítulo 5, passo a tratar do mundo em geral e, em específico, de uma das questões mais urgentes e controversas da nossa época — os desafios e os perigos da globalização econômica conduzida sob o tacão da Organização Mundial do Comércio (OMC) e de outras instituições do capitalismo global.

O Capítulo 6 é dedicado a uma análise sistêmica dos problemas científicos e éticos da biotecnologia (engenharia genética, clonagem, alimentos geneticamente modificados, etc.) e salienta especialmente a recente revolução conceitual da genética, desencadeada pelas descobertas do Projeto Genoma Humano.

No Capítulo 7, discuto o estado em que o mundo se encontra neste começo de século. Depois de passar em revista alguns dos maiores problemas ambientais e sociais e ver de que maneira eles estão ligados aos nossos sistemas econômicos, falo sobre a "Coalizão de Seattle" de organizações não-governamentais (ONGs) do mundo inteiro, que vem crescendo a cada dia, e sobre os seus planos de remodelar a globalização de acordo com valores diferentes. A parte final do capítulo é dedicada a um estudo da recente e fulminante ascensão das práticas de projeto ecológico e discute as possíveis relações dessas práticas com a transição para um futuro sustentável.

Este livro representa uma continuação e uma evolução em relação às minhas obras anteriores. Desde o começo da década de 1970, minhas pesquisas e escritos voltaram-se todos para um único tema central: a mudança fundamental de visão de mundo que está ocorrendo na ciência e na sociedade, o desenvolvimento de uma nova visão da realidade e as conseqüências sociais dessa transformação cultural.

Em meu primeiro livro, *O Tao da Física** (1975), discuti as implicações filosóficas das dramáticas mudanças de conceitos e idéias que ocorreram na física — meu campo original de pesquisas — durante as três primeiras décadas do século XX, mudanças essas cujas conseqüências ainda afetam as nossas atuais teorias sobre a matéria.

Em meu segundo livro, *O Ponto de Mutação*** (1982), mostrei de que maneira a revolução da física moderna prefigurava revoluções semelhantes em muitas outras ciências e uma correspondente transformação da visão de mundo e dos valores da sociedade em geral. Explorei, em específico, as mudanças de paradigma na biologia, na medicina, na psicologia e na economia. No decorrer desse processo, percebi que todas essas disciplinas, de uma maneira ou de outra, lidam com a vida — com sistemas biológicos e sociais vivos — e que, portanto, a "nova física" não era a ciência mais adequada para estabelecer um novo paradigma e constituir a principal fonte das metáforas usadas nesses outros campos. O paradigma da física tinha de ser substituído por uma estrutura conceitual mais ampla, uma visão da realidade cujo centro fosse ocupado pela própria vida.

---

*Publicado pela Editora Cultrix, São Paulo, 1985.

**Publicado pela Editora Cultrix, São Paulo, 1986.

Para mim, essa mudança de ponto de vista foi muito profunda; ocorreu aos poucos e como resultado de muitas influências. Em 1988, publiquei um registro pessoal dessa caminhada intelectual, ao qual dei o título de *Sabedoria Incomum: Conversas com Pessoas Notáveis**.

No começo da década de 1980, quando escrevi *O Ponto de Mutação*, a nova visão da realidade que haveria enfim de substituir em diversas disciplinas a visão de mundo mecanicista e cartesiana ainda não estava, de maneira alguma, plenamente desenvolvida e estruturada. Dei à sua formulação científica o nome de "visão sistêmica da vida", numa referência à tradição intelectual da teoria dos sistemas; e defendi também a idéia de que a escola filosófica da "ecologia profunda", que não separa os seres humanos da natureza e reconhece o valor intrínseco de todos os seres vivos, poderia fornecer uma base filosófica, e até mesmo espiritual, para o novo paradigma científico. Hoje em dia, vinte anos depois, ainda esposo a mesma opinião.

Nos anos subseqüentes, explorei as conseqüências e implicações da ecologia profunda e da visão sistêmica da vida com a ajuda de amigos e colegas em diversos campos de trabalho, e expus em vários livros os resultados de nossas pesquisas. *Green Politics* (em co-autoria com Charlene Spretnak, 1984) analisa a ascensão do Partido Verde na Alemanha; *Pertencendo ao Universo*** (em co-autoria com David Steindl-Rast e Thomas Matus, 1991) investiga os paralelos entre o novo pensamento científico e a teologia cristã; *Gerenciamento Ecológico**** (em co-autoria com Ernest Callenbach, Lenore Goldman, Rüdiger Lutz e Sandra Marburg, 1993) propõe uma estrutura conceitual e prática para uma administração de empresas consciente da ecologia; e *Steering Business Toward Sustainability* (organizado por mim juntamente com Gunter Pauli, 1995) é uma coletânea de ensaios escritos por executivos, economistas, ecologistas e outros, que apresentam meios práticos pelos quais poderia ser vencido o desafio da sustentabilidade ecológica. No decorrer de todas essas investigações, eu sempre me voltei, e ainda me volto, principalmente para os processos e padrões de organização dos sistemas vivos — ou as "conexões ocultas entre os fenômenos".[1]

A visão sistêmica da vida, exposta em suas grandes linhas em *O Ponto de Mutação*, não era uma teoria coerente dos sistemas vivos, mas antes uma nova maneira de pensar sobre a vida, que incluía novas percepções, uma nova linguagem e novos conceitos. Era um progresso con-

*Publicado pela Editora Cultrix, São Paulo, 1990.
**Publicado pela Editora Cultrix, São Paulo, 1993.
***Publicado pela Editora Cultrix, São Paulo, 1995.

ceitual da vanguarda das ciências, desenvolvido por pesquisadores pioneiros em diversos campos, que criava uma atmosfera intelectual propícia à realização de avanços significativos nos anos subseqüentes.

Depois disso, cientistas e matemáticos deram um passo gigantesco rumo à formulação de uma teoria dos sistemas vivos: desenvolveram uma nova teoria matemática — um conjunto de conceitos e técnicas matemáticas — para descrever e analisar a complexidade dos sistemas vivos. Isso tem sido chamado de "teoria da complexidade" ou "ciência da complexidade" nos escritos de divulgação científica. Os cientistas e matemáticos, por sua vez, preferem chamá-la pelo nome mais prosaico de "dinâmica não-linear".

Na ciência, até há pouco tempo, aprendíamos a fugir das equações não-lineares, que eram quase impossíveis de resolver. Na década de 1970, porém, os cientistas dispuseram pela primeira vez de poderosos computadores de alta velocidade que os ajudaram a resolver essas equações. Com isso, desenvolveram diversos novos conceitos e técnicas que aos poucos convergiram para constituir uma estrutura matemática coerente.

No decorrer das décadas de 1970 e 1980, o forte interesse pelos fenômenos não-lineares gerou toda uma série de teorias que aumentaram dramaticamente o nosso conhecimento de muitas características fundamentais da vida. Em meu livro mais recente, *A Teia da Vida** (1996), fiz um resumo da teoria matemática da complexidade e apresentei uma síntese das atuais teorias não-lineares sobre os sistemas vivos. Essa síntese pode ser compreendida como uma manifestação organizada de uma nova compreensão científica da vida.

Também a ecologia profunda foi desenvolvida e elaborada em seus detalhes no decorrer da década de 1980, e publicaram-se numerosos livros e artigos sobre disciplinas correlatas, como o ecofeminismo, a ecopsicologia, a eco-ética, a ecologia social e a ecologia transpessoal. Inserindo-me nessa corrente, apresentei no primeiro capítulo de *A Teia da Vida* uma visão de conjunto atualizada da ecologia profunda e das suas relações com essas outras escolas filosóficas.

A nova compreensão de o que é a vida — baseada nos conceitos da dinâmica não-linear — representa um divisor de águas conceitual. Pela primeira vez na história, dispomos de uma linguagem eficaz para descrever e analisar os sistemas complexos. Antes do desenvolvimento da dinâmica não-linear, não existiam conceitos como os de atratores, retratos de fase, diagramas de bifurcação e fractais. Hoje em dia, esses con-

* Publicado pela Editora Cultrix, São Paulo, 1997.

ceitos permitem que novas questões sejam formuladas e geraram intuições importantes em muitos campos do conhecimento.

Minha aplicação da abordagem sistêmica ao domínio social abarca em si, tacitamente, o mundo material. Isso não é usual, pois, tradicionalmente, os cientistas sociais nunca se interessaram pelo mundo da matéria. Nossas disciplinas acadêmicas organizaram-se de tal modo que as ciências naturais lidam com as estruturas materiais, ao passo que as ciências sociais tratam das estruturas sociais, as quais são compreendidas essencialmente como conjuntos de regras de comportamento. No futuro, essa divisão rigorosa já não será possível, pois o principal desafio deste novo século — para os cientistas sociais, os cientistas da natureza e todas as pessoas — será a construção de comunidades ecologicamente sustentáveis, organizadas de tal modo que suas tecnologias e instituições sociais — suas estruturas materiais e sociais — não prejudiquem a capacidade intrínseca da natureza de sustentar a vida.

Os princípios sobre os quais se erguerão as nossas futuras instituições sociais terão de ser coerentes com os princípios de organização que a natureza fez evoluir para sustentar a teia da vida. Para tanto, é essencial que se desenvolva uma estrutura conceitual unificada para a compreensão das estruturas materiais e sociais. O objetivo deste livro é o de proporcionar um primeiro esboço de uma tal estrutura.

Berkeley, maio de 2001
Fritjof Capra

Parte Um

Vida, mente e sociedade

Um

A natureza da vida

Antes de apresentar a nova estrutura unificada para a compreensão dos fenômenos biológicos e sociais, vou retomar a antiqüíssima pergunta "O que é a vida?" e examiná-la com um novo olhar.[1] Quero deixar claro desde já que não vou abordar essa questão segundo toda a profundidade humana de que é passível, mas sim a partir de uma perspectiva estritamente científica; e, então, vou restringir a princípio o meu olhar para encarar a vida como um fenômeno puramente biológico. Dentro desse campo restrito, a pergunta pode ser reformulada da seguinte maneira: "Quais são as características que definem os sistemas vivos?"

Os cientistas sociais talvez preferissem proceder segundo a ordem inversa — primeiro identificar as características que definem a realidade social e depois ampliá-la, integrando-a com os conceitos correspondentes no campo das ciências naturais, de maneira a incluir nela o domínio biológico. Não há dúvidas de que isso seria possível, porém, como fui formado nas ciências naturais e já desenvolvi uma síntese da nova concepção da vida nessas disciplinas, é natural que eu comece por aqui.

Em defesa desse meu proceder, posso afirmar também que, em fim de contas, a própria realidade social evoluiu a partir do mundo biológico entre dois e quatro milhões de anos atrás, quando uma espécie de "símio meridional" (*Australopithecus afarensis*) ficou de pé e passou a caminhar sobre duas pernas. Naquela época, os primeiros hominídeos desenvolveram um cérebro complexo, a linguagem e a capacidade de fabricar ferramentas; ao mesmo tempo, a absoluta inépcia de seus filhotes, que nasciam prematuros, levou à formação das famílias e comunidades de apoio que constituíram as bases da vida social humana.[2] Por isso, é sensato que a compreensão dos fenômenos sociais seja baseada numa concepção unificada da evolução da vida e da consciência.

A primordialidade das células

Quando voltamos nosso olhar para a imensa variedade de organismos vivos — animais, plantas, seres humanos, microorganismos —, fazemos de imediato uma importante descoberta: toda vida biológica é constituída de células. Sem as células, não haveria vida sobre esta Terra. Talvez isso não tenha sido sempre assim — daqui a pouco voltarei a essa questão[3] —, mas atualmente podemos dizer com certeza que não há vida sem células.

Essa descoberta nos permite adotar uma estratégia típica do método científico. Para identificar as características que definem a vida, procuramos o sistema mais simples que manifesta essas características. Essa estratégia reducionista mostrou-se extremamente eficaz nas ciências — desde que o cientista não caia na armadilha de pensar que as entidades complexas não são mais do que a soma de suas partes mais simples.

Como sabemos que todos os organismos vivos são constituídos ou de uma única célula ou de várias células, sabemos também que o mais simples de todos os sistemas vivos é a célula.[4] A rigor, a célula bacteriana. Sabemos hoje em dia que todas as formas superiores de vida evoluíram a partir das células bacterianas. Dentre estas, as mais simples pertencem a uma família de minúsculas bactérias esféricas chamadas de micoplasma, que medem menos de um milésimo de milímetro de diâmetro e cujo genoma consiste num único anel feito de dois filamentos de DNA.[5] Porém, mesmo nessas células minúsculas, uma complexa rede* de processos metabólicos** opera ininterruptamente, transportando nutrientes para dentro da célula e dejetos para fora dela e usando continuamente as moléculas de alimento para fabricar proteínas e outros componentes celulares.

Embora o micoplasma seja composto de células mínimas no que diz respeito à sua simplicidade interna, só são capazes de sobreviver num ambiente químico específico e mais ou menos complexo. Como salienta o biólogo Harold Morowitz, isso significa que temos de fazer uma distinção entre dois tipos de simplicidade celular.[6] A simplicidade interna significa que a bioquímica do ambiente interno do organismo é simples, ao passo que a simplicidade ecológica significa que o organismo impõe poucas exigências químicas ao ambiente externo.

**Network*. A palavra é usada à exaustão no livro e é um conceito importante da doutrina do autor. Significa uma forma de organização não-linear dos componentes de um sistema, que se influenciam reciprocamente através de diversos "caminhos", e não segundo uma linha causal única e exclusiva. (N. do T.)

**O metabolismo, da palavra grega *metabole* ("mudança"), é a somatória de todos os processos bioquímicos relacionados à vida.

Do ponto de vista ecológico, as bactérias mais simples são as cianobactérias, as antepassadas das algas azuis, que também contam-se entre as bactérias mais antigas: seus vestígios químicos já se encontram nos fósseis mais primitivos. Algumas dessas bactérias azuis são capazes de sintetizar todos os seus componentes orgânicos a partir do dióxido de carbono, da água, do nitrogênio e de minerais puros. O interessante é que essa enorme simplicidade ecológica parece exigir uma certa medida de complexidade bioquímica interna.

A perspectiva ecológica

A relação entre a simplicidade interna e a simplicidade ecológica ainda não foi bem compreendida, em parte porque a maioria dos biólogos simplesmente não estão acostumados com o ponto de vista ecológico. Como explica Morowitz,

> A vida contínua não é propriedade de um único organismo ou espécie, mas de um sistema ecológico. A biologia tradicional sempre teve a tendência de centrar a atenção nos organismos individuais, e não no continuum biológico. Sob esse ponto de vista, a origem da vida é encarada como um acontecimento singular, no qual um organismo surge e se destaca do meio circundante. De acordo com um ponto de vista mais equilibrado no que diz respeito à ecologia, o correto seria examinar os ciclos proto-ecológicos e os subseqüentes sistemas químicos que devem ter surgido e se desenvolvido enquanto apareciam objetos semelhantes a organismos.[7]

Não existe nenhum organismo individual que viva em isolamento. Os animais dependem da fotossíntese das plantas para ter atendidas as suas necessidades energéticas; as plantas dependem do dióxido de carbono produzido pelos animais, bem como do nitrogênio fixado pelas bactérias em suas raízes; e todos juntos, vegetais, animais e microorganismos, regulam toda a biosfera e mantêm as condições propícias à preservação da vida. Segundo a hipótese Gaia, de James Lovelock e Lynn Margulis,[8] a evolução dos primeiros organismos vivos processou-se de mãos dadas com a transformação da superfície planetária, de um ambiente inorgânico numa biosfera auto-reguladora. "Nesse sentido", escreve Harold Morowitz, "a vida é uma propriedade dos planetas, e não dos organismos individuais."[9]

A vida definida pelo DNA

Voltemos agora à questão "O que é a vida?" e façamos a seguinte pergunta: como funciona uma célula bacteriana? Quais são as características que a definem? Quando examinamos uma célula no microscópio eletrônico, percebemos que os seus processos metabólicos dependem de certas macromoléculas especiais — moléculas muito grandes compostas de longas cadeias de centenas de átomos. Duas espécies de macromoléculas desse tipo encontram-se em todas as células: as proteínas e os ácidos nucleicos (DNA e RNA).

Na célula bacteriana, existem essencialmente dois tipos de proteínas: as enzimas, que atuam como catalisadoras de diversos processos metabólicos, e as proteínas estruturais, que conformam a estrutura da célula. Nos organismos superiores, há também muitos outros tipos de proteínas com funções específicas, como os anticorpos do sistema imunológico ou os hormônios.

Uma vez que a maioria dos processos metabólicos são catalisados por enzimas e as enzimas são especificadas pelos genes, os processos celulares estão submetidos a um controle genético, o que lhes dá grande estabilidade. As moléculas de RNA servem de mensageiras e transmitem, a partir do DNA, informações em código para a síntese de enzimas, estabelecendo assim o vínculo crucial entre os aspectos genético e metabólico da célula.

O DNA também é responsável pela auto-replicação da célula, que é uma característica essencial da vida. Sem ela, toda e qualquer estrutura formada acidentalmente teria degenerado e desaparecido, e a vida jamais teria evoluído. A enorme importância do DNA poderia nos levar a concluir que ele é a *única* característica que define a vida. Poderíamos dizer simplesmente: "Os sistemas vivos são sistemas químicos que contêm DNA."

O problema dessa definição é que as células mortas também contêm DNA. Com efeito, as moléculas de DNA podem ser preservadas por centenas ou mesmo milhares de anos depois da morte de um organismo. Exemplo espetacular de um caso desses foi relatado há alguns anos, quando certos cientistas alemães conseguiram identificar a exata seqüência genética do DNA do crânio de um Neandertal — de um ser que já estava morto há mais de cem mil anos![10] Portanto, a simples presença do DNA não basta para definir a vida. No mínimo, nossa definição teria de mudar para: "Os sistemas vivos são sistemas químicos que contêm DNA *e* não estão mortos." Mas assim estaríamos dizendo, em essência, que "um sistema vivo é um sistema que está vivo" — uma tautologia pura e simples.

Esse pequeno exercício basta para nos mostrar que as estruturas moleculares da célula não são suficientes para nos proporcionar uma definição de vida. Temos também de descrever os processos metabólicos da célula — em outras palavras, os padrões de relação entre as macromoléculas. Nessa abordagem, voltamos nosso olhar para a célula como um todo, e não para suas partes. Segundo o bioquímico Pier Luigi Luisi, cujo campo específico de estudos é a evolução molecular e a origem da vida, essas duas abordagens — a visão "DNA-cêntrica" e a visão "celulocêntrica" — representam duas grandes correntes filosóficas e experimentais das ciências biológicas na atualidade[11].

As membranas — Os fundamentos da identidade celular

Examinemos agora a célula como um todo. Ela se caracteriza, antes de mais nada, por um limite (a membrana celular) que estabelece a discriminação entre o sistema — o "eu", por assim dizer — e seu ambiente. Dentro desse limite, há toda uma rede de reações químicas (o metabolismo celular) pela qual o sistema se sustenta e se conserva.

A maioria das células têm, além das membranas, outros limites que as separam do ambiente, como paredes ou cápsulas celulares rígidas. Essas características são comuns a diversos tipos de célula, mas só as membranas são um traço universal da vida celular. Desde os seus primórdios, a vida na Terra foi associada à água. As bactérias deslocam-se na água e o próprio metabolismo que ocorre dentro de suas membranas desenrola-se num meio aquoso. Num tal ambiente fluido, a célula jamais poderia perdurar enquanto entidade distinta sem uma barreira física que impedisse a livre difusão. A existência das membranas, portanto, é uma condição essencial da vida celular.

As membranas não somente são uma característica universal da vida como também apresentam o mesmo tipo de estrutura em todos os seres viventes. Veremos que os detalhes moleculares dessa estrutura membranosa universal trazem em si importantes informações acerca da origem da vida.[12]

Uma membrana é muito diferente de uma parede celular. Ao passo que as paredes celulares são estruturas rígidas, as membranas estão sempre ativas — abrem-se e fecham-se constantemente, deixando entrar certas substâncias e mantendo outras de fora. As reações metabólicas da célula envolvem diversas espécies de íons*; a membrana, por ser semi-

---

*Os íons são átomos que, por ter perdido ou ganhado um ou mais elétrons, são dotados de carga elétrica positiva ou negativa.

permeável, controla a proporção desses diversos tipos de íons e mantém o equilíbrio entre eles. Outra atividade crucial da membrana é o bombeamento, para fora da célula, de todo resíduo cálcico excessivo, de modo que o cálcio que ali permanece não exceda de maneira alguma o nível muito baixo desse elemento que é necessário para o funcionamento metabólico celular. Todas essas atividades colaboram para que a célula se conserve enquanto entidade distinta e seja protegida das influências ambientais nocivas. Com efeito, a primeira coisa que uma bactéria faz quando é atacada por outro organismo é fabricar membranas.[13]

Todas as células nucleadas e até a maioria das bactérias também têm membranas internas. Nos livros escolares, a célula vegetal ou animal é geralmente figurada como um grande disco rodeado pela membrana celular e contendo dentro de si diversos disquinhos menores (os orgânulos), cada um dos quais rodeado pela sua própria membrana.[14] Na verdade, essa imagem não é nem um pouco precisa. A célula não contém diversas membranas distintas, mas um único sistema membranoso interligado. O chamado "sistema endomembranoso" está sempre em movimento, envolve os orgânulos (ou organelas) e chega até os limites da célula. Trata-se de uma "esteira rolante" móvel que é continuamente produzida, decomposta e produzida de novo.[15]

Por meio de suas várias atividades, a membrana celular regula a composição molecular da célula e assim preserva a sua identidade. Temos aí um interessante paralelo com as idéias mais recentes do campo da imunologia. Alguns imunologistas crêem agora que o papel essencial do sistema imunológico é o de controlar e regular o repertório de moléculas em todo o organismo, conservando assim a "identidade molecular" do corpo.[16] No nível celular, a membrana celular desempenha papel semelhante: controla as composições moleculares e, assim, mantém a identidade da célula.

Autogeração

A membrana celular é a primeira característica que define a vida celular. A segunda característica é a natureza do metabolismo que ocorre dentro dos limites da célula. Nas palavras da microbióloga Lynn Margulis: "O metabolismo, a química incessante da autoconservação, é uma característica essencial da vida.... Através do metabolismo perene, através dos fluxos químicos e energéticos, a vida continuamente produz, repara e perpetua a si mesma. Só as células e os organismos compostos de células fazem metabolismo."[17]

Quando examinamos mais de perto os processos metabólicos, percebemos que eles encadeiam-se numa rede química. Essa é outra característica fundamental da vida. Assim como os ecossistemas são compreendidos em função da noção de teia alimentar (redes de organismos), assim também os organismos são concebidos como redes de células, órgãos e sistemas orgânicos; e as células, como redes de moléculas. Uma das principais intuições da teoria dos sistemas foi a percepção de que o padrão em rede é comum a todas as formas de vida. Onde quer que haja vida, há redes.

A rede metabólica da célula envolve dinâmicas muito especiais, que são extraordinariamente diferentes do ambiente "sem vida" em que se encontra a célula. Assimilando nutrientes do mundo exterior, a célula sustenta-se por meio de uma rede de reações químicas que ocorrem dentro de seus limites e produzem todos os seus componentes, inclusive os que constituem o próprio limite.[18]

A função de cada um dos componentes dessa rede é a de transformar ou substituir outros componentes, de maneira que a rede como um todo regenera-se continuamente. É essa a chave da definição sistêmica da vida: as redes vivas criam ou recriam a si mesmas continuamente mediante a transformação ou a substituição dos seus componentes. Dessa maneira, sofrem mudanças estruturais contínuas ao mesmo tempo que preservam seus padrões de organização, que sempre se assemelham a teias.

A dinâmica da autogeração foi identificada como uma das características fundamentais da vida pelos biólogos Humberto Maturana e Francisco Varela, que lhe deram o nome de "autopoiese" (literalmente, "autocriação").[18] O conceito de autopoiese associa as duas características que definem a vida celular mencionadas anteriormente: o limite físico e a rede metabólica. Ao contrário das superfícies dos cristais ou das macromoléculas, o limite de um sistema autopoiético é quimicamente distinto do restante do sistema, e participa dos processos metabólicos por constituir a si mesmo e por filtrar seletivamente as moléculas que entram e saem do sistema.[20]

A definição do sistema vivo como uma rede autopoiética significa que o fenômeno da vida tem de ser compreendido como uma propriedade do sistema como um todo. Nas palavras de Pier Luigi Luisi, "A vida não pode ser atribuída a nenhum componente molecular isolado (nem mesmo ao DNA ou ao RNA!), mas somente a toda a rede metabólica delimitada."[21]

A autopoiese nos fornece um critério claro e poderoso para estabelecermos a distinção entre sistemas vivos e sistemas não-vivos. Revela-nos, por exemplo, que os vírus não são vivos, pois falta-lhes metabolismo próprio. Fora das células vivas, os vírus são estruturas moleculares inertes compostas de proteínas e ácidos nucleicos. O vírus é, em essência, uma mensagem química que precisa do metabolismo de uma célula hospedeira para produzir novas partículas viróticas, de acordo com as instruções contidas no seu DNA ou RNA. Essas novas partículas não são constituídas dentro dos limites do próprio vírus, mas fora deles, na célula hospedeira.[22]

Do mesmo modo, um robô que monta outros robôs a partir de peças produzidas por outras máquinas não pode ser considerado um ser vivo. Nos anos recentes, aventou-se várias vezes a hipótese de que os computadores e outros autômatos possam vir a constituir, no futuro, novas formas de vida. Porém, a menos que eles sejam capazes de sintetizar seus componentes a partir de "moléculas de alimento" presentes no ambiente, não podem ser considerados vivos de acordo com a nossa definição de vida.[23]

A rede celular

No mesmo momento em que começamos a descrever detalhadamente a rede metabólica da célula, constatamos que ela é extremamente complexa, até mesmo no caso das bactérias mais simples. A maioria dos processos metabólicos são facilitados (catalisados) por enzimas e consomem a energia fornecida por moléculas especiais de fosfato, chamadas de ATP. As enzimas constituem por si sós uma intricada rede de reações catalíticas, e as moléculas de ATP formam uma rede energética correspondente.[24] Por meio do RNA mensageiro, ambas essas redes ligam-se ao genoma (as moléculas de DNA da célula), que é em si mesmo uma complexa teia cheia de interligações internas e elos de realimentação (*feedback loops*)* através dos quais os genes regulam direta e indiretamente as atividades uns dos outros.

Alguns biólogos fazem distinção entre dois tipos de processos de produção e, do mesmo modo, entre duas redes distintas dentro da célula. A primeira é chamada — num sentido mais técnico do termo — de rede "metabólica", e nela os "alimentos" que passam pela membrana ce-

*Usamos a expressão "elos [ou anéis] de realimentação" na falta de outra melhor. A idéia contida nessa expressão é a de algo que, tendo sido produzido, gerado ou modificado por outra coisa, afeta por sua vez essa outra coisa de modo a produzir modificações nela. É uma espécie de rede causal de mão dupla. A expressão será usada inúmeras vezes no decorrer do livro. (N. do E.)

lular são transformados nos chamados "metabólitos" — os tijolinhos a partir dos quais são construídas as macromoléculas.

A segunda rede está ligada à produção das macromoléculas a partir dos metabólitos. Essa rede inclui o nível genético, mas vai também além dele, e por isso é chamada de rede "epigenética"*. Embora essas duas redes tenham recebido nomes diferentes, são intimamente interligadas e constituem, juntas, a rede celular autopoiética.

Uma das principais intuições da nova compreensão de o que seja a vida foi a de que as formas e funções biológicas não são simplesmente determinadas por uma "matriz genética", mas são, isto sim, propriedades que nascem espontaneamente da rede epigenética inteira. Para compreender esse surgimento espontâneo, temos de compreender não somente as estruturas genéticas e a bioquímica da célula, mas também as complexas dinâmicas que se desenrolam quando a rede epigenética depara com as restrições físicas e químicas do ambiente.

Segundo a dinâmica não-linear, a nova matemática da complexidade, esse contato resulta num número limitado de formas e funções possíveis, que são descritos matematicamente pelos atratores — padrões geométricos complexos que representam as propriedades dinâmicas do sistema.[25] O biólogo Brian Goodwin e o matemático Ian Stewart deram uma importante e pioneira contribuição para o uso da dinâmica não-linear para a explicação do surgimento das formas biológicas.[26] Segundo Stewart, esse será um dos campos mais frutíferos da ciência nos próximos anos:

> Prevejo — e não sou o único — que a biomatemática será um dos mais emocionantes setores de vanguarda da ciência no século XXI. O próximo século testemunhará uma explosão de novos conceitos matemáticos, de novas espécies de matemática, trazidas à luz pela necessidade de compreender-se a organização do mundo vivente.[27]

Esse ponto de vista é muito diferente do "determinismo genético" que ainda encontra abrigo junto a muitos biólogos moleculares e empresas de biotecnologia, bem como na imprensa científica popular.[28] A maioria das pessoas tende a crer que a forma biológica é determinada pela matriz genética, e que toda a informação referente aos processos celulares é transmitida à geração seguinte através do DNA, quando a célula se divide e o seu DNA se reproduz. Não é isso, de maneira alguma, o que acontece.

*Do grego *epi* ("acima" ou "ao lado de").

Quando uma célula se reproduz, ela transmite à geração seguinte não somente os seus genes, mas também as suas membranas, enzimas, orgânulos — em suma, toda a rede biológica celular. A nova célula não é produzida pelo DNA "nu e cru"; antes, é um prolongamento da rede autopoiética inteira, que a ela se sucede sem solução de continuidade. O DNA nunca é transmitido sozinho, pois os genes só podem funcionar dentro do contexto da rede epigenética. Foi assim que a vida desenvolveu-se por mais de três bilhões de anos num processo ininterrupto, sem jamais romper as leis básicas das suas redes autogeradoras.

O surgimento de uma nova ordem

A teoria da autopoiese identifica o padrão das redes autogeradoras como uma das características que definem a vida, porém, não nos fornece uma descrição detalhada dos processos físicos e químicos envolvidos nessas redes. Como vimos, essa descrição é essencial para a compreensão do surgimento das formas e funções biológicas.

O ponto de partida dessa descrição é a constatação de que todas as estruturas celulares conduzem a sua existência num estado muito afastado do estado de equilíbrio termodinâmico; assim, logo declinariam para o estado de equilíbrio — ou seja, a célula morreria — se o metabolismo celular não fizesse uso de um fluxo contínuo de energia para recompor e restaurar as estruturas na mesma velocidade em que elas decaem. Isso significa que a célula só pode ser descrita como um sistema aberto. Os sistemas vivos são fechados no que diz respeito à sua organização — são redes autopoiéticas —, mas abertos do ponto de vista material e energético. Para se manter vivos, precisam alimentar-se de um fluxo contínuo de matéria e energia assimiladas do ambiente. De modo inverso, as células, como todos os organismos vivos, produzem dejetos continuamente, e esse fluxo de matéria — alimento e excreção — estabelece o lugar que elas ocupam na teia alimentar. Nas palavras de Lynn Margulis: "A célula tem uma relação automática com algum outro ser. Ela deixa vazar alguma coisa, que será comida por outro ser."[29]

O estudo detalhado do fluxo de matéria e energia através de sistemas complexos resultou na teoria das estruturas dissipativas, desenvolvida por Ilya Prigogine e seus colaboradores.[30] A estrutura dissipativa de que fala Prigogine é um sistema aberto que se conserva bem longe do equilíbrio, embora seja também estável: a mesma estrutura global se conserva apesar do fluxo e da mudança constantes dos seus componentes. Prigogine cunhou o termo "estruturas dissipativas" para sublinhar a íntima interação que existe entre a estrutura, de um lado, e o fluxo e a mudança (ou dissipação), de outro.

A dinâmica dessas estruturas dissipativas caracteriza-se, em específico, pelo surgimento espontâneo de novas formas de ordem. Quando o fluxo de energia aumenta, o sistema pode chegar a um ponto de instabilidade, chamado de "ponto de bifurcação", no qual tem a possibilidade de derivar para um estado totalmente novo, em que podem surgir novas estruturas e novas formas de ordem.

Esse surgimento espontâneo da ordem nos pontos críticos de instabilidade é um dos conceitos mais importantes da nova compreensão da vida. Tecnicamente, denomina-se "auto-organização", e, em língua inglesa, é muitas vezes chamado simplesmente de *emergence**, ou "surgimento". O fenômeno do surgimento espontâneo já foi reconhecido, inclusive, como a origem dinâmica do desenvolvimento, do aprendizado e da evolução. Em outras palavras, a criatividade — a geração de formas novas — é uma propriedade fundamental de todos os sistemas vivos. E, uma vez que o surgimento dessas novas formas é também um aspecto essencial da dinâmica dos sistemas abertos, chegamos à importante conclusão de que os sistemas abertos desenvolvem-se e evoluem. A vida dilata-se constantemente na direção da novidade.

A teoria das estruturas dissipativas, formulada segundo a matemática da dinâmica não-linear, não somente explica o surgimento espontâneo da ordem como também nos ajuda a definir complexidade.[31] Tradicionalmente, o estudo da complexidade sempre foi um estudo das estruturas complexas; agora, porém, está deixando de centrar-se nas estruturas e passando a centrar-se mais nos processos pelos quais elas surgem. Por exemplo: em vez de definir a complexidade de um organismo pelo número de tipos diferentes de células que esse organismo tem, como fazem freqüentemente os biólogos, poderíamos defini-la pelo número de bifurcações pelas quais passa o embrião no decorrer do processo de desenvolvimento do organismo. É assim que Brian Goodwin fala de uma "complexidade morfológica".[32]

A evolução pré-biótica

Pausemos agora por um instante para recapitular as características que definem os sistemas vivos, identificadas por nós em nosso estudo da vi-

*A tradução desse termo por "emergência" presta-se a confusões, de modo que preferimos traduzi-lo por "surgimento", que expressa exatamente a mesma idéia. (N. do T.)

da celular. Ficamos sabendo que a célula é uma rede metabólica autogeradora, limitada por uma membrana, fechada no que diz respeito à sua organização; que é aberta do ponto de vista material e energético, e faz uso de um fluxo constante de matéria e energia para produzir, reparar e perpetuar a si mesma; e que opera num estado distante do equilíbrio, um estado em que novas estruturas e novas formas de ordem podem surgir espontaneamente, o que conduz ao desenvolvimento e à evolução. Essas características são descritas por duas teorias diferentes, que representam duas maneiras diversas de ver a vida — a teoria da autopoiese e a teoria das estruturas dissipativas.

Quando tentamos integrar essas duas teorias, descobrimos que elas não se coadunam totalmente. Enquanto todos os sistemas autopoiéticos são estruturas dissipativas, nem todas as estruturas dissipativas são sistemas autopoiéticos. Ilya Prigogine desenvolveu sua teoria a partir do estudo de sistemas térmicos e ciclos químicos complexos que ocorrem longe do equilíbrio, muito embora tenha sido motivado, para tanto, por um profundo interesse sobre a natureza da vida.[33]

As estruturas dissipativas, portanto, não são necessariamente sistemas vivos; mas, como o surgimento [de novas formas de organização] é uma parte essencial da sua dinâmica, todas as estruturas dissipativas têm o potencial de evoluir. Em outras palavras, existe uma evolução "pré-biótica" — uma evolução da matéria inanimada que deve ter começado algum tempo antes do surgimento das primeiras células vivas. Hoje em dia, essa idéia é amplamente aceita pela comunidade científica.

A primeira versão abrangente da idéia de que a matéria viva originou-se da matéria inanimada mediante um processo evolutivo contínuo foi proposta à ciência pelo bioquímico russo Alexander Oparin, na clássica obra *A Origem da Vida*, publicada em 1929.[34] Oparin chamou-a de "evolução molecular", e hoje ela é conhecida comumente como "evolução pré-biótica". Nas palavras de Pier Luigi Luisi: "A partir de moléculas pequenas, teriam evoluído compostos dotados de complexidade molecular cada vez maior e novas propriedades emergentes, até que se originou a mais extraordinária de todas as propriedades emergentes — a própria vida."[35]

Embora a idéia de uma evolução pré-biótica já seja amplamente aceita, não há consenso entre os cientistas quanto às etapas precisas desse processo. Várias hipóteses foram propostas, mas nenhuma foi demonstrada. Uma delas parte da noção de ciclos e "hiperciclos" (ciclos com vários elos de realimentação) de catalisação formados por enzimas capazes de auto-reproduzir-se e evoluir.[36] Uma outra hipótese se baseia na recente descoberta de que certas espécies de RNA também podem atuar como enzimas, ou seja, como catalisadores de processos metabólicos. Essa capacidade catalítica do RNA, já provada, permite-nos imaginar um estágio evolutivo em que duas funções cruciais para a célula viva — a transferência de informação e as atividades catalíticas — combinaram-se num único tipo de molécula. Os cientistas deram a esse estágio hipotético o nome de "mundo do RNA".[37]

Segundo a hipótese evolutiva do "mundo do RNA",[38] as moléculas de RNA primeiro teriam realizado as atividades catalíticas necessárias para a sua auto-replicação e depois teriam começado a sintetizar proteínas, entre as quais as próprias enzimas. Essas novas enzimas seriam catalisadores muito mais eficazes do que o próprio RNA e teriam predominado no que diz respeito ao exercício dessa função. Por fim, teria surgido o DNA, o perfeito portador de todas as informações genéticas, dotado ainda da capacidade de corrigir erros de transcrição em virtude da sua estrutura bifilamentar. Nesse estágio, o RNA teria sido relegado ao papel intermediário que tem hoje, substituído pelo DNA (mais eficaz quanto ao armazenamento de informações) e pelas enzimas protéicas (mais eficazes quanto à catalisação).

A vida em sua forma mínima

Todas essas hipóteses não passam ainda de puras especulações, que se baseiam quer na idéia de hiperciclos catalíticos de proteínas (enzimas), que se rodeiam de membranas e depois de algum modo criam uma estrutura de DNA, quer na noção de um mundo de RNA que evoluiu para o mundo atual em que coexistem o DNA, o RNA e as proteínas, quer ainda numa síntese dessas duas hipóteses, que foi proposta recentemente.[39] Qualquer que seja a idéia que se tenha acerca da evolução pré-biótica, levanta-se sempre uma interessante questão: será que podemos falar da existência de sistemas vivos num estágio anterior ao surgimento das células? Em outras palavras, há algum modo pelo qual possamos definir as características mínimas dos sistemas vivos que podem ter existido no passado, independentemente dos que evoluíram depois? Eis a resposta de Luisi:

> Está claro que o processo que conduz à vida é um processo contínuo, o que nos torna muito difícil a tarefa de dar uma definição inequívoca à idéia de vida. Com efeito, é evidente que existem muitos pontos do caminho proposto por Oparin em que se poderia situar arbitrariamente o sinal de "vida mínima": no estágio da auto-replicação; no estágio em que a auto-replicação se... fez acompanhar por uma evolução química; no momento

em que as proteínas e os ácidos nucleicos começaram a interagir; no momento em que se formou o código genético, ou a primeira célula.[40]

Luisi chega à conclusão de que as diversas definições de vida mínima, embora todas igualmente justificáveis, podem ser mais ou menos significativas dependendo do objetivo para o qual são usadas.

Se a idéia básica da evolução pré-biótica estiver correta, deve ser possível, em princípio, demonstrá-la em laboratório. O desafio que se apresenta aos cientistas que trabalham nesse campo é o de elaborar a vida a partir de moléculas ou, pelo menos, o de reconstituir os diversos passos evolutivos propostos pelas várias hipóteses pré-bióticas. Como não há nenhum registro fóssil dos sistemas pré-bióticos que evoluíram desde a época em que as primeiras rochas formaram-se sobre a Terra até o surgimento da primeira célula, os cientistas não têm informação alguma acerca das possíveis estruturas intermediárias, o que parece tornar esse desafio quase insuperável.

Não obstante, obteve-se recentemente um significativo progresso. Além disso, temos de nos lembrar que esse campo de estudos é ainda muito recente. Não faz mais do que quarenta ou cinqüenta anos que se começaram a empreender pesquisas sistemáticas acerca da origem da vida. Porém, muito embora as nossas idéias mais detalhadas acerca da evolução pré-biótica ainda sejam altamente especulativas, a maioria dos biólogos e bioquímicos não tem a menor dúvida de que a origem da vida na Terra resultou de uma seqüência de acontecimentos químicos, sujeitos às leis da física e da química e à dinâmica não-linear dos sistemas complexos.

Essa idéia é defendida de modo eloqüente e com um impressionante grau de detalhamento por Harold Morowitz num livrinho maravilhoso intitulado *Beginnings of Cellular Life,*[41] no qual vou me basear para escrever o restante deste capítulo. Morowitz aborda por dois lados a questão da evolução pré-biótica e da origem da vida. Primeiro, ele identifica os princípios básicos da bioquímica e da biologia molecular que são comuns a todas as células vivas. Procura a origem evolutiva desses princípios e a encontra nas células bacterianas; afirma que eles devem ter desempenhado um papel de destaque na formação das "protocélulas", a partir das quais evoluíram as primeiras células: "Em virtude da continuidade histórica, os processos pré-bióticos devem ter deixado a sua 'assinatura' na bioquímica contemporânea."[42]

Depois de identificar os princípios básicos da física e da química que supostamente operaram na formação das protocélulas, Morowitz se pergunta: De que maneira a matéria, sujeita a esses princípios e aos fluxos de energia disponíveis naquela época sobre a superfície da Terra, poderia ter-se organizado de modo a produzir diversos estágios de protocélulas e, por fim, a primeira célula viva?

Os elementos da vida

Os elementos básicos da química da vida são os seus átomos, moléculas e processos químicos, ou "caminhos metabólicos". Ao discutir detalhadamente esses elementos, Morowitz mostra, de maneira muito bela, que as raízes da vida estão profundamente lançadas na física e na química básicas.

Podemos partir da observação de que as ligações químicas múltiplas são essenciais para a formação de estruturas bioquímicas complexas, e que os átomos de carbono (C), nitrogênio (N) e oxigênio (O) são os únicos que formam regularmente essas ligações múltiplas. Sabemos que são os elementos leves que constituem as ligações químicas mais resistentes. Por isso, não é de surpreender que esses três elementos, juntamente com o elemento mais leve, o hidrogênio (H), sejam os principais átomos de toda a estrutura biológica.

Sabemos também que a vida começou na água e que a vida celular ainda se desenvolve num ambiente aquoso. Morowitz salienta que as moléculas de água (H_2O) são altamente polarizadas do ponto de vista elétrico, pois seus elétrons permanecem mais próximos do átomo de oxigênio do que dos de hidrogênio, de modo que deixam uma efetiva carga positiva nos H e uma carga negativa no O. Essa polaridade elétrica da água é um dado fundamental dos detalhes moleculares da bioquímica e, em específico, da formação das membranas, como veremos a seguir.

Os demais átomos principais dos sistemas biológicos são o fósforo (P) e o enxofre (S). São ambos elementos dotados de características químicas singulares, em virtude da grande versatilidade de seus compostos; por isso, os bioquímicos acreditam que devem ter-se contado entre os principais componentes da química pré-biótica. Certos fosfatos, em particular, são especialmente importantes nos processos de transformação e distribuição de energia química, processos esses que eram tão essenciais no contexto da evolução pré-biótica quanto são hoje em todo o metabolismo celular.

Passando dos átomos às moléculas, existe um conjunto universal de pequenas moléculas orgânicas que são usadas por todas as células como alimento para o metabolismo. Embora os animais ingiram muitas moléculas grandes e complexas, estas são sempre decompostas em agregados mais simples antes de entrar no processo metabólico das células. Além disso, o número total de moléculas usadas como alimento não supera o de algumas centenas — e isso é notável, em vista do fato de que há um sem-número de pequenos compostos que pode ser feito a partir dos átomos de C, H, N, O, P e S.

A universalidade e o pequeno número de tipos de átomos e moléculas nas células viventes atuais é um forte indício de que todas elas têm uma origem evolutiva comum — as primeiras protocélulas —, e essa hipótese ganha mais força ainda quando examinamos os caminhos metabólicos que constituem a química básica da vida. Mais uma vez, encontramos aí o mesmo fenômeno. Nas palavras de Morowitz: "Em toda a enorme diversidade de tipos biológicos, entre os quais se incluem milhões de espécies distintamente identificáveis, a variedade de caminhos bioquímicos é pequena, restrita e universalmente presente."[43] É muito possível que o centro dessa rede metabólica, ou "carta metabólica", represente uma bioquímica primordial que traz em si importantes informações acerca da origem da vida.

Bolhinhas de vida mínima

Como vimos, a observação e a análise cuidadosas dos elementos básicos da vida dão a entender que a vida celular tem suas raízes numa física e numa bioquímica universais, que já existiam muito tempo antes de evoluírem as primeiras células vivas. Voltemo-nos agora para a segunda linha de investigação apresentada por Harold Morowitz. De que modo a matéria poderia ter-se organizado, dentro das limitações impostas pela física e pela bioquímica primordiais, sem o acréscimo de nenhum outro fator, de maneira a evoluir e formar as moléculas complexas das quais surgiu a vida?

A idéia de que pequenas moléculas presentes numa "sopa química" primordial pudessem combinar-se espontaneamente de maneira a formar estruturas de complexidade cada vez maior é contrária a toda a experiência que temos dos sistemas químicos simples. Por isso, muitos cientistas disseram que a probabilidade de uma tal evolução pré-biótica ter ocorrido é mínima; ou senão, sugeriram a ocorrência de um acontecimento extraordinário que desencadeou essa evolução, como, por exemplo, a queda sobre a Terra de meteoritos que continham macromoléculas.

Hoje em dia, nosso ponto de partida para a resolução desse enigma é radicalmente diferente. Os cientistas que trabalham nesse campo reconheceram que a falha do argumento tradicional [a favor da evolução pré-biótica] está na idéia de que a vida tenha surgido de uma sopa química primordial através de um aumento progressivo na complexidade molecular. A nova doutrina, como Morowitz salienta incansavelmente, parte da hipótese de que desde muito cedo, antes do aumento da complexidade molecular, certas moléculas tenham constituído membranas primitivas que espontaneamente dispuseram-se de maneira a formar bolhas fechadas; e que a evolução da complexidade molecular ocorreu dentro dessas bolhas, e não numa sopa química sem estrutura fundamental nenhuma.

Antes de entrar nos detalhes de como as primitivas bolhas limitadas por membranas — chamadas de "vesículas" pelos químicos — podem ter-se constituído espontaneamente, quero falar sobre as dramáticas conseqüências de um tal processo. Com a formação das vesículas, estabeleceram-se dois ambientes diferentes — um lado de dentro e um de fora — nos quais diferenças de composição química poderiam se desenvolver.

Como mostra Morowitz, o volume interno de uma vesícula proporciona um micro-ambiente fechado no qual podem ocorrer reações químicas dirigidas, o que significa que, nele, moléculas normalmente raras podem formar-se em grandes quantidades. Entre essas moléculas incluem-se, em particular, os elementos básicos que constituem a própria membrana, e que se incorporam à membrana existente de modo que a área total de membrana aumente. Em algum momento desse processo de crescimento, as forças de estabilização já não são capazes de conservar a integridade da membrana, e a vesícula se quebra em duas ou mais bolhas menores.[44]

Esses processos de crescimento e replicação só podem ocorrer quando há um fluxo de energia e matéria através da membrana. Morowitz nos dá uma descrição plausível de como isso pode ter ocorrido.[45] As membranas das vesículas são semipermeáveis, e, por isso, várias moléculas pequenas podem entrar nas bolhas ou ser incorporadas à membrana. Entre essas moléculas incorporadas encontrar-se-iam os chamados cromóforos, moléculas que absorvem a luz do sol. A presença deles criaria potenciais elétricos em toda a área da membrana, e a vesícula se tornaria assim um pequeno foco de conversão de energia luminosa em energia potencial elétrica. Uma vez instalado esse sistema de conversão de energia, torna-se possível que um fluxo energético contínuo alimente os processos químicos dentro da vesícula. A certa altura, esse contexto energético se sofistica quando as reações químicas ocorridas dentro das bolhas produzem fosfatos, que são muito eficazes para a transformação e a distribuição de energia química.

Morowitz afirma também que o fluxo de energia e matéria é necessário não somente para o crescimento e a replicação das vesículas, mas também para a pura e simples conservação de estruturas estáveis. Uma vez que todas as estruturas desse tipo nascem de eventos aleatórios ocorridos no domínio químico e estão sujeitas à deterioração termodinâmica, elas são por sua própria natureza entidades que só existem fora de um equilíbrio termodinâmico e só podem ser preservadas mediante um processamento contínuo de matéria e energia.[46] A essa altura, torna-se evidente que duas das características que definem a vida celular estão presentes sob forma rudimentar nessas primitivas bolhas limitadas por membranas. As vesículas são sistemas abertos, sujeitos a um fluxo contínuo de matéria e energia, ao passo que o interior delas é um espaço relativamente fechado em que há grande probabilidade de desenvolverem-se redes de reações químicas. Podemos considerar essas duas propriedades como as propriedades radicais das redes viventes e de suas estruturas dissipativas.

Agora, tudo já está pronto para que ocorra a evolução pré-biótica. Numa grande população de vesículas, há muitas diferenças de propriedades químicas e componentes estruturais. Caso essas diferenças persistam quando as moléculas se dividem, já podemos falar de uma memória pré-genética e dizer que existem várias "espécies" de vesículas; e, como essas espécies competiriam pela obtenção de energia e de diversas moléculas presentes no ambiente, ocorreria uma espécie de dinâmica darwiniana de concorrência e seleção natural, nas qual determinados acidentes moleculares poderiam ser aumentados e selecionados em virtude de suas vantagens "evolutivas". Além disso, vesículas de tipos diversos ocasionalmente fundir-se-iam, e esse processo poderia resultar numa sinergia de propriedades químicas vantajosas, prefigurando o fenômeno da simbiogênese (a criação de novas formas de vida por meio da simbiose dos organismos) na evolução biológica.[47]

Assim, percebemos que uma variedade de mecanismos puramente físicos e químicos dá às vesículas limitadas por membranas o potencial de "evoluir", mediante a seleção natural, de maneira a formar estruturas complexas capazes de reproduzir a si mesmas, mas sem enzimas nem genes nesses primeiros estágios.[48]

As membranas

Voltemos agora à formação de membranas e bolhas limitadas por membranas. Segundo Morowitz, a formação dessas bolhas é a etapa mais importante da evolução pré-biótica: "É o fechamento de uma membrana [primitiva] para formar uma 'vesícula' que representa uma transição discreta da não-vida para a vida."[49]

A química desse processo crucial é surpreendentemente simples e comum. Baseia-se na polaridade elétrica da água, mencionada anteriormente. Em virtude dessa polaridade, certas moléculas são hidrófilas (atraídas pela água) e outras, hidrófobas (repelidas pela água). Há, porém, uma terceira espécie de moléculas, a das substâncias gordurosas e oleosas, chamadas lipídios. São estruturas alongadas com um lado hidrófilo e outro hidrófobo, como na figura abaixo.

lado hidrófobo ▭—○ lado hidrófilo

Molécula de lipídio, em figura adaptada de Morowitz (1992).

Quando esses lipídios entram em contato com a água, formam espontaneamente diversas estruturas. Podem, por exemplo, constituir uma película monomolecular que se espalha sobre a superfície da água (ver Figura A), ou podem revestir gotículas de óleo e mantê-las suspensas na água (ver Figura B). Esse revestimento do óleo é o que ocorre na maionese, por exemplo, e também explica o poder do sabão de remover manchas de gordura. Ou ainda, os lipídios podem revestir gotículas de água e mantê-las suspensas no óleo (ver Figura C).

Os lipídios podem constituir uma estrutura ainda mais complexa, que consiste numa dupla camada de moléculas com água em ambos os lados, como na Figura D. É essa a estrutura básica da membrana, e, à semelhança da película monomolecular, também pode constituir-se em gotículas, que são as vesículas limitadas por membranas de que estivemos falando (ver Figura E). Essas membranas formadas por uma dupla camada de gordura apresentam um número surpreendente de propriedades bastante semelhantes às das membranas celulares atuais. Elas limitam o número de moléculas capazes de penetrar na vesícula, transformam a energia solar em energia elétrica e até chegam a acumular compostos de fosfato dentro de sua estrutura. Com efeito, as membranas celulares de hoje em dia parecem ser um desenvolvimento dessas membranas primordiais. Também elas são feitas principalmente de lipídios, com proteínas ligadas à membrana ou nela inseridas.

As vesículas lipídicas, portanto, são as estruturas que maior probabilidade têm de ter sido as protocélulas a partir das quais evoluíram as primeiras células vivas. Como nos lembra Morowitz, as propriedades delas são tão assombrosas que é importante não perder de vista o fato de que são estruturas que se formam espontaneamente segundo as leis básicas da física e da química.[50] Com efeito, formam-se com tanta natura-

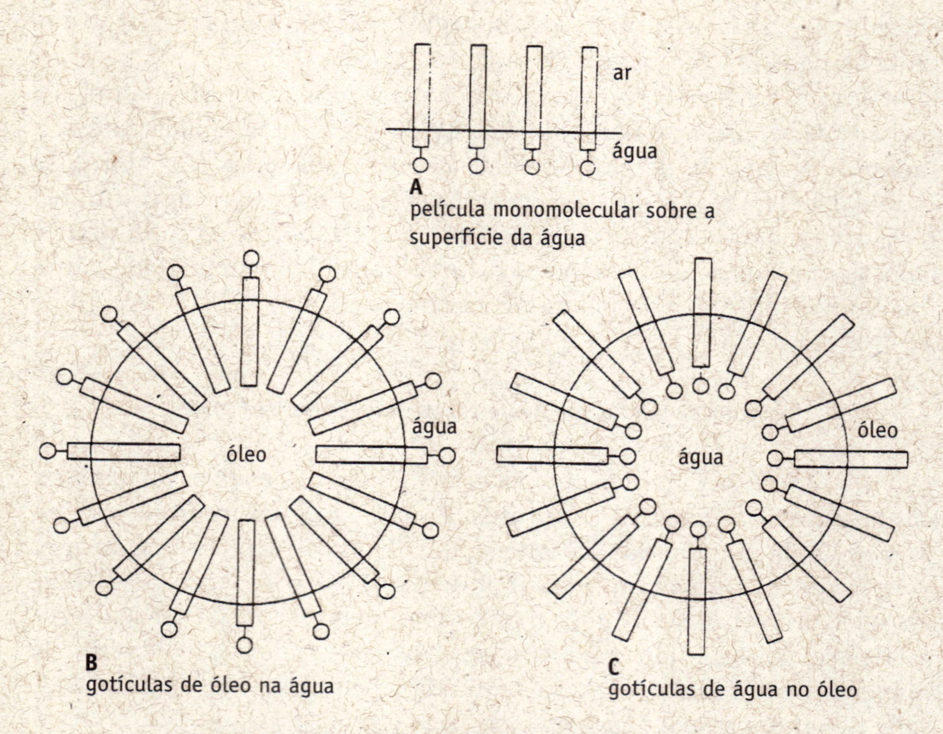

Estruturas simples formadas por moléculas de lipídios, segundo Morowitz (1992).

lidade quanto a das bolhas que se constituem quando juntamos óleo e água e sacudimos a mistura.

Segundo a hipótese de evolução pré-biótica delineada por Morowitz, as primeiras protocélulas formaram-se há cerca de 3,9 bilhões de anos, quando o planeta se resfriou, oceanos rasos e as primeiras rochas já se tinham formado e o carbono já se combinara com os outros elementos fundamentais da vida para constituir uma grande variedade de compostos químicos.

Dentre esses compostos havia substâncias oleosas chamadas de parafinas, que são longas cadeias de hidrocarbonetos. A interação dessas parafinas com a água e com diversos minerais nela dissolvidos deu origem aos lipídios; estes, por sua vez, condensaram-se numa diversidade de gotículas e constituíram também películas finas de uma ou duas camadas. Sob a influência da ação das ondas, as películas fecharam-se espontaneamente em vesículas, e assim começou a transição para a vida.

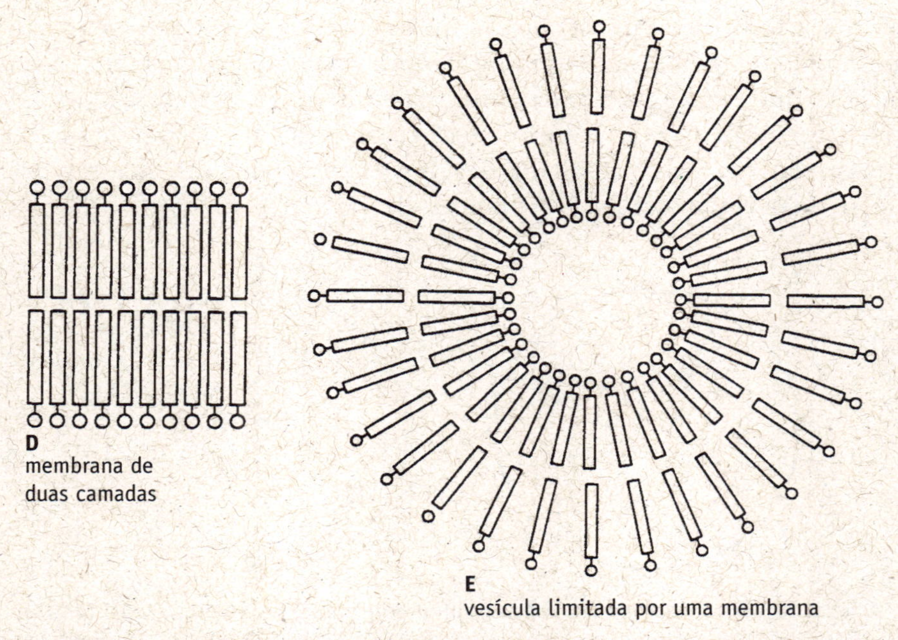

Membrana e vesícula formada por moléculas de lipídios, segundo Morowitz (1992).

A recriação de protocélulas em laboratório

Essa hipótese ainda é altamente especulativa, pois até agora os químicos não foram capazes de produzir lipídios a partir de moléculas menores. Todos os lipídios encontrados em nosso ambiente são derivados do petróleo e de outras substâncias orgânicas. Porém, esse deslocamento do objeto principal de estudo — do DNA e RNA para as membranas e vesículas — deu origem a uma nova e empolgante linha de pesquisas, que já trouxe muitos resultados encorajadores.

Uma das equipes pioneiras nesse tipo de pesquisa é comandada por Pier Luigi Luisi, do Instituto Federal de Tecnologia da Suíca (ETH), em Zurique. Luisi e seus colegas conseguiram preparar ambientes muito simples, do tipo "água e sabão", nos quais vesículas semelhantes às descritas acima são capazes de formar-se espontaneamente e, dependendo das reações químicas envolvidas, perpetuar-se, crescer e replicar-se, ou desaparecer.[51]

Luisi sublinhou o fato de que as vesículas auto-replicantes produzidas em seu laboratório são sistemas autopoiéticos mínimos nos quais reações químicas ocorrem dentro de um limite fechado e feito a partir dos próprios produtos dessas reações. No caso mais simples, ilustrado acima, o limite é composto de um único componente, C. Só há um tipo de molécula, A, capaz de penetrar a membrana e gerar C na reação A → C, que ocorre dentro da bolha. Além disso, ocorre uma reação de decomposição, C → P, e o produto P sai da vesícula. Dependendo das taxas relativas dessas duas reações, a vesícula pode crescer e replicar-se, pode permanecer estável ou pode desaparecer.

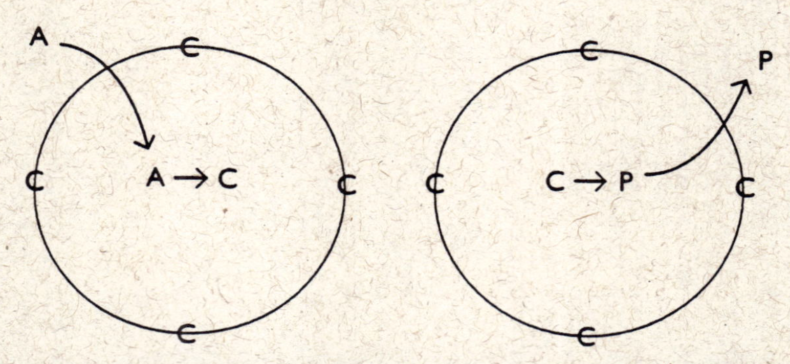

As duas reações básicas de um sistema autopoiético mínimo, segundo Luisi (1993).

Luisi e seus colegas realizaram experimentos com muitos tipos de vesículas e testaram uma grande variedade de reações químicas que ocorrem dentro dessas bolhas.[52] Produzindo protocélulas autopoiéticas que se constituem espontaneamente, esses bioquímicos recriaram aquela que talvez tenha sido a etapa mais crítica da evolução pré-biótica.

Os catalisadores e a complexidade

Quando as protocélulas se formaram e as moléculas que absorviam e transformavam a energia solar colocaram-se no lugar que deviam ocupar, a evolução rumo a uma complexidade maior pôde começar. Nessa época, os elementos dos compostos químicos eram C, H, O, P e talvez S. Com a entrada do nitrogênio nesse sistema, talvez sob a forma de amônia (NH_3), tornou-se possível um aumento drástico da complexidade molecular, pois o nitrogênio é essencial para duas características típicas da vida celular — a catálise e o armazenamento de informações.[53]

Os catalisadores aumentam a velocidade das reações químicas sem sofrer transformações nesse processo, e tornam possível a ocorrência de certas reações que, sem eles, não aconteceriam. As reações de catálise são processos importantíssimos e essenciais para a química da vida. Nas células atuais, essas reações são mediadas por enzimas; mas, nos primeiros estágios das protocélulas, essas macromoléculas elaboradas nem sequer existiam.

Entretanto, os químicos descobriram que certas moléculas pequenas, que se ligam a membranas, podem talvez apresentar propriedades catalíticas. Morowitz supõe que foi a entrada do nitrogênio na química das protocélulas que levou à formação desses primeiros catalisadores. E, nesse meio-tempo, os bioquímicos do ETH conseguiram recriar em laboratório essa etapa evolutiva, fazendo com que moléculas dotadas de fracas propriedades catalíticas se ligassem quimicamente às membranas das vesículas formadas no laboratório.[54]

Com o aparecimento dos catalisadores, a complexidade molecular aumentou rapidamente, porque os catalisadores criam redes químicas mediante a interligação de diversas reações. Quando isso acontece, o que entra em jogo é toda a dinâmica não-linear dos sistemas em rede. Isso determina, em particular, o surgimento espontâneo de novas formas de ordem, como demonstraram Ilya Prigogine e Manfred Eigen, dois Prêmios Nobel de química, pioneiros do estudo dos sistemas químicos auto-organizadores.[55]

Com a ajuda das reações de catalisação, o número de mudanças benéficas ocasionadas pelo acaso teria aumentado consideravelmente; assim, um modelo de competição darwiniana plena ter-se-ia estabelecido, forçando as protocélulas a mudar sempre em direção a uma complexidade maior — mais distantes do equilíbrio e mais próximas da vida.

A última etapa do surgimento da vida a partir das protocélulas foi a evolução das proteínas, dos ácidos nucleicos e do código genético. Atualmente, os detalhes desse estágio ainda são bastante misteriosos. Porém, não podemos nos esquecer de que a evolução das redes catalíticas dentro dos espaços fechados das protocélulas criou um novo tipo de química de redes que ainda não chegou a ser perfeitamente compreendida. Podemos ter certeza de que a aplicação da dinâmica não-linear a essas redes químicas complexas, bem como a "explosão de novos conceitos matemáticos" prevista por Ian Stewart, vão lançar bastante luz sobre essa última fase da evolução pré-biótica. Harold Morowitz afirma que a análise da seqüência química que vai das pequenas moléculas até os aminoácidos revela um extraordinário conjunto de correlações que parece sugerir a existência de uma "profunda lógica de redes" no desenvolvimento do código genético.[56]

Outra descoberta interessante nos informa que as redes químicas, quando operam em espaços fechados e estão sujeitas a um fluxo contínuo de energia, desenvolvem processos que, surpreendentemente, assemelham-se muito aos dos ecossistemas. Já se demonstrou, por exemplo, que características significativas da fotossíntese biológica e do ciclo ecológico do carbono surgem espontaneamente em certos sistemas criados em laboratório. A utilização da matéria parece ser um traço generalizado das redes químicas que são conservadas distantes do equilíbrio por um fluxo constante de energia.[57]

"A mensagem que fica", diz Morowitz, "é a necessidade de compreender-se a complexa rede de reações orgânicas que contêm intermediários que servem de catalisadores em outras reações.... Se compreendêssemos melhor como lidar com as redes químicas, muitos outros problemas da química pré-biótica haveriam de tornar-se consideravelmente mais simples."[58] Quando um número maior de bioquímicos vier a se interessar pela dinâmica não-linear, é muito provável que, através da "biomatemática" vislumbrada por Stewart, se acabe por desenvolver uma teoria adequada das redes químicas, teoria essa que revelará por fim os segredos do último estágio do surgimento da vida.

O desenvolvimento da vida

Quando a memória codificou-se por fim nas macromoléculas, as redes químicas limitadas por membranas adquiriram todas as características essenciais das células bacterianas de hoje em dia. Esse grande marco da evolução da vida estabeleceu-se talvez há 3,8 bilhões de anos, uns cem milhões de anos depois da formação das primeiras protocélulas. Foi assim que surgiu um ancestral universal — ou uma única célula ou toda uma população de células — do qual descendem todas as posteriores formas de vida sobre a Terra. É como explica Morowitz: "Embora não saibamos quantas origens independentes de vida celular podem ter ocorrido, toda a vida atual descende de um único clone. Essa conclusão decorre da universalidade das redes e programas bioquímicos básicos da síntese macromolecular."[59]

Esse ancestral universal provavelmente superou, em desempenho, todas as protocélulas. E assim seus descendentes tomaram conta da Terra inteira, tecendo uma rede bacteriana planetária e ocupando todos os sistemas ecológicos, de modo a impossibilitar o surgimento de outras formas de vida.

O desenvolvimento global da vida decorreu através de três grandes caminhos evolutivos.[60] O primeiro, que talvez seja o menos importante, é o das mutações genéticas aleatórias, o elemento principal da teoria neodarwiniana. A mutação genética é causada por um erro casual na auto-replicação do DNA, no momento em que as duas cadeias da dupla hélice do DNA separam-se e cada uma delas serve como modelo para a construção de uma nova cadeia complementar. Esses erros casuais, porém, não parecem ocorrer com freqüência suficiente para explicar a evolução da grande diversidade de formas de vida, dado o fato bem conhecido de que a imensa maioria das mutações são nocivas, e só umas poucas resultam em variações úteis.[61]

No caso das bactérias, a situação é outra, pois elas se dividem com tanta rapidez que bilhões podem ser geradas a partir de uma única célula num prazo de poucos dias. Em virtude desse ritmo aceleradíssimo de reprodução, uma única mutação bacteriana benéfica pode espalhar-se rapidamente pelo ambiente. Assim, a mutação é, de fato, um caminho evolutivo importante para as bactérias.

As bactérias também desenvolveram um segundo caminho de criatividade evolutiva, um caminho muitíssimo mais eficaz do que a mutação aleatória. Elas trocam livremente entre si suas características hereditárias, numa rede global de intercâmbio dotada de um poder e uma eficiência incríveis. A descoberta desse comércio global de genes, chamado tecnicamente de recombinação do DNA, deve ser considerada uma das descobertas mais extraordinárias da biologia moderna. Lynn Margulis descreve-a de modo pitoresco: "A transferência horizontal de genes entre as bactérias é como se uma pessoa de olhos castanhos pulasse numa piscina e dela saísse de olhos azuis."[62]

Essa transferência de genes ocorre continuamente, e muitas bactérias chegam a trocar até quinze por cento de todo o seu material genético todos os dias. É como explica Margulis: "Quando uma bactéria se vê ameaçada, ela espalha pelo ambiente o seu DNA, e todas as que estão em torno o recolhem; num período de poucos meses, ele se espalha pelo mundo inteiro."[63] Uma vez que todas as linhagens bacterianas têm o poder de intercambiar dessa maneira suas características hereditárias, alguns microbiólogos afirmam que as bactérias não podem, a rigor, ser classificadas em espécies.[64] Em outras palavras, todas as bactérias fazem parte de uma única teia vital microscópica.

Na evolução, portanto, as bactérias são capazes de acumular rapidamente suas mutações ocasionais, bem como grandes porções de DNA, através da troca de genes. Por isso, são dotadas de uma extraordinária capacidade de adaptar-se às mudanças ambientais. A velocidade com que a resistência a um medicamento se espalha entre as diversas comunidades de bactérias é uma prova insólita da eficiência de suas redes de comunicação. Assim, a microbiologia nos dá uma lição de humildade: as tecnologias da engenharia genética e de uma rede global de comunicações, propaladas como avanços exclusivos da civilização moderna, já têm sido usadas desde há bilhões de anos pela rede planetária de bactérias.

No decorrer dos primeiros dois bilhões de anos de evolução biológica, as bactérias e outros microorganismos foram as únicas formas de vida no planeta. Nesses dois bilhões de anos, as bactérias transformaram continuamente a superfície e a atmosfera da Terra e estabeleceram os ciclos fechados globais que garantem a auto-regulação do sistema de Gaia. Com isso, inventaram todas as biotecnologias essenciais à vida: a fermentação, a fotossíntese, a fixação do nitrogênio, a respiração e diversas técnicas de locomoção rápida, entre outras. As mais recentes pesquisas de microbiologia evidenciam que, no que diz respeito aos processos materiais da vida, a rede planetária de bactérias foi a principal fonte de criatividade evolutiva.

Mas o que dizer acerca da evolução das diversas formas biológicas, da enorme variedade de seres viventes que habitam o mundo visível? Se as mutações aleatórias não são para elas um mecanismo evolutivo eficiente, e se elas não trocam genes como fazem as bactérias, como evoluíram as formas superiores de vida? Essa pergunta foi respondida por Lynn Margulis com a hipótese de um terceiro caminho da evolução — a evolução pela simbiose — que tem implicações profundas para todos os ramos da biologia.

A simbiose — a tendência de que organismos diferentes vivam em íntima associação uns com os outros e até uns dentro dos outros (como as bactérias que vivem em nossos intestinos) — é um fenômeno comum e bem conhecido. Margulis, porém, foi um passo além e propôs a hipótese de que simbioses prolongadas, envolvendo bactérias e outros microorganismos que viviam dentro de células maiores, teriam criado e continuam a criar novas formas de vida. Essa hipótese revolucionária foi proposta por Margulis em meados da década de 1960 e transformou-se já numa teoria plenamente desenvolvida, conhecida agora como "simbiogênese", que postula a criação de novas formas de vida através de arranjos simbióticos permanentes como o principal caminho pelo qual evoluíram todos os organismos superiores.[65]

Também nessa evolução através da simbiose as bactérias teriam desempenhado um papel de destaque. Quando certas bactérias pequenas entraram em simbiose com células maiores e continuaram vivendo dentro delas na qualidade de orgânulos, o resultado foi um passo evolutivo gigantesco — a criação de células vegetais e animais que se perpetuaram por reprodução sexuada e acabaram por evoluir e transformar-se nos organismos vivos que vemos em nosso meio ambiente. Em sua evolução, esses organismos continuaram a absorver bactérias, incorporando parte do genoma destas a fim de sintetizar proteínas para novas estruturas e funções biológicas, num processo mais ou menos análogo ao das fusões e aquisições empresariais que ocorrem hoje em dia no mundo dos negócios. Já se acumulam, por exemplo, os indícios de que os microtúbulos, essenciais para a arquitetura do cérebro, foram originariamente uma contribuição das bactérias chamadas espiroquetas, com forma de saca-rolhas.[66]

O desenvolvimento evolutivo da vida no decorrer de bilhões de anos é uma história emocionante, contada de maneira muito bela por Margulis e Dorion Sagan no livro *Microcosmos*.[67] Impulsionada pela criatividade intrínseca de todos os sistemas vivos, manifesta pelos caminhos da mutação, da troca de genes e da simbiose e controlada pela seleção natural, a teia planetária da vida expandiu-se e tornou-se mais complexa, diferenciando-se numa diversidade de formas cada vez maior.

Esse majestoso desenvolvimento não procedeu através de mudanças graduais e contínuas ocorridas no decorrer do tempo. O registro fóssil nos mostra claramente que a história da evolução caracteriza-se por longos períodos de estabilidade, ou "estase", sem muita variação genética, marcados e pontuados por transições rápidas e drásticas.[68] Essa imagem de um "equilíbrio pontuado" indica que as transições súbitas foram causadas por mecanismos muito diferentes das mutações aleatórias da teoria neodarwinista; parece, pois, que a criação de novas espécies através da simbiose desempenhou nesse processo um papel crítico. Nas palavras de Margulis: "Do ponto de vista amplo do tempo geológico, as simbioses assemelham-se ao fulgurar de relâmpagos de evolução."[69]

Outro padrão recorrente é a ocorrência de catástrofes seguidas por períodos de intenso crescimento e renovação. Assim, há 245 milhões de anos, aos mais devastadores processos de extinção em massa já ocorridos neste planeta seguiu-se rapidamente a evolução dos mamíferos; e, há 66 milhões de anos, a catástrofe que eliminou os dinossauros da face da Terra abriu caminho para a evolução dos primeiros primatas e, ao fim e ao cabo, da espécie humana.

O que é a vida?

Voltemos agora à questão proposta no começo do capítulo — Quais são as características que definem os sistemas vivos? — e recapitulemos tudo o que aprendemos. Tomando como exemplo as bactérias, que são os mais simples de todos os sistemas vivos, caracterizamos a célula viva como uma rede metabólica limitada por uma membrana, autogeradora e fechada no que diz respeito à sua organização. Essa rede necessita de vários tipos de macromoléculas altamente complexas: proteínas estruturais; enzimas, que atuam como catalisadoras dos processos metabólicos; o RNA, o mensageiro que porta as informações genéticas; e o DNA, que armazena as informações genéticas e é o responsável pela auto-replicação da célula.

Ficamos sabendo, além disso, que a rede celular é aberta dos pontos de vista material e energético, e que faz uso de um fluxo constante de matéria e energia para produzir, reparar e perpetuar a si mesma; que permanece num estado distante do equilíbrio termodinâmico, num estado em que novas estruturas e novas formas de ordem podem surgir espontaneamente, conduzindo assim ao desenvolvimento e à evolução.

Vimos, por fim, que uma forma pré-biótica de evolução — associada a bolhinhas de "vida mínima" envolvidas por uma membrana — começou muito tempo antes do surgimento da primeira célula viva; e que as raízes da vida estão intimamente ligadas à física e à química básicas dessas protocélulas.

Identificamos, além de tudo isso, os três grandes caminhos pelos quais manifestou-se a criatividade evolucionária — a mutação, o intercâmbio de genes e a simbiose — e através dos quais a vida desenvolveu-se por mais de três bilhões de anos, desde os ancestrais universais bacterianos até o surgimento dos seres humanos, sem sofrer jamais uma solução de continuidade no padrão básico de suas redes autogeradoras.

Para aplicar essa compreensão da natureza da vida à dimensão social do ser humano — que é a proposta central deste livro —, precisamos tratar do pensamento conceitual, dos valores, do sentido e da finalidade — fenômenos que pertencem ao domínio da consciência e da cultura humanas. Isso significa que, antes de mais nada, precisamos incluir uma compreensão da mente e da consciência em nossa teoria dos sistemas vivos.

Mudando o foco da nossa atenção para a dimensão cognitiva da vida, veremos que está surgindo agora uma concepção unificada da vida, da mente e da consciência, uma concepção na qual a consciência humana encontra-se inextricavelmente ligada ao mundo social da cultura e dos relacionamentos interpessoais. Constataremos, além disso, que essa concepção unificada nos permitirá compreender a dimensão espiritual da vida de maneira totalmente compatível com as concepções tradicionais de espiritualidade.

Dois

Mente e consciência

Uma das mais importantes conseqüências filosóficas dessa nova compreensão da vida é uma concepção inaudita da natureza da mente e da consciência, que finalmente supera o dualismo cartesiano entre mente e matéria. No século XVII, René Descartes baseou a sua concepção da natureza numa divisão fundamental entre dois domínios independentes e separados — o da mente, a "coisa pensante" (*res cogitans*), e o da matéria, a "coisa extensa" (*res extensa*). Essa cisão conceitual entre mente e matéria tem assombrado a ciência e a filosofia ocidentais há mais de trezentos anos.

Depois de Descartes, os cientistas e os filósofos continuaram a conceber a mente como uma espécie de entidade intangível e foram capazes de imaginar como essa "coisa pensante" poderia relacionar-se com o corpo. Embora os neurocientistas saibam desde o século XIX que as estruturas cerebrais e as funções mentais estão intimamente ligadas, a exata relação entre a mente e o cérebro permanece misteriosa. Ainda em 1994, data recente, os organizadores de uma antologia chamada *Consciousness in Philosophy and Cognitive Neuroscience* [A Consciência na Filosofia e nas Neurociências da Cognição] tiveram de declarar francamente em sua introdução: "Muito embora todos concordem em que a mente tem algo que ver com o cérebro, ainda não há consenso generalizado quanto à natureza exata dessa relação."[1]

O avanço decisivo da concepção sistêmica da vida foi o de ter abandonado a visão cartesiana da mente como uma coisa, e de ter percebido que a mente e a consciência não são coisas, mas processos. Na biologia, esse novo conceito da mente foi desenvolvido durante a década de 1960 por Gregory Bateson, que usou o termo "processo mental", e, independentemente, por Humberto Maturana, que centrou sua atenção na cognição, o processo de conhecimento.[2] Na década de 1970, Maturana e Francisco Varela ampliaram a obra inicial de Maturana e transformaram-na numa teoria plenamente formada, que se tornou conhecida como a teoria da cognição de Santiago.[3] No decorrer dos últimos vinte e cinco anos, o estudo da mente a partir dessa perspectiva sistêmica floresceu e tornou-se um grande campo interdisciplinar de estudos, chamado de ciência da cognição, que transcende as estruturas tradicionais da biologia, da psicologia e da epistemologia.

A teoria da cognição de Santiago

A idéia central da teoria de Santiago é a identificação da cognição, o processo de conhecimento, com o processo do viver. Segundo Maturana e Varela, a cognição é a atividade que garante a autogeração e a autoperpetuação das redes vivas. Em outras palavras, é o próprio processo da vida. A atividade organizadora dos sistemas vivos, em todos os níveis de vida, é uma atividade mental. As interações de um organismo vivo — vegetal, animal ou humano — com seu ambiente são interações cognitivas. Assim, a vida e a cognição tornam-se inseparavelmente ligadas. A mente — ou melhor, a atividade mental — é algo imanente à matéria, em todos os níveis de vida.

Essa é uma expansão radical do conceito de cognição e, implicitamente, do conceito de mente. De acordo com essa nova concepção, a cognição envolve todo o processo da vida — inclusive a percepção, as emoções e o comportamento — e nem sequer depende necessariamente da existência de um cérebro e de um sistema nervoso.

Na teoria de Santiago, a cognição está intimamente ligada à autopoiese, a autogeração das redes vivas. O sistema autopoiético é definido pelo fato de sofrer mudanças estruturais contínuas ao mesmo tempo que conserva o seu padrão de organização em teia. Os componentes da rede continuamente produzem e transformam uns aos outros, e o fazem de duas maneiras distintas. A primeira espécie de mudança estrutural é a de auto-renovação. Todo organismo vivo se renova constantemente, na medida em que suas células se dividem e constroem estruturas, na medida em que seus tecidos e órgãos substituem suas células num ciclo contínuo. Apesar dessa mudança permanente, o organismo conserva a sua identidade global, seu padrão de organização.

O segundo tipo de mudança estrutural num sistema vivo é aquele que cria novas estruturas — novas conexões da rede autopoiética.

Essas mudanças, que não são cíclicas, mas seguem uma linha de desenvolvimento, também ocorrem continuamente, quer em decorrência das influências ambientais, quer como resultado da dinâmica interna do sistema.

Segundo a teoria da autopoiese, o sistema vivo se liga estruturalmente ao seu ambiente, ou seja, liga-se ao ambiente através de interações recorrentes, cada uma das quais desencadeia mudanças estruturais no sistema. A membrana celular, por exemplo, assimila continuamente certas substâncias do ambiente para incorporá-las ao processo metabólico da célula. O sistema nervoso de um organismo muda o seu padrão de ligações nervosas a cada novo estímulo sensorial. Porém, os sistemas vivos são autônomos. O ambiente só faz desencadear as mudanças estruturais; não as especifica nem as dirige.

Essa acoplagem estrutural, tal como a definem Maturana e Varela, estabelece uma nítida diferença entre os modos pelos quais os sistemas vivos e os não-vivos interagem com o ambiente. Quando você dá um pontapé numa pedra, por exemplo, ela *reage* ao pontapé de acordo com uma cadeia linear de causa e efeito. Seu comportamento pode ser calculado por uma simples aplicação das leis básicas da mecânica newtoniana. Quando você dá um pontapé num cachorro, a situação é totalmente diferente. Ele reage ao pontapé com mudanças estruturais que dependem da sua própria natureza e do seu padrão (não-linear) de organização. Em geral, o comportamento resultante é imprevisível.

À medida que o organismo vivo responde às influências ambientais com mudanças estruturais, essas mudanças, por sua vez, alteram o seu comportamento futuro. Em outras palavras, o sistema que se liga ao ambiente através de um vínculo estrutural é um sistema que aprende. A ocorrência de mudanças estruturais contínuas provocadas pelo contato com o ambiente — seguidas de uma adaptação, um aprendizado e um desenvolvimento também contínuos — é uma das características fundamentais de todos os seres vivos. Em virtude da acoplagem estrutural, podemos qualificar de inteligente o comportamento de um animal, mas jamais aplicaríamos esse termo ao comportamento de uma rocha.

À medida que continua interagindo com o ambiente, o organismo vivo sofre uma seqüência de mudanças estruturais e, com o tempo, acaba por formar o seu próprio caminho individual de acoplagem estrutural. Em qualquer ponto desse caminho, a estrutura do organismo sempre pode ser definida como um registro das mudanças estruturais anteriores e, portanto, das interações anteriores. Em outras palavras, todos os seres vivos têm uma história. A estrutura viva é sempre um registro dos desenvolvimentos já ocorridos.

Ora, como a estrutura de um organismo constitui um registro das mudanças estruturais anteriores, e como cada mudança estrutural influencia o comportamento futuro do organismo, segue-se daí que o comportamento do organismo vivo é definido por sua estrutura. Segundo a terminologia de Maturana, o comportamento dos sistemas vivos é "determinado pela estrutura".

Essa noção de determinismo estrutural lança nova luz sobre o antiqüíssimo debate filosófico acerca da liberdade e do determinismo. Segundo Maturana, o comportamento do organismo vivo é, de fato, determinado. Porém, não é determinado por forças exteriores, mas pela estrutura do próprio organismo — uma estrutura formada por uma sucessão de mudanças estruturais autônomas. Assim, o comportamento do organismo vivo é ao mesmo tempo determinado e livre.

Os sistemas vivos, portanto, respondem autonomamente às perturbações do ambiente. Respondem a elas com mudanças na sua própria estrutura, ou seja, com um rearranjo do padrão de ligações da sua rede estrutural. Segundo Maturana e Varela, nenhum sistema vivo pode ser controlado; só pode ser perturbado. Mais ainda: o sistema vivo não especifica somente as suas mudanças estruturais; especifica também *quais são as perturbações do ambiente que podem desencadeá-las.* Em outras palavras, o sistema vivo conserva a liberdade de decidir o que perceber e o que aceitar como perturbação. É essa a chave da teoria da cognição de Santiago. As mudanças estruturais do sistema constituem atos de cognição. Na medida em que especifica quais as perturbações do ambiente que podem desencadear mudanças, o sistema especifica a extensão do seu domínio cognitivo; ele "produz um mundo", nas palavras de Maturana e Varela.

A cognição, portanto, não é a representação de um mundo que existe independentemente e por si, mas antes a contínua produção de um mundo através do processo do viver. As interações do sistema vivo com seu ambiente são interações cognitivas, e o próprio processo do viver é um processo de cognição. Nas palavras de Maturana e Varela, "viver é conhecer". À medida que o organismo vivo segue o seu próprio caminho de modificação estrutural, cada uma das mudanças que compõem esse caminho corresponde a um ato cognitivo, o que significa que aprendizado e desenvolvimento não passam de dois lados da mesma moeda.

A identificação da mente, ou cognição, com o processo da vida é uma idéia nova na ciência, mas é uma das intuições mais profundas e arcaicas da humanidade. Nos tempos antigos, a mente racional humana era vista como apenas um dos aspectos da alma imaterial, ou espírito. A distinção básica que se fazia não era entre corpo e mente, mas entre corpo e alma, ou corpo e espírito.

Nas línguas antigas, tanto a alma quanto o espírito eram descritos pela metáfora do sopro vital. As palavras para "alma" em sânscrito (*atman*), em grego (*psyche*) e em latim (*anima*) significam, todas elas, "sopro". O mesmo vale para as palavras que significam "espírito" em latim (*spiritus*), em grego (*pneuma*) e em hebraico (*ruah*). Também elas significam "sopro".

A antiga idéia comum a todas essas palavras é a de que a alma ou o espírito são o sopro da vida. Do mesmo modo, o conceito de cognição na teoria de Santiago vai muito além da mente racional, na medida em que inclui todo o processo do viver. A comparação entre a cognição e o sopro vital parece ser uma metáfora perfeita.

Para melhor compreender e avaliar o avanço conceitual que a teoria de Santiago representa, vamos voltar à espinhosa questão da relação entre mente e cérebro. Na teoria de Santiago, essa relação é simples e clara. A caracterização cartesiana da mente como "coisa pensante" é abandonada. A mente não é uma coisa, mas um processo — o processo de cognição, identificado com o processo do viver. O cérebro é uma estrutura específica através da qual se dá esse processo. A relação entre mente e cérebro, portanto, é uma relação entre processo e estrutura. Além disso, o cérebro não é a única estrutura através da qual opera o processo de cognição. Toda a estrutura do organismo participa do processo cognitivo, quer o organismo tenha um cérebro e um sistema nervoso superior, quer não.

Na minha opinião, a teoria da cognição de Santiago é a primeira teoria científica a superar a cisão cartesiana entre mente e matéria, e por isso terá conseqüências das mais momentosas. A mente e a matéria já não parecem pertencer a duas categorias diferentes, mas podem ser concebidas como dois aspectos complementares do fenômeno da vida — processo e estrutura. Em todos os níveis da vida, a começar com o da célula mais simples, a mente e a matéria, o processo e a estrutura, acham-se inseparavelmente unidos.

Cognição e consciência

A cognição, tal como a compreende a teoria de Santiago, é associada à vida em todos os seus níveis e constitui, portanto, um fenômeno muito mais amplo do que a consciência. A consciência — ou seja, a experiência vivida e consciente — se manifesta em certos graus de complexidade cognitiva que exigem a existência de um cérebro e de um sistema nervoso superior. Em outras palavras, a consciência é um tipo especial de processo cognitivo que surge quando a cognição alcança um certo nível de complexidade.

É interessante notar que a noção de consciência como processo apareceu na ciência já no século XIX, nos escritos de William James, que muitos consideram o maior psicólogo norte-americano. James era um crítico ardoroso das teorias reducionistas e materialistas que dominavam a psicologia em sua época, e um defensor veemente da interdependência da mente e do corpo. Afirmou que a consciência não é uma coisa, mas um fluxo em contínua mudança, e ressaltou a natureza pessoal, contínua e altamente integrada dessa corrente da consciência.[4]

Nos anos subseqüentes, porém, as extraordinárias opiniões de William James não foram capazes de diminuir o fascínio que o cartesianismo exercia sobre os psicólogos e os cientistas naturais, e sua influência só voltou a se fazer sentir nas últimas décadas do século XX. Mesmo durante as décadas de 1970 e 1980, em que novas hipóteses humanistas e transpessoais estavam sendo formuladas pelos psicólogos norte-americanos, o estudo da consciência como uma experiência viva ainda era tabu no campo das ciências da cognição.

No decorrer da década de 1990, a situação mudou por completo. A ciência da cognição firmou-se como um grande campo de estudos interdisciplinares; ao mesmo tempo, novas técnicas não-invasivas de estudo das funções cerebrais foram desenvolvidas, possibilitando a observação dos processos neurais complexos associados à imaginação e a outras experiências próprias do ser humano.[5] E, de repente, o estudo científico da consciência tornou-se um campo de pesquisas respeitado e concorrido. Num período de poucos anos, publicaram-se vários livros sobre a natureza da consciência, de autoria de ganhadores do Prêmio Nobel e outros eminentes cientistas; dezenas de artigos escritos pelos maiores cientistas e filósofos da cognição foram publicados no recém-criado *Journal of Consciousness Studies*; e grandes conferências científicas passaram a receber o nome de "Rumo a uma Ciência da Consciência".[6]

Embora os cientistas e filósofos da cognição tenham proposto muitas maneiras diferentes de proceder ao estudo da consciência, e tenham às vezes se engajado em acalorados debates, parece que se está chegando a um consenso cada vez maior quanto a dois pontos de grande importância. O primeiro, como já dissemos, é o reconhecimento do fato de que a consciência é um processo cognitivo que surge de uma atividade neural complexa. O segundo é a distinção entre dois tipos de consciência — em outras palavras, dois tipos de experiências cognitivas — que surgem em níveis diferentes de complexidade neurológica.

O primeiro tipo, chamado de "consciência primária", surge quando os processos cognitivos passam a ser acompanhados por uma experiência básica de percepção, sensação e emoção. Essa consciência primária manifesta-se provavelmente na maioria dos mamíferos e talvez em alguns pássaros e outros vertebrados.[7] O segundo tipo de consciência, chamado às vezes de "consciência de ordem superior",[8] envolve a autoconsciência — uma noção de si mesmo, formulada por um sujeito que pensa e reflete. A experiência da autoconsciência surgiu durante a evolução dos grandes macacos, ou "hominídeos", junto com a linguagem, o pensamento conceitual e todas as outras características que se manifestam plenamente na consciência humana. Em virtude do papel essencial da reflexão nessa experiência consciente de ordem superior, vou chamá-la de "consciência reflexiva".

A consciência reflexiva envolve um alto grau de abstração cognitiva. Ela inclui, entre outras coisas, a capacidade de formar e reter imagens mentais, que nos permite elaborar valores, crenças, objetivos e estratégias. Esse estágio evolutivo tem relação direta com o tema principal deste livro — a aplicação da nova compreensão da vida ao domínio social — porque, com a evolução da linguagem, surgiu não só o mundo interior dos conceitos e das idéias como também o mundo social da cultura e dos relacionamentos organizados.

A natureza da experiência consciente

O problema central da ciência da consciência é o de explicar a experiência subjetiva associada aos acontecimentos cognitivos. Os diversos estados de experiência consciente são às vezes chamados de *qualia* pelos cientistas da cognição, pois cada estado é caracterizado por uma "sensação qualitativa" especial.[9] O desafio de explicar esses *qualia* foi caracterizado como "o osso duro de roer" da ciência da consciência, num artigo do filósofo David Chalmers, citado com bastante freqüência.[10] Depois de recapitular ciência cognitiva convencional, Chalmers afirma que não é possível explicar por que certos processos nervosos dão origem à experiência consciente. "Para explicar a experiência consciente", conclui ele, "precisamos de um *elemento extra* na explicação."

Essa afirmação nos faz lembrar do debate entre os mecanicistas e os vitalistas acerca da natureza dos fenômenos biológicos nas primeiras décadas do século XX.[11] Enquanto os mecanicistas afirmavam que todos os fenômenos biológicos poderiam ser explicados pelas leis da física e da química, os vitalistas asseveravam que uma "força vital" deveria ser acrescentada a essas leis, constituindo-se assim num elemento adicional, extrafísico, da explicação dos fenômenos biológicos.

A idéia que surgiu desse debate, e que só foi formulada muitas décadas depois, foi a de que, para explicar os fenômenos biológicos, também temos de levar em conta a dinâmica não-linear complexa das redes vivas.

Só chegaremos a uma compreensão plena dos fenômenos biológicos quando os abordarmos mediante a interação de três níveis descritivos diferentes: a biologia dos fenômenos observados, as leis da física e da bioquímica e a dinâmica não-linear dos sistemas complexos.

Parece-me que os estudiosos da cognição, quando abordam o estudo da consciência, encontram-se em situação muito semelhante, posto que num outro nível de complexidade. A experiência consciente é um fenômeno que surge espontaneamente (*emergent phenomenon*), ou seja, não pode ser explicada somente em função dos mecanismos neuronais. A experiência nasce da dinâmica não-linear complexa das redes neurais, e só poderá ser explicada se a nossa compreensão da neurobiologia for combinada a uma compreensão dessa dinâmica.

Para chegar a uma compreensão plena da consciência, temos de estudá-la mediante uma análise cuidadosa das experiências conscientes; da física, da bioquímica e da biologia do sistema nervoso; e da dinâmica não-linear das redes neurais. A ciência verdadeira da consciência só será formulada quando compreendermos de que maneira esses três níveis descritivos podem entretecer-se naquilo que Varela denominou "trança de três" do estudo da consciência.[12]

Quando o estudo da consciência se processa pela combinação da experiência, da neurobiologia e da dinâmica não-linear, o "osso duro" se transforma no desafio da compreensão e da aceitação de dois novos paradigmas científicos. O primeiro é o paradigma da teoria da complexidade. Uma vez que os cientistas, em sua maioria, estão acostumados a trabalhar com modelos lineares, muitas vezes relutam em adotar a estrutura não-linear da teoria da complexidade e têm dificuldade para compreender todas as implicações da dinâmica não-linear. Isso se aplica, em específico, ao fenômeno do surgimento espontâneo (*emergence*).

O modo pelo qual a experiência consciente pode surgir dos processos neurofisiológicos parece altamente misterioso. Porém, esse surgimento é típico dos fenômenos emergentes. O surgimento espontâneo resulta na criação de novidades, e essas novidades muitas vezes são qualitativamente diferentes dos fenômenos a partir dos quais surgem. Pode-se ilustrar esse fato com um exemplo bastante conhecido tirado da química: o exemplo da estrutura e das propriedades do açúcar.

Quando átomos de carbono, oxigênio e hidrogênio se ligam de uma determinada maneira para formar o açúcar, o composto resultante tem um sabor doce. A doçura não está nem no C, nem no O, nem no H; reside, isto sim, no padrão que surge de uma determinada interação dos três. Em outras palavras, é uma "propriedade emergente", ou que surge espontaneamente. Além disso, a rigor, essa doçura não é uma propriedade das ligações químicas. É uma experiência sensorial que surge quando as moléculas de açúcar interagem com a química das nossas papilas gustativas, interação essa que, por sua vez, faz com que um conjunto de neurônios sejam estimulados de uma maneira específica. A experiência da doçura nasce dessa atividade neural.

Assim, a simples afirmação de que a propriedade característica do açúcar é a doçura refere-se, na verdade, a toda uma série de fenômenos emergentes que ocorrem em diversos níveis de complexidade. Os químicos não vêem nenhum problema conceitual nesses fenômenos emergentes quando identificam uma determinada classe de compostos como açúcares em virtude do seu sabor doce. Da mesma maneira, os estudiosos da cognição do futuro não terão problemas conceituais com outras espécies de fenômenos emergentes, quando os analisarem em função da experiência consciente resultante, da bioquímica e da neurobiologia.

Para fazer isso, porém, os cientistas terão de aceitar outro paradigma novo — terão de reconhecer que a análise da experiência viva, ou seja, dos fenômenos subjetivos, tem de fazer parte de qualquer ciência da consciência que mereça ser considerada como tal.[13] Mas esse reconhecimento exige uma mudança metodológica profunda que poucos estudiosos da cognição estão dispostos a empreender, e que constitui, assim, a própria raiz do "osso duro de roer" da ciência da consciência.

A enorme relutância dos cientistas em se ver às voltas com os fenômenos subjetivos faz parte da nossa herança cartesiana. A divisão fundamental que Descartes operou entre a mente e a matéria, o eu e o mundo, levou-nos a crer que o mundo pudesse ser descrito objetivamente, ou seja, sem que se fizesse menção nenhuma ao observador humano. Tal descrição objetiva da natureza tornou-se o ideal de toda ciência. Entretanto, três séculos depois de Descartes, a teoria quântica nos mostrou que esse ideal clássico de uma ciência objetiva não poderia se aplicar ao estudo dos fenômenos atômicos. E, em época ainda mais recente, a teoria da cognição de Santiago deixou claro que a própria cognição não é a representação de um mundo que existe independentemente, mas antes a "produção" de um mundo mediante o processo do viver.

Chegamos a perceber que a dimensão subjetiva está sempre implícita na prática da ciência. Porém, de maneira geral, ela não é o objeto explícito de estudo. Já numa ciência da consciência, alguns dos próprios dados a ser examinados são experiências subjetivas e interiores. Para que esses dados sejam reunidos e analisados sistematicamente, é preciso proceder-se a um exame disciplinado da experiência subjetiva, da experiência de "primeira pessoa". É só quando tal exame se tornar uma parte inalienável do estudo da consciência que este poderá se chamar, de pleno direito, uma "ciência da consciência".

Isso não significa que temos de renunciar ao rigor científico. Quando falamos que a ciência tem de ter "descrições objetivas", referimo-nos antes de mais nada a um *corpus* de conhecimento moldado, restringido e regulado pela atividade científica coletiva — a algo que não se resume a uma coletânea de relatos individuais. Mesmo quando o objeto de investigação é o relato em primeira pessoa das experiências conscientes, a validação intersubjetiva que é uma das práticas padronizadas da ciência não precisa ser deixada de lado.[14]

As escolas de estudo da consciência

O uso da teoria da complexidade e a análise sistemática dos relatos das experiências conscientes em primeira pessoa serão essenciais para a formulação de uma ciência da consciência digna desse nome. Nestes últimos anos, já demos vários passos significativos rumo a esse objetivo. Com efeito, a própria medida de utilização científica da dinâmica não-linear e da análise das experiências subjetivas pode servir para a identificação de algumas grandes correntes de pensamento em meio à grande multiplicidade de métodos de estudo da consciência de que dispomos hoje em dia.[15]

A primeira corrente de pensamento é a mais tradicional. Conta entre seus membros a neurocientista Patricia Churchland e o biólogo molecular Francis Crick, ganhador do Prêmio Nobel.[16] Essa escola foi chamada de "neurorreducionista" por Francisco Varela, pois reduz a consciência aos mecanismos nervosos. Assim, a consciência é "desexplicada", como diz Churchland, da mesma maneira que, na física, o calor foi "desexplicado" quando foi identificado à pura e simples energia das moléculas em movimento. Nas palavras de Francis Crick:

> "Você", suas alegrias e tristezas, suas memórias e ambições, sua noção de identidade pessoal e livre-arbítrio, não passam, na verdade, da resultante comportamental de um grande conjunto de células nervosas e das moléculas a elas associadas. Como Alice de Lewis Carroll teria dito: "Você não passa de um saco de neurônios."[17]

Crick explica detalhadamente como a consciência se reduz à ativação dos neurônios, mas também afirma que a experiência consciente é uma propriedade emergente do cérebro como um todo. Contudo, não chega a tratar da dinâmica não-linear desse processo de surgimento espontâneo de uma nova propriedade, e não consegue, desse modo, roer o "osso duro" da ciência da consciência. Eis o desafio lançado pelo filósofo John Searle: "Como é possível que a ativação de neurônios, que é um processo físico, objetivo, descritível em termos puramente quantitativos, provoque experiências qualitativas, particulares, subjetivas?"[18]

A segunda corrente de estudo da consciência, chamada de "funcionalismo", é a mais popular dentre os filósofos e estudiosos da cognição de hoje em dia.[19] Seus defensores afirmam que os estados mentais são definidos pela sua "organização funcional", ou seja, por padrões de relações causais no sistema nervoso. Os funcionalistas não são reducionistas cartesianos, pois prestam cuidadosa atenção aos padrões nervosos não-lineares. Negam, porém, que a experiência consciente seja um fenômeno emergente e irredutível. Pode até *parecer* que não se reduz a nenhum outro fenômeno; mas, na opinião deles, o estado de consciência se define completamente pela organização funcional, e, portanto, pode ser compreendido no mesmo momento em que essa organização é identificada. É assim que Daniel Dennett, um dos principais funcionalistas, deu a seu livro o título sedutor de *Consciousness Explained* [A Consciência Explicada].[20]

Muitos modelos de organização funcional foram postulados pelos estudiosos da cognição e, conseqüentemente, existem hoje muitas linhas do funcionalismo. Às vezes, incluem-se também entre as manifestações do funcionalismo as analogias traçadas entre a organização funcional e os programas de computador, analogias essas que decorrem do estudo da inteligência artificial.[21]

Bem menos conhecida é a escola filosófica dos chamados "misterianos". Afirmam eles que a consciência é um mistério profundo, o qual a inteligência humana, em virtude de suas limitações intrínsecas, jamais compreenderá.[22] Na opinião deles, a raiz dessas limitações é uma dualidade irredutível — que, na prática, não é outra senão a clássica dualidade cartesiana entre a mente e a matéria. Se a introspecção não pode nos dizer nada acerca do cérebro enquanto objeto físico, também o estudo da estrutura cerebral não pode nos abrir nenhum acesso à experiência consciente. Como se negam a conceber a consciência como um processo e não compreendem a natureza dos fenômenos emergentes, os misterianos são incapazes de transpor o abismo cartesiano e chegam à conclusão de que a natureza da consciência será para sempre um mistério.

Por fim, há uma corrente de estudos da consciência que, embora pequena, vem crescendo bastante, e que faz uso tanto da teoria da complexidade quanto dos relatos em primeira pessoa. Francisco Varela, um dos fundadores dessa escola de pensamento, deu-lhe o nome de "neurofenomenologia".[23] A fenomenologia é um ramo importante da filosofia moderna, fundado por Edmund Husserl no começo do século XX e desenvolvido ainda por muitos filósofos europeus de renome, entre os quais Martin Heidegger e Maurice Merleau-Ponty. O método básico da fenomenologia consiste num exame disciplinado da experiência subjetiva, e a esperança de Husserl e de seus seguidores era, e ainda é, a de que uma verdadeira ciência das experiências subjetivas seja criada em associação com as ciências naturais.

A neurofenomenologia, pois, é um método de estudo da consciência que combina em si o exame disciplinado das experiências subjetivas com a análise dos padrões e processos neurais correspondentes. A partir dessa abordagem dual, os neurofenomenologistas exploram diversos domínios de experiência subjetiva e procuram compreender de que maneira eles surgem espontaneamente a partir de atividades neurais complexas. Agindo dessa maneira, esses estudiosos da cognição estão, na verdade, dando os primeiros passos rumo à formulação de uma verdadeira ciência das experiências subjetivas. Quanto a mim, fiquei muito satisfeito, pessoalmente, em ver que o projeto dos neurofenomenologistas tem muito em comum com a ciência da consciência que vislumbrei há mais de vinte anos numa conversa com o psiquiatra R. D. Laing, quando afirmei, a título de especulação, o seguinte:

> Uma verdadeira ciência da consciência... teria de ser um tipo novo de ciência, que lidasse com qualidades, não com quantidades, e se baseasse na partilha de experiências, e não em medições verificáveis. Os dados dessa ciência seriam padrões de experiência subjetiva, que não poderiam ser quantificados nem analisados. Por outro lado, os modelos conceituais que entreligassem os dados teriam de ser logicamente coerentes, como todos os modelos científicos, e talvez pudessem até conter elementos quantitativos.[24]

A visão a partir do interior

A premissa básica da neurofenomenologia é a de que a fisiologia do cérebro e a experiência consciente devem ser tratadas como dois domínios de pesquisa interdependentes e igualmente importantes. A investigação disciplinada das experiências conscientes e a análise dos padrões neurológicos correspondentes impõem limites uma à outra, de modo que as atividades de pesquisa num e noutro campo podem orientar umas às outras num processo de exploração sistemática da consciência.

Os neurofenomenologistas de hoje em dia compõem um grupo muito heterogêneo. Divergem quanto ao modo de levar em conta as experiências subjetivas e, além disso, propuseram diversos modelos diferentes para os processos neurais correspondentes. Esse campo todo é apresentado de maneira detalhada num número especial do *Journal of Consciousness Studies*, intitulado "The View From Within" ["A Visão a Partir do Interior"] e organizado por Francisco Varela e Jonathan Shear.[25]

No que diz respeito às experiências subjetivas, três grandes caminhos de análise estão sendo percorridos. O primeiro baseia-se na introspecção, método desenvolvido bem no começo da psicologia científica. O segundo é a abordagem fenomenológica no sentido estrito, tal como foi desenvolvida por Husserl e seus seguidores. O terceiro caminho baseia-se no uso dos abundantes relatos derivados da prática da meditação, especialmente na tradição budista. Seja qual for o caminho de sua escolha, esses cientistas cognitivos insistem em que não estão lançando um olhar casual sobre as experiências subjetivas, mas sim empregando uma metodologia rigorosa que exige uma capacidade especial e uma formação contínua, à semelhança das metodologias de outros campos de observação científica.

A metodologia da introspecção foi proposta como instrumento principal da ciência da psicologia por William James, no fim do século XIX, e foi padronizada e praticada com grande entusiasmo durante as décadas subseqüentes. Porém, logo deparou-se com dificuldades — não em virtude de uma qualquer deficiência intrínseca, mas porque os dados por ela levantados divergiam muito das hipóteses formuladas *a priori*.[26] As observações estavam muito adiante das idéias teóricas da época, e os psicólogos, em vez de reexaminar suas teorias, passaram a criticar as metodologias uns dos outros, o que lançou em forte descrédito a prática da introspecção. Por causa disso, cinqüenta anos se passaram sem que a prática da introspecção fosse objeto de algum desenvolvimento ou melhora.

Hoje em dia, os métodos desenvolvidos pelos pioneiros da introspecção podem ser encontrados sobretudo na prática dos psicoterapeutas e dos especialistas em treinamento empresarial, e já não têm ligação nenhuma com os programas de pesquisa acadêmica da ciência da cognição. Um pequeno grupo de cientistas vem procurando dar nova vida a essa tradição adormecida, na busca de explorar de maneira sistemática e contínua as experiências conscientes subjetivas.[27]

A fenomenologia, pelo contrário, foi desenvolvida por Edmund Husserl como uma disciplina filosófica, e não um método científico. Sua característica essencial é um gesto específico de reflexão chamado de "redução fenomenológica".[28] Não se deve confundir esse termo com o reducionismo das ciências da natureza. No sentido filosófico, a redução (do latim *reducere*, reconduzir) significa uma "recondução", uma libertação da experiência subjetiva através de uma suspensão da formulação de juízos acerca do que está sendo percebido. Dessa maneira, o campo da consciência se torna presente de maneira mais viva, permitindo que se cultive uma capacidade maior de reflexão sistemática. Na filosofia, isso se chama de passagem da atitude natural para a atitude fenomenológica.

Para quantos têm alguma experiência de prática da meditação, as descrições da "atitude fenomenológica" hão de parecer familiares. Com efeito, as tradições contemplativas desenvolveram desde há muitos séculos técnicas rigorosas para o exame e a sondagem da mente, e demonstraram que essa atividade pode ser levada a um alto grau de aperfeiçoamento no decorrer do tempo. Ao longo de toda a história do ser humano, o exame disciplinado das experiências subjetivas foi empregado no contexto de diversas tradições filosóficas e religiosas, como o Hinduísmo, o Budismo, o Taoísmo, o Islamismo e o Cristianismo. Por isso, temos o direito de supor que algumas das intuições dessas tradições serão válidas também fora de sua estrutura metafísica e cultural particular.[29]

Isso se aplica especialmente ao Budismo, que floresceu em muitas e diferentes culturas: originou-se com o Buda na Índia, espalhou-se para a China e para o Sudeste Asiático, chegou ao Japão e, muitos séculos depois, cruzou o Oceano Pacífico e aportou na Califórnia. Em todos esses contextos culturais diversos, a mente e a consciência sempre foram os principais objetos da investigação contemplativa dos budistas. Do ponto de vista deles, a mente indisciplinada não é um instrumento digno de confiança para a observação dos diversos estados de consciência; e, por isso, seguindo as instruções iniciais do Buda, eles desenvolveram uma grande variedade de técnicas para a estabilização e a sutilização da atenção.[30]

No decorrer dos séculos, os estudiosos budistas formularam teorias elaboradas e sofisticadas acerca de muitos aspectos sutis das experiências conscientes, teorias que têm grande probabilidade de se tornar excelentes fontes de inspiração para os estudiosos da cognição. O diálogo entre a ciência da cognição e as tradições contemplativas budistas já começou, e seus primeiros resultados indicam que os dados obtidos através da prática da meditação serão um elemento precioso de qualquer ciência da consciência que venha a se constituir no futuro.[31]

Todas as escolas de estudo da consciência mencionadas anteriormente partilham da idéia básica de que a consciência é um processo cognitivo que surge espontaneamente a partir da atividade neural complexa. Entretanto, já houve também outras tentativas, elaboradas principalmente por físicos e matemáticos, de explicar a consciência como uma propriedade direta da matéria, e não como um fenômeno associado à vida. Exemplo destacado dessa linha de pensamento é o do matemático e cosmólogo Roger Penrose, que postula que a consciência é um fenômeno quântico e afirma que "nós só não compreendemos a consciência porque não conhecemos suficientemente bem o mundo físico".[32]

Dentre essas teorias de uma "mente sem biologia" — na adequada expressão do neurocientista Gerald Edelman, ganhador do Prêmio Nobel[33] —, inclui-se também a comparação do cérebro com um complicadíssimo computador. À semelhança de muitos teóricos da cognição, também eu acredito que essas opiniões extremadas são fundamentalmente deficientes, e que a experiência consciente é uma expressão da vida e surge espontaneamente a partir da atividade neural complexa.[34]

A consciência e o cérebro

Voltemo-nos agora para essa atividade neural ou nervosa que estaria por trás das experiências conscientes. Nos últimos anos, os cientistas da cognição avançaram de maneira muito significativa na identificação dos vínculos que poderiam unir a neurofisiologia ao surgimento espontâneo das experiências subjetivas. Na minha opinião, os modelos mais promissores foram os propostos por Francisco Varela e, mais recentemente, por Gerald Edelman junto com Giulio Tononi.[35]

Em ambos os casos, os autores têm o cuidado de apresentar seus modelos como hipóteses, e a idéia básica de ambas as hipóteses é a mesma. A experiência consciente não se localiza numa parte específica do cérebro nem pode ser relacionada a determinadas estruturas neurais. É, antes, uma propriedade que surge espontaneamente de um processo cognitivo particular — a formação de aglomerados funcionais transitórios de neurônios. Varela chama esses aglomerados de "conjuntos de células ressonantes", ao passo que Tononi e Edelman falam de um "núcleo dinâmico".

Também é interessante notar que Tononi e Edelman adotam a premissa básica da neurofenomenologia: a de que a fisiologia cerebral e a experiência consciente devem ser consideradas como domínios interdependentes de pesquisa. "Este artigo", escrevem eles, "parte do princípio de que a análise da convergência entre... as propriedades fenomenológicas e neurológicas pode nos dar idéias valiosas a respeito de quais são os tipos de processos neurais que podem explicar as propriedades correspondentes da experiência consciente."[36]

Nos dois modelos, os detalhes da dinâmica dos processos neurais são diferentes, mas talvez não sejam incompatíveis. São diferentes, em parte, porque os autores não voltam sua atenção para as mesmas características das experiências conscientes, e, por isso, dão ênfase a propriedades diferentes dos aglomerados neuronais correspondentes.

Varela parte da observação de que o "espaço mental" de uma experiência consciente é composto de muitas dimensões. Em outras palavras, é criado por muitas funções cerebrais diferentes, mas, não obstante, constitui uma única experiência coerente. Quando o aroma de um perfume evoca uma sensação de agrado ou desagrado, por exemplo, esse estado de consciência é percebido por nós como um todo integrado, composto de percepções sensoriais, memórias e emoções. A experiência, como bem sabemos, não é constante, e pode inclusive ser extremamente curta. Os estados conscientes são transitórios; surgem e desaparecem continuamente. Outra observação importante é a de que o estado de percepção é sempre "incorporado" ou "corporificado", ou seja, inserido num determinado campo de sensações. Com efeito, a maioria dos estados conscientes parecem ter uma sensação dominante que dá o tom de toda a experiência.[37]

O mecanismo neural específico que Varela propõe para explicar o surgimento de estados transitórios de consciência é um fenômeno de ressonância chamado de "sincronização de fases", no qual diferentes regiões do cérebro se interligam de tal modo que seus neurônios ativam-se em sincronia uns com os outros. Através dessa sincronização da atividade neural, constituem-se "conjuntos de células" temporários, que podem ser compostos de circuitos neurais altamente dispersos e distintos entre si.

Segundo a hipótese de Varela, cada experiência consciente se baseia num conjunto específico de células, no qual muitas atividades neurais diferentes — associadas à percepção sensorial, às emoções, à memória, aos movimentos corporais, etc. — unificam-se numa totalidade transitória mas coerente de neurônios oscilantes. Talvez a melhor maneira de imaginar esse processo neural seja numa comparação com a música.[38] Existem ruídos; então, quando surge uma melodia, eles se unificam numa sincronia; depois, a melodia desaparece de novo na cacofonia, até surgir outra melodia no momento seguinte de ressonância.

Varela aplicou esse modelo de maneira muito detalhada à investigação da experiência do tempo presente — um tema tradicional dos estudos fenomenológicos — e sugeriu que outros aspectos da experiência consciente fossem explorados de maneira semelhante.[39] Dentre esses aspectos incluem-se diversas formas de atenção, aliadas às redes e caminhos neurais correspondentes; a natureza da vontade, expressa no desencadeamento da ação voluntária; e os correlatos neurais das emoções, bem como a relação entre o estado de espírito, a emoção e a razão. Segundo Varela, o progresso num tal programa de pesquisas vai depender sobretudo de o quanto os cientistas da cognição estiverem dispostos a elaborar uma tradição coerente de investigação fenomenológica.

Voltemo-nos agora para os processos neurais descritos no modelo de Gerald Edelman e Giulio Tononi. À semelhança de Francisco Varela, esses autores salientam o fato de que a experiência consciente é altamente integrada; cada estado de consciência compreende uma única "cena" que não pode ser decomposta em elementos independentes. Afirmam, além disso, que a experiência consciente também é altamente diferenciada, na medida em que podemos perceber, em pouco tempo, um número enorme de estados de consciência diferentes. Essas observações proporcionam dois critérios para a identificação dos processos neurais correspondentes: eles devem ser integrados e, ao mesmo tempo, manifestar uma extraordinária diferenciação, ou complexidade.[40]

O mecanismo que os autores propõem para explicar a rápida integração dos processos neurais em diferentes áreas do cérebro tem sido desenvolvido teoricamente por Edelman desde a década de 1980 e foi largamente posto à prova em grandes simulações de computador por Edelman, Tononi e seus colegas. Chama-se "reentrada" e consiste numa troca contínua de sinais paralelos dentro de diversas áreas do cérebro e entre elas.[41] Esses processos de sinalização paralela desempenham o mesmo papel que a "sincronização de fases" no modelo de Varela. Com efeito, da mesma maneira que Varela diz que os conjuntos de células são "colados" pela sincronização de fases, Tononi e Edelman afirmam que diversos grupos de células nervosas sofrem uma "aglutinação" pelo processo de reentrada.

Portanto, segundo Tononi e Edelman, a experiência consciente surge espontaneamente quando as atividades de diferentes áreas do cérebro se integram por breves momentos através do processo de reentrada. Cada experiência consciente nasce de um aglomerado funcional de neurônios, que, juntos, constituem um processo neural unificado chamado de "núcleo dinâmico". Os autores cunharam o termo "núcleo dinâmico" para expressar ao mesmo tempo as idéias de integração e de constante mudança nos padrões de atividade. Salientam o fato de que o núcleo dinâmico não é uma coisa nem uma localização, mas um processo de interações neurais variáveis.

O núcleo dinâmico pode mudar de composição no decorrer do tempo, e o mesmo grupo de neurônios pode às vezes fazer parte de um núcleo dinâmico, e estar assim na base de uma experiência consciente, e outras vezes pode não fazer parte dele, permanecendo assim envolvido em processos inconscientes. Além disso, como o núcleo é um aglomerado de neurônios que se integram quanto à função mas não são necessariamente adjacentes do ponto de vista anatômico, a composição do núcleo pode transcender as fronteiras anatômicas tradicionais. Por fim, a hipótese prevê que a composição específica do núcleo dinâmico associado a uma determinada experiência consciente pode variar de indivíduo para indivíduo.

Apesar das diferenças de detalhes dinâmicos que as separam, as hipóteses dos "conjuntos de células ressonantes" e dos "núcleos dinâmicos" têm, evidentemente, muito em comum. Ambas concebem a experiência consciente como uma propriedade emergente de um processo transitório de integração, ou sincronização, de grupos de neurônios distribuídos por diferentes áreas do cérebro. Ambas oferecem modelos concretos e passíveis de verificação prática para explicar a dinâmica específica desse processo, e devem, assim, conduzir a avanços significativos na formulação de uma verdadeira ciência da consciência nos anos vindouros.

A dimensão social da consciência

Na qualidade de seres humanos, nós não nos limitamos a perceber por experiência subjetiva os estados integrados da consciência primária; também pensamos e refletimos, comunicamo-nos através de uma linguagem simbólica, formulamos juízos de valor, elaboramos crenças e agimos intencionalmente; somos dotados de autoconsciência e temos a experiência da nossa liberdade pessoal. Qualquer teoria da consciência que se venha a propor no futuro terá de explicar de que maneira essas características amplamente conhecidas da mente humana nascem dos processos cognitivos comuns a todos os organismos vivos.

Como eu já disse, o "mundo interior" da nossa consciência reflexiva surgiu junto com a evolução da linguagem e da realidade social.[42] Isso significa que a consciência humana não é só um fenômeno biológico, mas também um fenômeno social. Muitas vezes, a dimensão social da consciência reflexiva é simplesmente ignorada pelos cientistas e filósofos. Como diz o estudioso da cognição Rafael Núñez, quase todas as concepções atuais da cognição partem do pressuposto implícito de que seus objetos adequados de estudo são o corpo e a mente do indivíduo.[43]

Essa tendência tem sido fortalecida pelo desenvolvimento de novas tecnologias para a análise das funções cerebrais, que levam os estudiosos da cognição a investigar o cérebro individual isolado e a esquecer a contínua interação desse cérebro com outros corpos e cérebros no contexto de uma comunidade de organismos. Esses processos interativos são essenciais para a compreensão do nível de abstração cognitiva que caracteriza a consciência reflexiva.

Humberto Maturana foi um dos primeiros cientistas a estabelecer de maneira sistemática uma relação teórica entre a biologia da consciência humana e a linguagem.[44] Para tanto, abordou a questão da linguagem a partir de uma cuidadosa análise da comunicação, sempre dentro do contexto da teoria da cognição de Santiago. Segundo Maturana, a comunicação não é uma transmissão de informações, mas antes uma coordenação de comportamentos entre organismos vivos através de uma acoplagem estrutural mútua.[45] Nessas interações recorrentes, os organismos vivos mudam juntos, por meio de um desencadeamento simultâneo de mudanças estruturais. Essa coordenação mútua é uma das características fundamentais de toda comunicação entre organismos vivos, dotados ou não de sistema nervoso, e vai se tornando cada vez mais sutil e elaborada à medida que a complexidade do sistema nervoso vai aumentando.

A linguagem surge quando se chega a um nível de abstração caracterizado pela comunicação sobre a comunicação. Em outras palavras, há uma coordenação de coordenações de comportamento. Eis um exemplo apresentado por Maturana num seminário: quando você chama um motorista de táxi que está passando pelo outro lado da rua, acenando com a mão para atrair-lhe a atenção, esse é um gesto de coordenação de comportamento. Quando você descreve um círculo com a mão, pedindo que ele faça a volta para pegá-lo, esse gesto coordena a coordenação, e assim surge o primeiro nível de comunicação pela linguagem. O círculo tornou-se um símbolo que representa a sua imagem mental da trajetória do táxi. Esse pequeno exemplo ilustra um ponto muito importante: a linguagem é um sistema de comunicação simbólica. Seus símbolos — palavras, gestos e outros sinais — são sinais da coordenação lingüística das ações. Essa coordenação, por sua vez, cria as noções dos objetos, e assim os símbolos associam-se às nossas imagens mentais dos objetos.

No mesmo momento em que as palavras e os objetos são criados pelas coordenações de coordenações de comportamento, tornam-se a base de outras coordenações ainda, que geram uma série de níveis reevocativos (*recursive*) de comunicação lingüística.[46] À medida que distinguimos os objetos, criamos conceitos abstratos para denotar as suas propriedades e as relações entre eles. O processo de observação, na opinião de Maturana, consiste nessas distinções operadas em cima de outras distinções; então, quando distinguimos entre as observações, surge o observador; e, por fim, a autoconsciência surge com a observação do próprio observador, quando usamos a noção de um objeto e os conceitos abstratos a ela associados para descrever a nós mesmos. Assim, o nosso domínio lingüístico se amplia para abarcar a consciência reflexiva. Em cada um desses níveis reevocativos, palavras e objetos são gerados, e as distinções que operamos entre eles obscurecem as coordenações que eles coordenam.

Maturana deixa bem claro que o fenômeno da linguagem não ocorre no cérebro, mas num fluxo contínuo de coordenações de coordenações de comportamento. Ocorre, nas palavras do próprio Maturana, "no fluxo de interações e relações da convivência".[47] Na qualidade de seres humanos, nós existimos dentro da linguagem e tecemos continuamente a teia lingüística na qual estamos inseridos. Nós coordenamos nosso comportamento pela linguagem, e juntos, através da linguagem, criamos ou produzimos o nosso mundo. "O mundo que todos vêem", segundo Maturana e Varela, "não é *o* mundo, mas *um* mundo, que criamos juntamente com outras pessoas."[48] Esse mundo humano tem por elemento central o nosso mundo interior de pensamentos abstratos, conceitos, crenças, imagens mentais, intenções e autoconsciência. Numa conversa entre dois seres humanos, nossos conceitos e idéias, nossas emoções e nossos movimentos corporais tornam-se intimamente ligados numa complexa coreografia de coordenação comportamental.

Conversas com chimpanzés

A teoria da consciência de Maturana estabelece uma série de vínculos cruciais entre a autoconsciência, o pensamento conceitual e a linguagem simbólica. Com base nessa teoria e segundo o espírito da neurofenomenologia, podemos agora nos perguntar: qual é a neurofisiologia que está por trás do surgimento da linguagem humana? Como será que nós, em nossa evolução humana, desenvolvemos esse nível extraordinário de abstração que caracteriza o nosso pensamento e a nossa linguagem? As respostas a essas perguntas ainda estão longe de ter sido encontradas; mas, no decorrer dos últimos vinte anos, surgiram várias idéias marcantes que nos forçam a reelaborar vários pressupostos desde há muito acalentados pela comunidade científica e filosófica.

Há uma maneira radicalmente nova de conceber a linguagem humana, elaborada a partir de várias décadas de pesquisa acerca da comunicação com chimpanzés pela linguagem de sinais. O psicólogo Roger Fouts, pioneiro e uma das figuras mais importantes desse ramo de pesquisas, publicou um relato fascinante do seu trabalho, extremamente inovador, no livro *Next of Kin*.[49] Nessa obra inovadora, Fouts não só conta a fascinante história de como ele mesmo presenciou e participou de prolongados diálogos entre seres humanos e macacos, como também usa as intuições que assim obteve para propor especulações interessantíssimas a respeito da origem evolutiva da linguagem humana.

Recentes pesquisas com o DNA demonstraram que só há uma diferença de 1,6 por cento entre o DNA do ser humano e o DNA do chimpanzé. Com efeito, os chimpanzés são mais aparentados com os seres humanos do que com os gorilas e orangotangos. É como explica Fouts: "Nosso esqueleto é uma versão ereta do esqueleto do chimpanzé; nosso cérebro é uma versão maior do cérebro do chimpanzé; nosso aparelho fonador é um desenvolvimento do aparelho fonador do chimpanzé."[50] Além disso, sabe-se que boa parte do repertório de expressões faciais do chimpanzé é muito semelhante às nossas.

As informações genéticas de que dispomos atualmente nos dão fortes indícios de que os seres humanos e os chimpanzés têm um ancestral comum que os gorilas não têm. Se classificamos os chimpanzés como grandes macacos, temos de nos classificar como grandes macacos também. Com efeito, a categoria de "grande macaco" simplesmente não tem sentido quando não inclui também os seres humanos. O Smithsonian Institute mudou o seu esquema de classificação de acordo com essa idéia. Na edição mais recente da publicação *Mammal Species of the World*, os membros da família dos grandes macacos passaram para a família dos hominídeos, que antes era reservada somente aos seres humanos.[51]

A continuidade entre os seres humanos e os chimpanzés não se restringe à anatomia, mas abarca também as características sociais e culturais. Como nós, os chimpanzés são seres sociais. No cativeiro, o que mais os faz sofrer é a solidão e o tédio. No estado selvagem, é a mudança que os faz crescer e prosperar: comem frutas diferentes a cada dia, constroem toda noite novos leitos para dormir e entabulam interações sociais com vários membros da comunidade em suas viagens pela selva.

Além disso, os antropólogos descobriram, para a sua grande surpresa, que os chimpanzés também têm diferentes culturas. Depois que Jane Goodall, na década de 1950, fez a importantíssima descoberta de que os chimpanzés selvagens constroem e usam ferramentas, outras observações extensas revelaram que as comunidades de chimpanzés têm cada qual a sua cultura — uma cultura, aliás, típica dos caçadores e coletores — e que, nelas, os filhotes aprendem novas habilidades com suas mães através de uma combinação de imitação e orientação.[52] Certos martelos e bigornas que eles usam para quebrar nozes são idênticos aos utensílios utilizados por nossos ancestrais hominídeos, e o estilo das ferramentas muda de comunidade para comunidade, como acontecia nas primeiras comunidades de hominídeos.

Os antropólogos também documentaram o difundido uso de plantas medicinais pelos chimpanzés, e há, entre os cientistas, aqueles que crêem que talvez haja dezenas de culturas medicinais diversas entre as comunidades de chimpanzés da África. Além disso, os chimpanzés cultivam os vínculos familiares, choram a morte de suas mães, adotam seus órfãos, lutam pelo poder e movem guerra. Em suma, a continuidade social e cultural que liga a evolução humana à dos chimpanzés parece ser pelo menos tão grande quanto a continuidade anatômica.

Mas, que dizer sobre o conhecimento e a linguagem? Por muito tempo, os cientistas partiram do pressuposto de que a comunicação entre os chimpanzés não tinha nada em comum com a comunicação humana, porque os grunhidos e gritos desses macacos não têm semelhança com a fala dos homens. Porém, como afirma com eloqüência Roger Fouts, esses cientistas voltavam a sua atenção para o canal errado de comunicação.[53] A observação cuidadosa dos chimpanzés em estado selvagem mostrou que eles não usam as mãos somente para construir utensílios. Usam-nas também para comunicar-se entre si num grau jamais imaginado: gesticulam para pedir comida, para pedir ajuda e oferecer estímulo. Há vários gestos que significam "Venha comigo", "Posso passar?" e "Você é bem-vindo"; e o mais incrível é que alguns desses gestos mudam de comunidade para comunidade.

Essas observações foram confirmadas de modo impressionante pelas descobertas de várias equipes de psicólogos que passaram vários anos criando chimpanzés em casa como se fossem crianças humanas, e comunicando-se com eles através da Linguagem de Sinais Norte-Americana (ASL — American Sign Language). Fouts deixa bem claro que, para que as implicações de sua pesquisa sejam perfeitamente compreendidas, é preciso saber que a ASL não é um sistema artificial inventado por pessoas de audição normal para o uso dos surdos. Já existe há pelo menos 150 anos e tem suas raízes em diversas linguagens de sinais européias desenvolvidas pelos próprios surdos no decurso de vários séculos.

À semelhança da linguagem falada, a ASL é altamente flexível. Seus elementos mínimos — configurações, colocações e movimentos das mãos — podem ser combinados para formar um número infinito de sinais que equivalem às palavras. A ASL tem suas próprias regras para a organização de sinais em orações, e faz uso de uma gramática visual sutil e complexa, muito diferente da gramática da língua inglesa.[54]

Nos estudos de "adoção" de chimpanzés, os macaquinhos não eram tratados como passivas cobaias de laboratório, mas como primatas dotados de uma forte necessidade de aprender e comunicar-se. Esperava-se que eles não só adquirissem um conhecimento rudimentar do vocabulário e da gramática da ASL, mas também a utilizassem para fazer perguntas, comentar as suas próprias experiências e estimular conversas. Em outras palavras, os cientistas tinham o objetivo de conseguir entabular uma verdadeira comunicação recíproca com os macacos — e foi isso, de fato, que aconteceu.

A primeira e mais famosa "filha adotiva" de Roger Fouts foi uma jovem chimpanzé chamada Washoe, que, aos quatro anos de idade, era capaz de usar a ASL da mesma maneira que uma criança humana de dois ou três anos. À semelhança de qualquer criança dessa idade, Washoe costumava receber seus "pais" com um verdadeiro dilúvio de mensagens — *Roger corra, venha me abraçar, me dar comida, me dar roupas, por favor lá fora, abrir porta* — e, como todas as crianças pequenas, também conversava com seus bichos de estimação e suas bonecas, e até consigo mesma. Segundo Fouts, "o espontâneo 'tagarelar de mãos' de Washoe foi o mais forte indício de que ela usava a linguagem da mesma maneira que as crianças humanas.... O modo pelo qual [ela] movia as mãos continuamente, como uma sociável criança surda, fez com que mais de um cético reconsiderasse sua empedernida noção de que os animais são incapazes de pensar e de falar."[55]

Quando Washoe chegou à idade adulta, ensinou seu filho adotivo a usar os sinais; e mais tarde, quando os dois passaram a viver na companhia de três outros chimpanzés de várias idades, constituíram uma família complexa e coesa na qual a linguagem manifestava-se com a máxima naturalidade. Roger Fouts e Deborah Harris Fouts, sua esposa e colaboradora, filmaram aleatoriamente muitas horas de animadas conversas entre os chimpanzés. As fitas mostram a família de Washoe comunicando-se por sinais nas atividades de repartir cobertores, brincar, tomar o café da manhã e preparar-se para deitar. Nas palavras de Fouts, "Os chimpanzés faziam sinais uns para os outros até mesmo em meio aos gritos das brigas de família, o que deixa claríssimo que a linguagem de sinais se tornara uma parte inalienável da sua vida mental e emocional." Além disso, Fouts relata que as conversas dos chimpanzés eram tão claras que, em noventa por cento das vezes, especialistas em ASL — sem o conhecimento uns dos outros — concordavam quanto ao sentido das "conversas" gravadas em vídeo.[56]

As origens da linguagem humana

Esses inauditos diálogos entre seres humanos e chimpanzés nos forneceram um novo ponto de vista sobre a capacidade cognitiva dos macacos e lançaram também uma nova luz sobre as origens da linguagem humana. Como Fouts nos diz detalhadamente, seu trabalho com chimpanzés, desenvolvido no decorrer de várias décadas, mostra que eles são capazes de usar símbolos abstratos e metáforas, que têm uma noção de classificações e são capazes de compreender uma gramática simples. Também são capazes de fazer uso da sintaxe, ou seja, de combinar símbolos de maneira a veicular um significado; e ainda combinam os símbolos de maneira criativa, inventando palavras novas.

Essas impressionantes descobertas levaram Roger Fouts a retomar uma teoria sobre a origem da linguagem humana que fora proposta pelo antropólogo Gordon Hewes no começo da década de 1970.[57] Hewes imaginava que os primeiros hominídeos comunicavam-se com as mãos e desenvolveram a capacidade de fazer movimentos precisos com elas tanto para fazer gestos como para fabricar utensílios. A fala teria evoluído mais tarde a partir da capacidade "sintática" — a capacidade de acompanhar seqüências organizadas complexas de movimento na fabricação de utensílios, na gesticulação e na formação de palavras.

Essas idéias têm implicações muito interessantes para a compreensão da tecnologia. Se a linguagem originou-se dos gestos, e se a gesticulação e a elaboração de utensílios (a forma mais simples de tecnologia) evoluíram juntas, isso significaria que a tecnologia é um aspecto essencial da natureza humana, inseparável da evolução da linguagem e da consciência. Significaria que, desde o alvorecer da nossa espécie, a natureza humana e a tecnologia foram inseparavelmente ligadas.

Evidentemente, a idéia de que a linguagem possa ter-se originado com os gestos não é novidade. Há séculos que as pessoas notam que as crianças começam a gesticular antes de começar a falar e que os gestos constituem um meio universal de comunicação a que podemos recorrer quando não falamos a mesma língua. O problema da ciência consistia em compreender de que maneira a fala poderia ter evoluído fisicamente a partir dos gestos. Como é que os nossos ancestrais hominídeos transpuseram o abismo que separa os movimentos das mãos das correntes de palavras que saem da boca?

O enigma foi resolvido pela neurologista Doreen Kimura, que descobriu que a fala e os movimentos precisos das mãos parecem ser controlados pela mesma região motora do cérebro.[58] Quando Fouts tomou conhecimento da descoberta de Kimura, percebeu que, em certo sentido, a linguagem de sinais e a linguagem falada não passam de formas diversas de gesto. Em suas próprias palavras: "A linguagem de sinais faz uso de gestos das mãos; a linguagem falada, de gestos da língua. A língua faz movimentos precisos e pára em locais específicos da boca para que possamos produzir certos sons. As mãos e os dedos param em locais específicos ao redor do corpo para produzir sinais."[59]

Essa idéia habilitou Fouts a formular sua teoria básica acerca da origem evolutiva da linguagem falada. A seu ver, nossos ancestrais hominídeos comunicavam-se com as mãos, à semelhança de seus primos macacos. Quando começaram a caminhar sobre duas pernas, suas mãos ficaram livres para inventar gestos mais sutis e elaborados. No decorrer do tempo, sua gramática gestual tornou-se cada vez mais complexa, à medida que os próprios gestos deixaram de ser movimentos grosseiros e passaram a ser movimentos mais precisos. Por fim, o movimento preciso das mãos deu origem a um movimento preciso da língua, e assim a evolução dos gestos gerou dois importantes dividendos: a capacidade de fabricar e usar ferramentas mais complexas e a capacidade de produzir sons vocais sofisticados.[60]

Essa teoria foi confirmada de modo radical quando Roger Fouts começou a trabalhar com crianças autistas.[61] Seu trabalho com os chimpanzés e a linguagem de sinais o fez perceber que, quando os médicos dizem que as crianças autistas têm "problemas de linguagem", estão querendo dizer que elas têm problemas com a linguagem *falada*. E, assim, Fouts colocou a linguagem de sinais à disposição delas na qualidade de um canal lingüístico alternativo, da mesma maneira que havia feito com os macacos. Pelo uso dessa técnica, obteve um sucesso extraordinário. Depois de uns poucos meses fazendo sinais, as crianças romperam seu próprio isolamento e seu comportamento mudou de maneira drástica.

O fato mais extraordinário e a princípio totalmente inesperado foi que as crianças autistas começaram a falar depois de fazer sinais por algumas semanas. Ao que parece, a linguagem de sinais desencadeou a capacidade de falar. A habilidade necessária para formar sinais precisos pôde ser transferida para a atividade de formar sons porque ambas as atividades são controladas pelas mesmas estruturas cerebrais. Concluiu Fouts: "É possível que, em poucas semanas, [as crianças] tenham percorrido todo o caminho evolutivo de nossos ancestrais, uma jornada de seis milhões de anos que conduziu dos gestos simiescos à moderna fala humana."[62]

Segundo as especulações de Fouts, os seres humanos passaram a falar há cerca de 200.000 anos, com a evolução das chamadas "formas arcaicas" do *homo sapiens*. Essa data coincide com o surgimento dos primeiros utensílios especializados feitos em pedra, cuja fabricação exigia uma destreza manual considerável. Provavelmente, os primeiros seres humanos que produziram esses utensílios já possuíam os mecanismos neurais necessários para a produção de palavras.

O surgimento de palavras vocalizadas como meio de comunicação deu imediatamente certas vantagens aos nossos ancestrais. Os que se comunicavam vocalmente podiam fazê-lo quando estavam com as mãos ocupadas ou quando o receptor da comunicação estava virado de costas. Por fim, essas vantagens evolutivas teriam produzido as mudanças anatômicas necessárias para a fala propriamente dita. No decorrer de dezenas de milhares de anos, durante a evolução do nosso aparelho fonador, os humanos comunicavam-se através de uma combinação de gestos precisos e palavras faladas; até que, por fim, as palavras sobrepujaram os sinais e tornaram-se a forma dominante de comunicação humana. Até hoje, fazemos uso de gestos quando a linguagem falada não nos é suficiente. "Sendo a forma mais antiga de comunicação da nossa espécie", observa Fouts, "os gestos ainda constituem a 'segunda língua' de todas as culturas."[63]

A mente encarnada

Segundo Roger Fouts, portanto, a linguagem era constituída originalmente de gestos e evoluiu a partir daí junto com a consciência humana. Essa teoria é compatível com a descoberta recente feita pelos cientistas da cognição, de que o pensamento conceitual como um todo se encarna fisicamente no corpo e no cérebro.

Quando os cientistas da cognição dizem que a mente é encarnada (*embodied*), não querem dizer somente que nós precisamos de um cérebro para poder pensar — isso é óbvio. Os estudos recentes empreendidos no novo campo da "lingüística cognitiva" nos fornecem fortes indícios de que a razão humana, ao contrário da crença de boa parte dos filósofos ocidentais, não transcende o corpo, mas é fundamentalmente determinada e formada por nossa natureza física e nossas experiências corpóreas. É nesse sentido que a mente humana é fundamentalmente encarnada. A própria estrutura da razão nasce do nosso corpo e cérebro.[64]

As provas de que a mente é encarnada e as profundas reverberações filosóficas dessa idéia são apresentadas com lucidez e eloqüência por dois grandes lingüistas cognitivos, George Lakoff e Mark Johnson, no livro *Philosophy in the Flesh*.[65] Essas provas baseiam-se, antes de mais nada, na descoberta de que a maior parte dos nossos pensamentos são inconscientes e operam num nível inacessível para a atenção consciente normal. Esse "inconsciente cognitivo" inclui não só todas as nossas operações cognitivas automáticas como também todas as nossas crenças e conhecimentos tácitos. Sem que disso tenhamos consciência, o inconsciente cognitivo molda e estrutura todo o nosso pensamento consciente. Essa idéia deu origem a um grande campo de estudos na ciência da cognição, que gerou opiniões radicalmente novas acerca de como se formam os conceitos e processos de pensamento.

A esta altura, os detalhes neurofisiológicos da formação de conceitos abstratos ainda não estão claros. Entretanto, os cientistas da cognição começaram a compreender um dos aspectos mais importantes desse processo. Nas palavras de Lakoff e Johnson: "Os mesmos mecanismos cognitivos e neurais que nos permitem perceber as coisas e nos movimentar no mundo também criam as nossas estruturas conceituais e modos de raciocínio."[66]

Essa nova compreensão do pensamento humano surgiu na década de 1980, com vários estudos sobre a natureza das categorias conceituais.[67] O processo de categorização das experiências é um aspecto fundamental da cognição em todos os níveis de vida. Os microorganismos categorizam os compostos químicos, classificando-os em "alimento" e "não-alimento", em coisas pelas quais são atraídos e coisas pelas quais são repelidos. Do mesmo modo, os animais têm categorias para os alimentos, os ruídos que significam perigo, os membros de sua própria espécie, os sinais sexuais, etc. Como diriam Maturana e Varela, o organismo vivo cria um mundo pelas distinções que faz.

O modo pelo qual os organismos vivos elaboram suas categorias depende do seu aparelhamento sensorial e do seu sistema motor; em outras palavras, depende da estrutura do seu corpo, do modo pelo qual acham-se "encarnados". Isso não vale somente para os animais, vegetais e microorganismos, mas também, como descobriram recentemente os cientistas da cognição, para os seres humanos. Embora algumas das categorias que formamos resultem do raciocínio consciente, a maioria delas se forma automática e inconscientemente em decorrência da natureza específica do corpo e do cérebro.

É fácil demonstrar isso pelo exemplo das cores. Estudos extensos sobre a percepção das cores, elaborados no decorrer de várias décadas, deixaram claro que, no mundo externo, não existem cores independentes do nosso processo de percepção. Nossa experiência da cor é criada pela interação entre os comprimentos de onda da luz refletida, por um lado, e os cones cromáticos da nossa retina e os circuitos neurais a eles associados, por outro. Com efeito, estudos detalhados demonstraram que toda a estrutura das nossas categorias de cores (o número de cores, seus matizes, etc.) nasce das nossas estruturas neurais.[68]

Ao passo que as categorias cromáticas baseiam-se na neurofisiologia, outras categorias se formam com base em nossas experiências corpóreas. Isso é especialmente importante no que diz respeito às relações espaciais, que constituem uma das nossas categorias mais básicas. Como explicam Lakoff e Johnson, quando percebemos um gato "em frente a" uma árvore, essa relação espacial não existe objetivamente no mundo, mas, sim, é uma projeção derivada da nossa experiência corpórea. Como nosso corpo tem uma parte da frente e uma parte de trás, projetamos essa distinção nos outros objetos. Assim, "nosso corpo define um conjunto de relações espaciais fundamentais que usamos não só para nos orientar, mas também para perceber as relações entre os objetos".[69]

Na qualidade de seres humanos, nós não só classificamos as variáveis das nossas experiências como também usamos conceitos abstratos para classificar as categorias e raciocinar sobre elas. No nível humano de cognição, as categorias são sempre conceituais — inseparáveis dos conceitos abstratos correspondentes. E, uma vez que nossas categorias nascem da nossa estrutura neural e experiência corpórea, o mesmo vale para os nossos conceitos abstratos.

Alguns desses conceitos "encarnados" constituem também a base de certas formas de raciocínio, o que significa que também o nosso modo de pensar é "encarnado". Quando fazemos, por exemplo, uma distinção entre "dentro" e "fora", nossa tendência é a de visualizar essa relação espacial como um receptáculo ou recipiente que tem um lado de dentro, um lado de fora e um limite que separa os dois. Essa imagem mental, baseada na experiência do nosso próprio corpo como um receptáculo, torna-se o fundamento de uma certa forma de raciocínio.[70] Suponha que nós puséssemos um copo dentro de uma tigela e uma cereja dentro do copo. Saberíamos imediatamente, só de olhar, que a cereja, por estar dentro do copo, está também dentro da tigela.

Essa inferência corresponde a um argumento muito conhecido, um "silogismo", da lógica aristotélica. Em sua forma mais comum, ele reza: "Todos os homens são mortais. Sócrates é homem. Logo, Sócrates é mortal." O argumento parece conclusivo porque, como nossa cereja, Sócrates está dentro do "recipiente" (categoria) dos homens e os homens estão dentro do "recipiente" (categoria) dos mortais. Projetamos nas categorias abstratas nossa imagem mental dos recipientes e usamos a experiência corpórea que temos desses recipientes para raciocinar sobre as categorias.

Em outras palavras, o silogismo aristotélico clássico não é uma forma de raciocínio desencarnada, mas sim algo que nasce da nossa experiência corpórea. Lakoff e Johnson afirmam que o mesmo vale para muitas outras formas de raciocínio. A estrutura do nosso corpo e do nosso cérebro determina os conceitos que formamos e os raciocínios que podemos fazer.

Quando projetamos a imagem mental de um recipiente sobre o conceito abstrato de uma categoria, usamo-la como uma metáfora. Esse processo de projeção metafórica é um dos elementos cruciais da formação do pensamento abstrato, e a descoberta de que a maior parte dos pensamentos humanos é metafórica foi outro avanço decisivo das ciências da cognição.[71] As metáforas possibilitam que nossos conceitos corpóreos básicos sejam aplicados a domínios abstratos e teóricos. Quando dizemos "Acho que não peguei essa idéia", usamos a nossa experiência corpórea de pegar um objeto para raciocinar sobre a compreensão de uma idéia. Do mesmo modo, falamos de uma "calorosa acolhida", ou um "grande dia", projetando experiências sensoriais e corpóreas em domínios abstratos.

Todos esses são exemplos de "metáforas primárias" — os elementos básicos do pensamento metafórico. Segundo as especulações dos lingüistas cognitivos, nós constituímos a maior parte das nossas metáforas primárias de modo automático e inconsciente no começo da infância.[72] Para os bebês, a experiência do afeto geralmente vem acompanhada pela experiência do calor, de ser pego no colo. Assim, constituem-se associações entre dois domínios de experiência, e estabelecem-se as ligações correspondentes entre as redes neurais. No decorrer da vida, essas associações perpetuam-se como metáforas, quando falamos, por exemplo, de um "sorriso caloroso" ou de um "amigo chegado".

Nosso pensamento e linguagem contém centenas de metáforas primárias, a maioria das quais nós usamos sem ter consciência delas; e, uma vez que se originam das experiências corpóreas mais básicas, as metáforas primárias tendem a ser as mesmas na maioria das línguas. Em nossos processos abstratos de pensamento, nós combinamos as metáforas primárias de modo a formar outras mais complexas, e isso nos habilita a lançar mão de um rico imaginário e de estruturas conceituais sutis quando refletimos sobre nossas experiências de vida. O ato de conceber a vida como uma viagem, por exemplo, nos permite fazer uso de todo o conhecimento que temos das viagens para refletir sobre como levar uma vida significativa.[73]

A natureza humana

No decorrer das duas últimas décadas do século XX, os estudiosos da cognição fizeram três grandes descobertas, resumidas por Lakoff e Johnson: "A mente é intrinsecamente encarnada. O pensamento é, em sua maior parte, inconsciente. Os conceitos abstratos são, em grande medida, metafóricos."[74] Quando essas idéias forem amplamente aceitas e integradas numa teoria coerente acerca da cognição humana, obrigar-nos-ão a reexaminar muitos dos axiomas fundamentais da filosofia ocidental. Em *Philosophy in the Flesh*, os autores dão os primeiros passos rumo a esse repensar da filosofia ocidental à luz da ciência da cognição.

O principal argumento que apresentam é o de que a filosofia deve ser capaz de atender à fundamental necessidade humana de autoconhecimento — de saber "quem somos, como percebemos o mundo, como devemos viver". O autoconhecimento inclui a compreensão de como pensamos e como expressamos esses pensamentos através da linguagem, e é aí que a ciência da cognição pode dar importantes contribuições à filosofia. "Como tudo o que pensamos e dizemos depende dos mecanismos da nossa mente encarnada", afirmam Lakoff e Johnson, "a ciência da cognição é um dos maiores recursos de que dispomos para o autoconhecimento."[75]

Os autores vislumbram um diálogo entre a filosofia e a ciência da cognição, um diálogo em que as duas disciplinas apóiem e enriqueçam uma à outra. Os cientistas precisam da filosofia para saber de que modo pressupostos filosóficos ocultos podem estar influenciando as suas teorias. Como nos lembra John Searle, "O preço do desdém pela filosofia é que ele nos leva a cometer erros filosóficos."[76] Os filósofos, por outro lado, não têm o direito de propor uma teoria séria acerca da natureza da linguagem, da mente e da consciência sem levar em conta os recentes e notáveis avanços da compreensão científica a respeito da cognição humana.

Na minha opinião, o mais significativo desses avanços foi a cura gradual mas constante da cisão cartesiana entre espírito e matéria, que tem afligido a ciência e a filosofia ocidentais desde há mais de trezentos anos. A teoria de Santiago mostra que, em todos os níveis de vida, mente e matéria, processo e estrutura, estão indissoluvelmente ligadas.

Pesquisas recentes da ciência da cognição confirmaram e elaboraram essa opinião, mostrando de que maneira o processo de cognição evoluiu e assumiu formas cada vez mais complexas junto com as estruturas biológicas correspondentes. Quando desenvolveu-se a capacidade de controlar os movimentos precisos das mãos e da língua, a linguagem, a consciência reflexiva e o pensamento conceitual evoluíram nos primeiros seres humanos na qualidade de elementos de um processo de comunicação cada vez mais complexo.

Todas essas são manifestações do processo de cognição, e, a cada novo nível, envolvem estruturas neurais e corpóreas compatíveis. Como demonstram as mais recentes descobertas da lingüística cognitiva, a mente humana, mesmo em suas manifestações mais abstratas, não é separada do corpo, mas sim nascida dele e moldada por ele.

A visão unificada, pós-cartesiana, da mente, da matéria e da vida também implica uma reavaliação radical da relação entre os seres humanos e os animais. A filosofia ocidental, na grande maioria das suas manifestações, sempre concebeu a capacidade de raciocinar como uma característica exclusivamente humana, que nos distinguiria de todos os animais. Os estudos de comunicação com chimpanzés demonstraram de maneiras dramáticas a falácia dessa crença. Deixam claro que entre a vida cognitiva e emocional dos seres humanos e a dos animais só há uma diferença de grau; que a vida é um todo sem solução de continuidade, no qual as diferenças entre as espécies são gradativas e evolucionárias. A lingüística cognitiva confirmou plenamente essa concepção evolutiva da natureza humana. Nas palavras de Lakoff e Johnson, "A razão, mesmo em suas formas mais abstratas, não transcende a nossa natureza animal, mas faz uso dela... Assim, a razão não é uma essência que nos separa dos outros animais; antes, coloca-nos no mesmo nível deles."[77]

A dimensão espiritual

A hipótese de evolução da vida que discuti nas páginas anteriores começa nos oceanos primordiais, com a formação de bolhinhas limitadas por membranas. Essas gotículas formaram-se espontaneamente num ambiente adequado, do tipo "água-e-sabão", seguindo as leis básicas da física e da química. Uma vez formadas, uma complexa rede química aos poucos se desenvolveu nos espaços por elas delimitados, rede essa que deu às bolhas o potencial de crescer e "evoluir" até transformar-se em estruturas complexas e dotadas da capacidade de auto-replicar-se. Quando a catálise entrou no sistema, a complexidade molecular cresceu rapidamente e, por fim, a vida surgiu nessas protocélulas com a evolução das proteínas, dos ácidos nucleicos e do código genético.

Assinala-se assim o surgimento de um ancestral universal — a primeira célula bacteriana — do qual descende toda a vida subseqüente que surgiu sobre a Terra. Os descendentes das primeiras células vivas tomaram conta da Terra inteira, tecendo uma teia bacteriana de dimensão planetária e ocupando aos poucos todos os ecossistemas. Movida pela criatividade intrínseca de todos os sistemas vivos, a teia da vida planetária cresceu através de mutações, da troca de genes e de processos simbióticos, produzindo formas de vida de complexidade e diversidade cada vez maiores.

Nesse majestoso desenvolvimento da vida, todos os organismos vivos respondiam continuamente às influências ambientais com mudanças estruturais, e o faziam de maneira autônoma, cada qual de acordo com a sua própria natureza. Desde o surgir da vida, as interações dos organismos uns com os outros e com o ambiente não-vivo foram interações cognitivas. À medida que aumentou a complexidade de suas estruturas, aumentou também a dos seus processos cognitivos, o que acabou por gerar enfim a consciência, a linguagem e o pensamento conceitual.

Quando examinamos de perto essa hipótese — desde a formação de gotículas de óleo até o surgimento da consciência —, podemos ficar com a impressão de que tudo o que importa na vida são as moléculas, e temos o direito de nos fazer a seguinte pergunta: e o que dizer a respeito da dimensão espiritual da vida? Há, acaso, nessa nova visão, um lugar para o espírito humano?

De fato, a opinião de que as moléculas são tudo o que importa na vida é defendida freqüentemente pelos biólogos moleculares. Já na minha opinião, é importante compreendermos que essa é uma visão perigosamente reducionista. A nova compreensão da vida é uma compreensão sistêmica, o que significa que se baseia não só na análise de estruturas moleculares, mas também na dos padrões de relação entre essas estruturas e dos processos específicos que determinam a sua formação. Como vimos, a característica que define um sistema vivo não é a presença de certas macromoléculas, mas a presença de uma rede de processos metabólicos autogeradora.[78]

O mais importante dos processos vitais é o surgimento espontâneo de uma nova ordem, que é a base da criatividade intrínseca da vida. Além disso, os processos vitais são associados à dimensão cognitiva da vida, e foi esse potencial de surgimento de novas formas de organização que determinou o surgimento da linguagem e da consciência.

E onde é que o espírito humano se encaixa nesse quadro? Para responder a essa pergunta, ser-nos-á útil conhecer o sentido original da palavra "espírito". Como vimos, a palavra latina *spiritus* significa "sopro", e o mesmo vale para a palavra latina *anima*, a grega *psyche* e o sânscrito *atman*.[79] O sentido comum de todos esses termos fundamentais indica que o sentido original de "espírito" em muitas tradições filosóficas e religiosas antigas, não só no Ocidente como também no Oriente, é o de sopro da vida.

Como a respiração é de fato um aspecto essencial do metabolismo de todas as formas de vida, com exceção das mais simples, o sopro da vida parece ser uma metáfora perfeita para a rede de processos metabólicos que define todos os sistemas vivos. O espírito — o sopro da vida — é o que temos em comum com todos os seres viventes. É o que nos alimenta e nos mantém vivos.

A espiritualidade, ou a vida espiritual, é geralmente compreendida como um modo de ser que decorre de uma profunda experiência da realidade, chamada de experiência "mística", "religiosa" ou "espiritual". A literatura das religiões do mundo inteiro nos dá numerosas descrições dessa experiência, e todas essas religiões tendem a concordar em que se trata de uma experiência direta e não-intelectual da realidade, dotada de algumas características fundamentais que independem totalmente dos contextos históricos e culturais. Uma das mais belas descrições atuais dessa experiência pode ser encontrada num curto ensaio intitulado "Spirituality as Common Sense", de autoria do psicólogo, escritor e monge beneditino David Steindl-Rast.[80]

Seguindo o sentido original do termo "espírito", o de sopro da vida, o irmão David caracteriza a experiência espiritual como um momento de vitalidade intensificada. Nossos momentos espirituais são os momentos em que nos sentimos mais intensamente vivos. A vitalidade ou vivacidade que sentimos durante essa "experiência de pico", como a chama o psicólogo Abraham Maslow, não envolve somente o corpo, mas também a mente. Os budistas dão o nome de "presença da mente" a esse estado de intensificação da atenção, e curiosamente salientam o fato de que essa "presença da mente" é profundamente ligada ao corpo e tem nele as suas raízes. A espiritualidade, portanto, é sempre encarnada. Nas palavras do irmão David, nós sentimos o nosso espírito como "a plenitude da mente e do corpo".

É evidente que essa noção de espiritualidade é coerente com a noção de mente encarnada que está sendo desenvolvida pela ciência da cognição. A experiência espiritual é uma experiência de que a mente e o corpo estão vivos numa unidade. Além disso, essa experiência da unidade transcende não só a separação entre mente e corpo, mas também a separação entre o eu e o mundo. A consciência dominante nesses momentos espirituais é um reconhecimento profundo da nossa unidade com todas as coisas, uma percepção de que pertencemos ao universo como um todo.[81]

Essa sensação de unidade com o mundo natural é plenamente confirmada pela nova concepção científica da vida. À medida que compreendemos que a física e a química básicas são as próprias raízes da vida, que o desenvolvimento da complexidade começou muito tempo antes da formação das primeiras células vivas e que a vida evoluiu por bilhões de anos usando sempre os mesmos padrões e processos, percebemos o quanto estamos ligados a toda a teia da vida.

Quando olhamos para o mundo à nossa volta, percebemos que não estamos lançados em meio ao caos e à arbitrariedade, mas que fazemos parte de uma ordem maior, de uma grandiosa sinfonia da vida. Cada uma das moléculas do nosso corpo já fez parte de outros corpos — vivos ou não — e fará parte de outros corpos no futuro. Nesse sentido, nosso corpo não morrerá, mas continuará perpetuamente vivo, pois a vida continua. Não são só as moléculas da vida que temos em comum com o restante do mundo vivente, mas também os princípios básicos da organização vital. E como também a nossa mente é encarnada, nossos conceitos e metáforas estão profundamente inseridos nessa teia da vida, junto com o nosso corpo e o nosso cérebro. Com efeito, nós fazemos parte do universo, pertencemos ao universo e nele estamos em casa; e a percepção desse pertencer, desse fazer parte, pode dar um profundo sentido à nossa vida.

Três

A realidade social

Em *A Teia da Vida*, trabalhando sobre as idéias da dinâmica não-linear ou "teoria da complexidade", como é popularmente conhecida, propus uma síntese das teorias recentes acerca dos sistemas vivos.[1] Nos dois capítulos anteriores, recapitulei essa síntese e preparei o caminho para que ela seja aplicada também ao domínio social. Meu objetivo, como expliquei no Prefácio, é o de desenvolver uma estrutura teórica unificada e sistemática ("sistêmica") para a compreensão dos fenômenos biológicos e sociais.

Três idéias sobre a vida

A síntese se baseia na distinção entre duas idéias sobre a natureza dos sistemas vivos, que chamei de "ponto de vista dos padrões" e "ponto de vista da estrutura"; e na integração dessas duas idéias por meio de uma terceira, o "ponto de vista dos processos". Em específico, defini o *padrão de organização* de um sistema vivo como a configuração das relações entre os componentes do sistema, configuração essa que determina as características essenciais do sistema; a *estrutura* do sistema como a incorporação material desse padrão de organização; e o *processo vital* como o processo contínuo dessa incorporação.

Escolhi os termos "padrão de organização" e "estrutura" para dar continuidade à linguagem usada pelas teorias que compõem minha síntese.[2] Porém, como a definição de "estrutura" nas ciências sociais é muito diferente da definição desse mesmo termo nas ciências da natureza, vou modificar minha terminologia e passar a usar os conceitos mais gerais de *matéria* e *forma* a fim de harmonizar os diferentes usos do termo "estrutura". Nessa terminologia mais geral, as três idéias sobre a natureza dos sistemas vivos correspondem ao estudo da forma (ou padrão de organização), da matéria (ou estrutura material) e do processo.

Quando estudamos os sistemas vivos a partir do ponto de vista da forma, constatamos que o padrão de organização é o de uma rede autogeradora. Sob o ponto de vista da matéria, a estrutura material de um sistema vivo é uma estrutura dissipativa, ou seja, um sistema aberto que se conserva distante do equilíbrio. Por fim, sob o ponto de vista do processo, os sistemas vivos são sistemas cognitivos no qual o processo de cognição está intimamente ligado ao padrão de autopoiese. Eis, em forma resumida, minha síntese da nova compreensão científica da vida.

No diagrama abaixo, representei as três idéias ou pontos de vista como vértices de um triângulo para deixar bem claro que elas são fundamentalmente interligadas. A forma de um padrão de organização só pode ser reconhecida se estiver incorporada na matéria, e, nos sistemas vivos, essa incorporação é um processo contínuo. Para que se tenha uma compreensão plena de qualquer fenômeno biológico, é preciso levar em conta as três perspectivas.

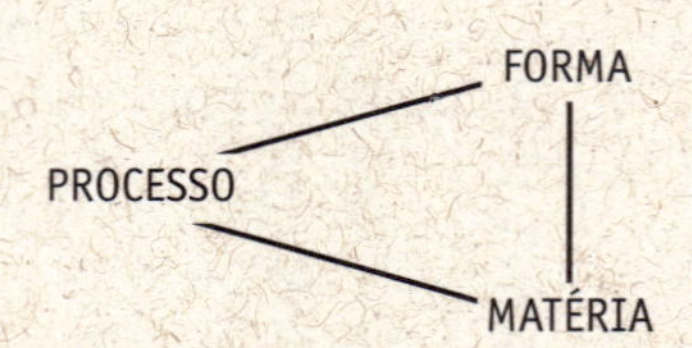

Tomemos como exemplo o metabolismo de uma célula. Consiste ele numa rede (*forma*) de reações químicas (*processo*) que envolvem a produção dos componentes da própria célula (*matéria*) e respondem cognitivamente, ou seja, através de mudanças estruturais autodeterminadas (*processo*), às perturbações do ambiente. Do mesmo modo, o fenômeno do surgimento espontâneo* é um *processo* característico das estruturas dissipativas (*matéria*), que envolve múltiplos elos de realimentação (*forma*).**

A maioria dos cientistas tem dificuldade para dar a mesma importância às três perspectivas em virtude da perseverante influência do legado cartesiano. Em tese, as ciências naturais tratam dos fenômenos materiais, mas só uma dessas três perspectivas tem por objeto de estu-

* *Emergence.* (N. do T.)
** *Feedback loops.* (N. do T.)

do a matéria. As outras duas estudam relações, qualidades, padrões e processos, que não são materiais. É claro que nenhum cientista negaria a existência de padrões e processos; mas a maioria deles concebe o padrão como uma propriedade emergente da matéria, uma idéia abstraída a partir da matéria, e não como uma força geradora.

O estudo das estruturas materiais e das forças que agem entre elas, e a concepção dos padrões de organização que resultam dessas forças como fenômenos emergentes secundários, têm sido métodos muito eficazes na física e na química. Quando entramos no domínio dos sistemas vivos, porém, esse modo de pensar já não é suficiente. A característica essencial que distingue os sistemas vivos dos não-vivos — o metabolismo celular — não é uma propriedade da matéria nem uma "força vital" especial. É um padrão específico de relações entre processos químicos.[3] Embora envolva relações entre processos que produzem componentes materiais, o padrão em rede considerado em si mesmo é imaterial.

As mudanças estruturais desse padrão em rede são compreendidas como processos cognitivos que por fim dão origem à experiência consciente e ao pensamento conceitual. Nenhum desses fenômenos cognitivos é material, mas todos são incorporados, decorrem num corpo — nascem do corpo e são moldados por ele. Isso significa que a vida nunca está separada da matéria, muito embora suas características essenciais — organização, complexidade, processos, etc. — sejam imateriais.

O significado — a quarta perspectiva

Quando procuramos aplicar ao domínio social a nova compreensão da vida, deparamo-nos imediatamente com uma multidão de fenômenos — regras de comportamento, valores, intenções, objetivos, estratégias, projetos, relações de poder — que não ocorrem na maior parte do mundo extra-humano, mas são essenciais para a vida social humana. Porém, essas características diversas da realidade social partilham todas de uma característica básica que nos proporciona um vínculo natural com a visão sistêmica da vida que foi exposta nas páginas anteriores.

A autoconsciência, como vimos, surgiu, na evolução dos nossos antepassados hominídeos, junto com a linguagem, o pensamento conceitual e o mundo social dos relacionamentos organizados e da cultura. Conseqüentemente, a compreensão da consciência reflexiva está inextricavelmente ligada à da linguagem e à do contexto social desta. Mas essa idéia também pode ser considerada sob o ponto de vista inverso: a compreensão da realidade social está inextricavelmente ligada à da consciência reflexiva.

Em específico, a nossa capacidade de reter imagens mentais de objetos materiais e acontecimentos parece ser uma condição fundamental para o surgimento das características fundamentais da vida social. A capacidade de reter imagens mentais nos habilita a escolher dentre diversas alternativas, o que é necessário para a formulação de valores e de regras sociais de comportamento. Os conflitos de interesses, baseados nas diferenças de valores, estão na origem das relações de poder, como veremos adiante. As intenções, a consciência de uma finalidade e os projetos e estratégias necessárias para a consecução de objetivos — todas essas coisas exigem a projeção de imagens mentais para o futuro.

O mundo interior dos conceitos, idéias, imagens e símbolos é uma dimensão essencial da realidade social, e constitui o que John Searle chamou de "o caráter mental dos fenômenos sociais".[4] Os cientistas sociais costumam chamar essa dimensão de "dimensão hermenêutica",* dando a entender que a linguagem humana, por ser de natureza simbólica, envolve antes de mais nada a comunicação de um significado, e que as ações humanas decorrem do significado que atribuímos ao ambiente que nos rodeia.

Do mesmo modo, postulo que a compreensão sistêmica da vida pode ser aplicada ao domínio social se acrescentarmos o ponto de vista do *significado* aos três outros pontos de vista sobre a vida. No caso, uso a palavra "significado" como uma expressão sintética do mundo interior da consciência reflexiva, que contém uma multiplicidade de características inter-relacionadas. A plena compreensão dos fenômenos sociais, portanto, tem de partir da integração de quatro perspectivas — forma, matéria, processo e significado.

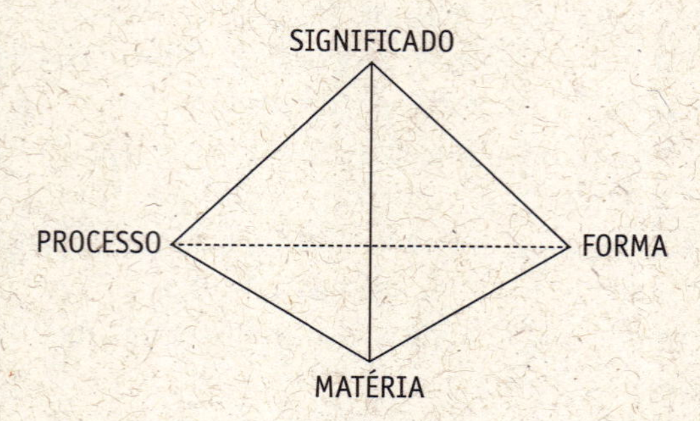

No diagrama acima, ressaltei mais uma vez a interdependência dessas perspectivas, representando-as como os vértices de uma figura geo-

* Do grego *hermeneuin* ("interpretar").

métrica. As três primeiras perspectivas formam, como antes, um triângulo. Já a perspectiva do significado é representada acima do plano desse triângulo para indicar que abre toda uma nova dimensão "interior"; e, assim, a estrutura conceitual como um todo forma um tetraedro.

Integrar os quatro pontos de vista é o mesmo que reconhecer que cada um deles tem uma importante contribuição a dar para a compreensão dos fenômenos sociais. Veremos, por exemplo, que a cultura é criada e sustentada por uma rede (*forma*) de comunicações (*processo*) na qual se gera o *significado*. Entre as corporificações materiais da cultura (*matéria*) incluem-se artefatos e textos escritos, através dos quais os significados são transmitidos de geração em geração.

É interessante notar que essa estrutura conceitual de quatro perspectivas interdependentes apresenta algumas semelhanças com os quatro princípios, ou "causas", postulados por Aristóteles como origens interdependentes de todos os fenômenos.[5] Aristóteles fazia uma distinção entre causas internas e causas externas. As duas causas internas são a matéria e a forma. As causas externas são a causa eficiente, que gera o fenômeno por sua ação, e a causa final, que determina a ação da causa eficiente por dar-lhe um sentido ou um objetivo.

A descrição detalhada que Aristóteles dá das quatro causas e das relações entre elas é bem diferente do esquema conceitual que estou propondo.[6] Em específico, a causa final, que corresponde à perspectiva que associei com o significado, opera, segundo Aristóteles, em todo o mundo material, ao passo que, de acordo com a opinião científica contemporânea, ela não tem papel algum a desempenhar no mundo extra-humano. Não obstante, acho fascinante que, depois de mais de dois mil anos de filosofia, ainda analisemos a realidade de acordo com as quatro perspectivas identificadas por Aristóteles.

A teoria social

Quando acompanhamos o desenvolvimento das ciências sociais do século XIX até a época atual, constatamos que os grandes debates que se travaram entre suas principais correntes de pensamento parecem refletir as tensões que existem entre os quatro pontos de vista sobre a vida social — forma, matéria, processo e significado.

No fim do século XIX e começo do XX, o pensamento social era enormemente influenciado pelo positivismo, doutrina formulada pelo filósofo social Auguste Comte. Entre os princípios dessa doutrina, podemos mencionar: a idéia de que as ciências sociais devem procurar conhecer as leis gerais do comportamento humano, a ênfase na quantificação e a rejeição de todas as explicações baseadas em fenômenos subjetivos, como a intenção e o objetivo.

É evidente que a estrutura positivista é calcada na da física clássica. Com efeito, Auguste Comte, que inventou o termo "sociologia", inicialmente chamou o estudo científico da sociedade de "física social". As principais correntes de pensamento dessa ciência no começo do século XX podem todas ser vistas como tentativas de escapar da camisa-de-força positivista. Aliás, a maioria dos teóricos sociais da época opunha-se explicitamente à epistemologia positivista.[7]

Um dos legados do positivismo que a sociologia levou consigo em suas primeiras décadas de existência foi a atribuição de enorme importância a uma noção estreita de "causalidade social", que ligava a teoria social, conceitualmente, à física, e não às ciências biológicas. Emile Durkheim — que, ao lado de Max Weber, é considerado um dos pioneiros da sociologia moderna — identificava os "fatos sociais" (certas crenças ou práticas, por exemplo) como as causas dos fenômenos sociais. Muito embora esses fatos sociais sejam evidentemente imateriais, Durkheim insistia em que fossem tratados como objetos materiais. Na opinião dele, os fatos sociais eram causados por outros fatos sociais, de maneira análoga ao modo pelo qual operam as forças físicas.

As idéias de Durkheim exerceram forte influência sobre o estruturalismo e o funcionalismo, as duas escolas dominantes da sociologia no começo do século XX. Ambas essas escolas de pensamento partiam do pressuposto de que a tarefa do cientista social é a de identificar uma realidade causal oculta por baixo do nível superficial dos fenômenos observados. Essa tentativa de identificação de fenômenos ocultos — a força vital ou algum outro "elemento extra" — repetiu-se várias vezes nas ciências biológicas quando os cientistas não conseguiam compreender o surgimento espontâneo de novidades que é característico da vida e não pode ser explicado pelas relações lineares de causa e efeito.

Para os estruturalistas, esse domínio oculto é composto de "estruturas sociais" subjacentes. Embora os primeiros estruturalistas tratassem tais estruturas como objetos materiais, também compreendiam-nas como conjuntos integrados; na verdade, seu uso do termo "estrutura" aproximava-se bastante das maneiras como os primeiros teóricos de sistemas usavam o termo "padrão de organização".

Em contraste, os funcionalistas postulavam a existência de uma racionalidade social subjacente que faz com que os indivíduos ajam de acordo com as "funções sociais" de suas ações — ou seja, ajam de maneira que suas ações atendam às necessidades da sociedade. Para Durkheim, a plena explicação dos fenômenos sociais tinha de combinar as análises causais e funcionais; além disso, ele também fazia uma clara distinção entre funções e intenções. Parece, entretanto, que, de algum modo, ele procurou levar em conta as intenções e objetivos humanos (a perspectiva do *significado*) sem abandonar a estrutura conceitual da física clássica, com suas estruturas materiais, forças e relações lineares de causa e efeito.

Vários dos primeiros estruturalistas também reconheceram a relação entre a realidade social, a consciência e a linguagem. O lingüista Ferdinand de Saussure foi um dos fundadores do estruturalismo, e o antropólogo Claude Lévi-Strauss, cujo nome é intimamente associado à tradição estruturalista, foi um dos primeiros teóricos a analisar a vida social sistematicamente mediante o emprego de analogias com sistemas lingüísticos. A importância da linguagem cresceu ainda mais durante a década de 1960, com o advento das chamadas sociologias interpretativas, segundo as quais os indivíduos interpretam o mundo que os rodeia e agem de acordo com essa interpretação.

Nas décadas de 1940 e 1950, Talcott Parsons, um dos grandes teóricos sociais da época, desenvolveu uma "teoria geral das ações" que era fortemente influenciada pela teoria dos sistemas. Parsons procurou integrar o estruturalismo e o funcionalismo numa única estrutura teórica, partindo do princípio de que as ações humanas são ao mesmo tempo orientadas por um objetivo e constrangidas [pelas condições exteriores]. À semelhança de Parsons, muitos sociólogos da época afirmaram a importância das intenções e objetivos pelo conceito de "atividade humana", ou ação intencional.

A tendência sistêmica de Talcott Parsons foi levada adiante por Niklas Luhmann, um dos mais inovadores dentre os sociólogos contemporâneos, que foi inspirado pelas idéias de Maturana e Varela para desenvolver uma teoria da "autopoiese social", acerca da qual voltarei a falar detalhadamente daqui a pouco.[8]

Giddens e Habermas — duas teorias integradoras

Na segunda metade do século XX, a teoria social sofreu a significativa influência de diversas tentativas de transcendência das oposições de escola das décadas anteriores e de integração das noções de estrutura social e atividade humana, com uma análise explícita do significado. A teoria da estruturação de Anthony Giddens e a teoria crítica de Jürgen Habermas foram, talvez, as mais influentes de todas essas estruturas teóricas integradoras.

Anthony Giddens tem dado contribuições significativas à teoria social desde o começo da década de 1970.[9] Sua teoria da estruturação foi elaborada para explorar as interações entre as estruturas sociais e a atividade humana de modo a integrar as idéias do estruturalismo e do funcionalismo, por um lado, e das sociologias interpretativas, por outro. Para tanto, Giddens emprega dois métodos de investigação diferentes mas complementares. A análise institucional é o método que ele usa para estudar as estruturas e instituições sociais, ao passo que a análise estratégica é usada para estudar de que maneira as pessoas fazem uso das estruturas sociais quando buscam a realização de seus objetivos estratégicos.

Giddens deixa claro que a conduta estratégica das pessoas se baseia em grande medida no modo pelo qual elas interpretam seu ambiente. Com efeito, afirma que os cientistas sociais têm de fazer uso de uma "dupla hermenêutica": interpretam seu objeto de estudo, que consiste ele mesmo em outras interpretações. Conseqüentemente, Giddens acredita que as intuições fenomenológicas subjetivas devem ser levadas a sério para que possamos compreender a conduta humana.

Como seria de se esperar de uma teoria integradora que busca transcender uma oposição tradicional, o conceito de estrutura social de Giddens é bastante complexo. Como na maior parte das teorias sociais contemporâneas, a estrutura social é definida como um conjunto de regras que são postas em ato nas práticas sociais; além disso, em sua definição de estrutura social, Giddens também inclui os recursos de que a sociedade dispõe. Há duas espécies de regras: os esquemas interpretativos, ou regras semânticas, e as normas, ou regras morais. Existem também dois tipos de recursos: os recursos materiais, que abarcam, entre outras coisas, a posse e o poder de controle sobre os objetos (o objeto de estudo tradicional das sociologias de base marxista), e os recursos de autoridade, que resultam da organização do poder.

Giddens também usa o termo "propriedades estruturais" para designar as características institucionalizadas da sociedade (como, por exemplo, a divisão do trabalho) e o termo "princípios estruturais" para denotar as mais profundamente arraigadas dentre essas características. O estudo dos princípios estruturais, que é a forma mais abstrata de análise social, nos permite distinguir entre os diversos tipos de sociedade.

Segundo Giddens, a interação entre as estruturas sociais e a atividade humana tem caráter cíclico. As estruturas sociais são a um só tempo a pré-condição e o resultado inadvertido da atividade dos indivíduos. As pessoas usam-se delas para dedicar-se às suas práticas sociais cotidianas e, assim fazendo, não podem senão reproduzir inadvertidamente essas mesmas estruturas.

Quando falamos, por exemplo, necessariamente fazemos uso das regras da nossa língua; e, à medida que usamos a língua, nós reproduzimos e transformamos continuamente essas mesmas estruturas semânticas. Assim, as estruturas sociais nos permitem interagir e, ao mesmo tempo, são reproduzidas pelas nossas interações. Giddens dá a esse fato o nome de "dualidade de estrutura" e reconhece a semelhança que ele apresenta com a circularidade das redes autopoiéticas da biologia.[10]

Os vínculos conceituais com a teoria da autopoiese tornam-se ainda mais evidentes quando examinamos a hipótese de Giddens sobre a chamada "atividade humana". Insiste ele em que essa atividade não consiste numa série de atos separados, mas num fluxo contínuo de conduta. Do mesmo modo, uma rede metabólica viva encarna um processo vital contínuo. E assim como os componentes da rede viva transformam ou substituem continuamente outros componentes, assim também as ações que constituem o fluxo da conduta humana têm, segundo a teoria de Giddens, uma "capacidade transformadora".

Na década de 1970, enquanto Giddens desenvolvia a sua teoria da estruturação na Universidade de Cambridge, Jürgen Habermas, na Universidade de Frankfurt, formulava uma teoria tão ampla e profunda quanto essa, à qual deu o nome de "teoria da ação comunicativa".[11] Integrando em seu pensamento numerosas linhas filosóficas, Habermas tornou-se uma das mais influentes forças intelectuais da filosofia e da teoria social. É o maior dentre os atuais adeptos da teoria crítica, a teoria social de base marxista que foi desenvolvida pela Escola de Frankfurt na década de 1930.[12] Fiéis às suas origens marxistas, os defensores da teoria crítica não querem somente explicar o mundo. Segundo Habermas, sua tarefa última é a de descobrir as condições estruturais que determinam a ação humana e ajudar os seres humanos a transcender essas condições. A teoria crítica tem por objeto de estudo o poder e por objetivo a emancipação.

À semelhança de Giddens, Habermas diz que duas perspectivas diversas mas complementares são necessárias para a plena compreensão dos fenômenos sociais. A primeira perspectiva é a do sistema social, que corresponde ao estudo das instituições na teoria de Giddens; a outra é a perspectiva do "mundo da vida" (*Lebenswelt*), que corresponde, em Giddens, ao estudo da conduta humana.

Para Habermas, o sistema social está ligado ao modo pelo qual as estruturas sociais constrangem as ações dos indivíduos; está ligado, portanto, às questões de poder e, em específico, às relações de classe que envolvem produção. O mundo da vida, por outro lado, está ligado às questões de significado e comunicação. Assim, Habermas concebe a teoria crítica como uma integração de dois tipos diferentes de conhecimento. O conhecimento empírico-analítico é associado ao mundo externo e trata de fornecer explicações causais; a hermenêutica, o estudo do sentido das coisas, é associada ao mundo interno e trata da linguagem e da comunicação.

Como Giddens, Habermas reconhece que os entendimentos propiciados pela hermenêutica têm profunda relação com o funcionamento do mundo social, uma vez que os indivíduos atribuem um determinado significado ao seu ambiente e agem de acordo com essa atribuição. Ressalta, porém, que as interpretações individuais sempre baseiam-se num conjunto de pressupostos implícitos fornecidos pela história e pela tradição, e afirma que isso significa que nem todos os pressupostos são igualmente válidos. Segundo Habermas, os cientistas sociais devem avaliar criticamente as diversas tradições; devem identificar as distorções ideológicas e descobrir de que maneira elas se ligam às relações de poder. A emancipação acontece sempre que as pessoas são capazes de superar certas restrições do passado, provocadas pelas distorções de comunicação.

Levando adiante a sua distinção entre os dois mundos e os dois tipos de conhecimento, Habermas traça uma nova distinção entre diferentes tipos de ação, e nesse ponto a natureza integradora de sua teoria crítica talvez se torne mais evidente. Nos termos dos quatro pontos de vista sobre a vida, de que falamos anteriormente, podemos dizer que a ação se enquadra claramente no ponto de vista do processo. Ao identificar três tipos de ação, Habermas liga o *processo* a cada uma das outras três perspectivas. A ação instrumental decorre no mundo externo (*matéria*); a ação estratégica diz respeito aos relacionamentos humanos (*forma*); e a ação comunicativa tem por objetivo o entendimento das coisas (*significado*). Para Habermas, cada um dos tipos de ação é associado a um sentido diferente de "retidão". A ação correta diz respeito, no mundo material, à verdade factual; no mundo social, à retidão moral; e, no mundo interior, à sinceridade.

A ampliação da hipótese sistêmica

As teorias de Giddens e Habermas são tentativas extraordinárias de integrar o estudo do mundo externo — das relações de causa e efeito —, do mundo social — das relações humanas — e do mundo interior — dos valores e do significado. Os dois teóricos sociais integram idéias das ciências da natureza, das ciências sociais e das filosofias cognitivas, ao mesmo tempo que rejeitam as limitações do positivismo.

Penso que essa integração pode ser promovida de modo significativo se aplicarmos ao domínio social a nova compreensão sistêmica da vida dentro da estrutura conceitual das quatro perspectivas já delineadas — forma, matéria, processo e significado. Temos de integrar todas as quatro perspectivas para chegar a uma compreensão sistêmica da realidade social.

Essa compreensão sistêmica baseia-se no pressuposto de que a vida é dotada de uma unidade fundamental, de que os diversos sistemas vivos apresentam padrões de organização semelhantes. Esse pressuposto é corroborado pela observação de que a evolução operou durante bilhões de anos sem deixar de usar reiteradamente os mesmos padrões. À medida que a vida evolui, esses padrões tendem a tornar-se cada vez mais elaborados; mas nem por isso deixam de ser variações sobre os mesmos temas.

O padrão em rede (*network pattern*), especificamente, é um dos padrões de organização mais básicos de todos os sistemas vivos. Em todos os níveis de vida — desde as redes metabólicas das células até as teias alimentares dos ecossistemas —, os componentes e os processos dos sistemas vivos se interligam em forma de rede. A aplicação da compreensão sistêmica da vida ao domínio social, portanto, identifica-se à aplicação do nosso conhecimento dos padrões e princípios básicos de organização da vida — e, em específico, da nossa compreensão das redes vivas — à realidade social.

Porém, embora a compreensão da *organização* das redes biológicas possa nos ajudar a compreender as redes sociais, não devemos ter a intenção de transferir para o domínio social nossa compreensão da estrutura material das redes biológicas. Para ilustrar esse ponto, tomemos como exemplo a rede metabólica das células. Uma rede celular é um padrão não-linear de organização, e precisamos da teoria da complexidade (dinâmica não-linear) para compreender os seus meandros. A célula, além disso, é um sistema químico, e precisamos da biologia molecular e da bioquímica para compreender a natureza das estruturas e processos que constituem os nós e os elos da rede. Se não soubermos o que é uma enzima e como ela acelera a síntese de uma proteína, simplesmente não podemos ter a esperança de compreender a rede metabólica da célula.

Também a rede social é um padrão não-linear de organização, de maneira que os conceitos desenvolvidos pela teoria da complexidade, como os de realimentação (*feedback*) ou surgimento espontâneo (*emergence*), provavelmente encontrarão também aí a sua aplicação. Entretanto, os nós e os elos da cadeia não são simplesmente bioquímicos. As redes sociais são antes de mais nada redes de comunicação que envolvem a linguagem simbólica, os limites culturais, as relações de poder e assim por diante. Para compreender as estruturas dessas redes, temos de lançar mão de idéias tiradas da teoria social, da filosofia, da ciência da cognição, da antropologia e de outras disciplinas. Uma teoria sistêmica unificada para a compreensão dos fenômenos biológicos e sociais só surgirá quando os conceitos da dinâmica não-linear forem associados a idéias provindas desses outros campos de estudo.

Redes de comunicação

Para aplicar aos fenômenos sociais nosso conhecimento das redes vivas, temos de descobrir se o conceito de autopoiese é válido no domínio social. Esse ponto tem sido objeto de inúmeros debates nos últimos anos, mas a situação está longe de ter sido resolvida.[13] A pergunta fundamental é a seguinte: quais seriam os elementos de uma rede social autopoiética? Maturana e Varela propuseram originalmente que o conceito de autopoiese ficasse limitado à descrição das redes celulares, e que o conceito mais amplo de "fechamento organizativo", que não menciona especificamente em seu nome o processo de produção, fosse aplicado a todos os outros sistemas vivos.

Outra escola de pensamento, fundada pelo sociólogo Niklas Luhmann, afirma que a noção de autopoiese *pode* ser aplicada ao domínio social e formulada de maneira rigorosa dentro do contexto da teoria social. Luhmann desenvolveu de maneira bastante detalhada uma teoria da "autopoiese social".[14] Defende, entretanto, a curiosa opinião de que os sistemas sociais, embora sejam autopoiéticos, não são sistemas vivos.

Uma vez que os sistemas sociais envolvem não só seres humanos vivos como também a linguagem, a consciência e a cultura, é evidente que são sistemas cognitivos — parece estranho pensar que não sejam vivos. Quanto a mim, prefiro conceber a autopoiese como uma das características específicas da vida. Entretanto, ao discutir as organizações humanas, vou defender também a tese de que os sistemas sociais podem ser "vivos" em diversos graus.[15]

A preocupação central de Luhmann é a de identificar a comunicação como o elemento central das redes sociais: "Os sistemas sociais usam a comunicação como seu modo particular de reprodução autopoiética. Seus elementos são comunicações produzidas e reproduzidas de modo recorrente (*recursively*) por uma rede de comunicações, e que não podem existir fora de tal rede."[16] Essas redes de comunicação geram a si mesmas. Cada comunicação cria pensamentos e um significado que dão origem a outras comunicações, e assim a rede inteira se regenera — é autopoiética. Como as comunicações se dão de modo recorrente em múltiplos anéis de realimentação (*feedback loops*), produzem um sistema comum de crenças, explicações e valores — um contexto comum de significado — que é continuamente sustentado por novas comunicações. Através desse contexto comum de significado, cada indivíduo adquire a sua identidade como membro da rede social, e assim a rede gera o seu próprio limite externo. Não se trata de um limite físico, mas de um limite feito de pressupostos, de intimidade e de lealdade — um limite continuamente conservado e renegociado pela rede de comunicações.

Para explorar todas as implicações da concepção dos sistemas sociais como redes de comunicações, é conveniente lembrar da natureza dual da comunicação humana. À semelhança de toda comunicação que ocorre entre organismos vivos, ela envolve uma contínua coordenação de comportamentos; e, por envolver o pensamento conceitual e a linguagem simbólica, ela também gera imagens mentais, pensamentos e significados. Do mesmo modo, podemos supor que as redes de comunicações tenham um duplo efeito: vão gerar, por um lado, idéias e contextos de significado e, por outro, regras de comportamento ou, no jargão dos teóricos da sociedade, estruturas sociais.

O significado, a intencionalidade e a liberdade humana

Depois de identificar o tipo de organização dos sistemas sociais — redes autogeradoras —, precisamos agora voltar nossa atenção para as estruturas produzidas por essas redes e para a natureza das relações que são engendradas por elas. Mais uma vez, ser-nos-á útil fazer uma comparação com as redes biológicas. A rede metabólica de uma célula, por exemplo, gera estruturas materiais. Algumas delas tornam-se componentes estruturais do sistema, formando partes da membrana da célula ou de outras estruturas celulares. Outras são intercambiadas entre os nós da rede, na qualidade de portadoras de energia ou informações ou de catalisadoras de processos metabólicos.

Também as redes sociais geram estruturas materiais — edifícios, estradas, tecnologias, etc. — que se tornam componentes estruturais da rede; e produzem bens e artefatos materiais que são intercambiados entre os nós da rede. Entretanto, a produção de estruturas materiais nas redes sociais é muito diferente da sua análoga nas redes biológicas e ecológicas. Na sociedade humana, as estruturas são criadas em vista de determinada intenção, de acordo com uma forma predeterminada, e constituem a corporificação de um determinado significado. Por isso, para compreender as atividades dos sistemas sociais, é essencial estudá-los a partir desse ponto de vista.

O ponto de vista do significado abarca um sem-número de características inter-relacionadas que são essenciais para a compreensão da realidade social. O próprio significado já é um fenômeno sistêmico; sempre está ligado a um determinado contexto. O dicionário *Webster's* define a palavra significado (*meaning*) como "uma idéia, transmitida à mente, que exige ou permite uma interpretação"; e define a interpretação como "uma concepção feita à luz das crenças individuais, de um juízo ou de uma circunstância". Em outras palavras, para interpretar alguma coisa, nós a situamos dentro de um determinado contexto de conceitos, valores, crenças ou circunstâncias. Para compreender o significado de uma coisa, temos de relacioná-la com outras coisas no ambiente, no seu passado ou no seu futuro. Nada tem sentido em si mesmo.

Para compreender o significado de um texto literário, por exemplo, a pessoa que o interpreta tem de determinar os múltiplos contextos das palavras e frases do texto. Pode tratar-se de uma atividade puramente intelectual, mas pode alcançar também um nível mais profundo. Quando o contexto de uma idéia ou de uma expressão inclui relações que envolvem a nossa própria pessoa, a idéia ou a expressão tornam-se pessoalmente significativas para nós. Esse sentido mais profundo do significado tem uma dimensão emocional e pode, inclusive, deixar a razão completamente de lado. Certas coisas são profundamente significativas para nós através do contexto oferecido pela experiência direta.

O significado é essencial para os seres humanos. Temos a contínua necessidade de captar o sentido dos nossos mundos exterior e interior, de encontrar o significado do ambiente em que estamos e das nossas relações com os outros seres humanos, e de agir de acordo com esse significado. Estamos falando aqui, em específico, da nossa necessidade de agir de acordo com uma determinada intenção ou objetivo. Em virtude da nossa capacidade de projetar imagens mentais para o futuro, nós, quando agimos, temos a convicção — válida ou não — de que nossas ações são voluntárias, intencionais e voltadas para um determinado objetivo.

Na qualidade de seres humanos, somos capazes de dois tipos de ações. À semelhança de todos os demais organismos vivos, dedicamonos a atividades involuntárias e inconscientes, como a digestão do alimento ou a circulação do sangue, que fazem parte do processo da vida e são, portanto, cognitivas, no sentido que a teoria de Santiago dá a essa palavra. Além disso, dedicamo-nos a atividades voluntárias e intencionais, e é nessa ação movida pela intenção e por um objetivo que nós conhecemos a liberdade humana.[17]

Como eu já disse, a nova compreensão da vida lança nova luz sobre o antiqüíssimo debate filosófico entre a liberdade e o determinismo.[18] O fato fundamental é o de que o comportamento do organismo vivo não é completamente livre, mas também não é determinado por forças exteriores. Os organismos vivos são dotados da capacidade de auto-organização, o que significa que seu comportamento não é imposto pelo ambiente, mas estabelecido pelo próprio sistema. Em específico, o comportamento do organismo é determinado pela sua própria estrutura, estrutura essa que é formada por uma sucessão de mudanças estruturais autônomas.

A autonomia dos sistemas vivos não pode ser confundida com uma independência. Os sistemas vivos não são isolados do ambiente em que vivem. Interagem com esse ambiente de modo contínuo, mas não é o ambiente que lhes determina a organização. No nível humano, essa autodeterminação se reflete em nossa consciência como a liberdade de agir de acordo com as nossas convicções e decisões. O fato de essas convicções e decisões serem consideradas "nossas" significa que elas são determinadas pela nossa natureza, no contexto da qual incluem-se nossas experiências passadas e nossa hereditariedade. Na mesma medida em que não somos constrangidos pelas relações de poder humanas, nosso comportamento é determinado por nós mesmos e é, portanto, livre.

A dinâmica da cultura

Nossa capacidade de formar imagens mentais e associá-las ao futuro não só nos permite identificar metas e objetivos e desenvolver estratégias e planos como também nos habilita a escolher entre diversas alternativas e, assim, formular valores e regras sociais de comportamento. Todos esses fenômenos sociais são gerados por redes de comunicações em virtude da natureza dual da comunicação humana. Por um lado, a rede continuamente gera imagens mentais, pensamentos e significados; por outro, coordena continuamente o comportamento dos seus membros. É da dinâmica e da complexa interdependência desses processos que nasce (*emerges*) o sistema integrado de valores, crenças e regras de conduta que associamos ao fenômeno da cultura.

O termo "cultura" tem uma história longa e complicada; atualmente, é usado em diversas disciplinas intelectuais com significados igualmente diversos e às vezes confusos. No clássico texto *Culture*, o historiador Raymond Williams vai buscar o sentido da palavra no uso que tinha na antigüidade, quando era um substantivo que denotava um processo: a cultura (ou seja, o cultivo) de cereais, ou a cultura (ou seja, a criação) de animais. No século XVI, esse sentido recebeu uma extensão metafórica e a palavra passou a designar o cultivo da mente humana; e no fim do século XVIII, quando os alemães emprestaram dos franceses essa palavra (grafando-a inicialmente como *Cultur* e, depois, *Kultur*), ela adquiriu o sentido do modo de vida particular de um povo.[19] No século XIX, o plural "culturas" tornou-se especialmente importante com o desenvolvimento da antropologia comparada, disciplina na qual a palavra continua a designar modos de vida específicos.

Enquanto isso, o uso mais antigo de "cultura" para designar o cultivo ativo da mente não morreu, mas continuou. Aliás, não só continuou como também expandiu-se e diversificou-se, passando a abarcar toda uma gama de significados que vão desde um estado desenvolvido da mente ("pessoa culta") até o processo desse desenvolvimento ("atividades culturais"), passando pelos meios através dos quais se dá esse processo (administrado, por exemplo, por um "Ministério da Cultura"). Em nossa época, os diversos significados de "cultura" associados ao cultivo ativo da mente coexistem — nem sempre de modo pacífico, como assinala Williams — com o uso antropológico da palavra para designar o modo específico de vida de um povo ou grupo social (como em "cultura aborígine" ou "cultura empresarial"). E, para completar, a palavra continua tendo o seu significado biológico original, como, por exemplo, em "agricultura", "monocultura" ou "cultura de sementes".

Para a nossa análise sistêmica da realidade social, vamos ter de adotar o sentido antropológico da palavra cultura, que a *Columbia Encyclopedia* define como "o sistema integrado de valores, crenças e regras de conduta adquiridas pelo convívio social e que determina e delimita quais são os comportamentos aceitos por uma dada sociedade". Quando exploramos os detalhes dessa definição, descobrimos que a cultura nasce de uma dinâmica complexa e altamente não-linear. É criada por uma rede social dotada de múltiplos elos de realimentação através dos quais os valores, crenças e regras de conduta são continuamente comunicados, modificados e preservados. A cultura nasce de uma rede de comunicações entre indivíduos; e, à medida que nasce, impõe limites às ações desses mesmos indivíduos. Em outras palavras, as estruturas sociais ou regras de comportamento que delimitam as ações dos indivíduos são produzidas e continuamente reforçadas pela própria rede de comunicações deles.

A rede social também produz um corpo de conhecimentos comuns — feito de informações, idéias e capacidades práticas — que molda não só os valores e crenças da cultura, mas também o seu modo de vida específico. Por outro lado, os valores e crenças da cultura também afetam o seu corpo de conhecimentos. Fazem parte das lentes através das quais vemos o mundo; ajudam-nos a interpretar nossas experiências e a determinar quais espécies de conhecimento são significativas. Esse conhecimento significativo, continuamente modificado pela rede de comunicações, é transmitido de geração em geração junto com os valores, crenças e regras de conduta da cultura.

O sistema de valores e crenças comuns cria uma identidade entre os membros da rede social, identidade essa baseada na sensação de fazer parte de um grupo maior. Nas diversas culturas, as pessoas têm identidades diferentes porque esposam conjuntos diferentes de valores e crenças. Ao mesmo tempo, um só indivíduo pode pertencer a diversas culturas. O comportamento das pessoas é moldado e delimitado pela identidade cultural delas, a qual, por sua vez, reforça nelas a sensação de fazer parte de um grupo maior. A cultura se insere e permanece profundamente entranhada no modo de vida das pessoas e essa inserção tende a ser tão profunda que até escapa à nossa consciência durante a maior parte do tempo.

A identidade cultural também reforça o fechamento da rede, na medida em que cria um limite feito de significados e exigências que não permite que quaisquer pessoas e informações entrem na rede. Assim, a rede social intercambia suas comunicações dentro de um determinado limite cultural, o qual é continuamente recriado e renegociado por seus membros. Tal situação não é de todo diferente da existência da rede metabólica da célula, a qual produz e recria continuamente um limite — a membrana celular — que a confina mas, ao mesmo tempo, dá à célula a sua identidade. Existem, porém, algumas diferenças cruciais entre os limites celulares e os limites sociais. Como eu já disse e torno a dizer, os limites sociais não são necessariamente limites físicos, mas limites feitos de significados e exigências. Não envolvem literalmente a rede, mas existem num mundo mental que não tem as propriedades topológicas do espaço físico.

A origem do poder

Uma das características mais marcantes da realidade social é o fenômeno do poder. Nas palavras do economista John Kenneth Galbraith, "O exercício do poder, a submissão de um ser humano à vontade de outro ser humano, é inevitável na sociedade moderna; nada, em absoluto, se realiza sem isso.... O poder pode ser maligno do ponto de vista social; mas, do mesmo ponto de vista, também é essencial."[20] O papel essencial do poder na organização social está ligado aos inevitáveis conflitos de interesses. Em virtude da nossa capacidade de afirmar nossas preferências e determinar por elas as nossas escolhas, os conflitos de interesses surgem inevitavelmente em qualquer comunidade humana; e o poder é o meio pelo qual esses conflitos são resolvidos.

Isso não implica necessariamente o uso de ameaças e de violência. Em seu ensaio, muito lúcido, Galbraith distingue três espécies de poder, diferenciando-as segundo os meios pelos quais o poder se exerce. O poder coercivo ou coativo garante a submissão pela imposição de sanções, efetivas ou só enquanto ameaças; o poder compensatório, pelo oferecimento de incentivos ou recompensas; e o poder condicionado, pela mudança das crenças mediante a persuasão ou a educação.[21] A arte da política está em encontrar a medida certa de cada um desses três tipos de poder em vista de resolver conflitos e promover o equilíbrio entre os interesses opostos.

As relações de poder são definidas, do ponto de vista cultural, por posições de autoridade estabelecidas por consenso segundo as regras de conduta específicas da cultura em questão. Na evolução humana, é muito possível que esse consenso já tenha surgido junto com o desenvolvimento das primeiras comunidades. A comunidade seria capaz de agir de modo muito mais eficaz se um de seus membros tivesse autoridade para tomar decisões, ou pelo menos facilitar a tomada de decisões, sempre que houvesse conflitos de interesse. Esse arranjo social teria dado à comunidade uma significativa vantagem evolutiva.

Com efeito, o sentido original de "autoridade" não é o de "poder de comando", mas o de "uma base firme para o conhecimento e a ação".[22] Quando precisamos de uma base firme de conhecimento, consultamos, por exemplo, um texto clássico sobre o assunto em pauta; quando estamos doentes, consultamos um médico, que é uma autoridade no campo da medicina.

Desde as épocas mais antigas, as comunidades humanas escolheram determinados homens e mulheres como líderes quando reconheciam sua sabedoria e sua experiência como uma base firme para a ação coletiva. Então, esses líderes eram investidos de poder — o que significava, originalmente, que recebiam vestes e insígnias rituais como símbolo de sua liderança —, e sua autoridade ficou associada ao poder de comando. A origem do poder, pois, está em posições de autoridade definidas pela cultura, posições essas nas quais a comunidade se apóia para a resolução de conflitos e a tomada de decisões em vista de ações sábias e eficazes. Em outras palavras, a verdadeira autoridade consiste em dar aos outros o poder de agir.

Porém, acontece com freqüência de as insígnias que dão o poder de comando — a peça de tecido, a coroa, etc. — serem passadas a alguém que não possui a verdadeira autoridade. Nesse caso, a fonte do poder deixa de ser a sabedoria do verdadeiro líder e passa a ser a pessoa que porta as insígnias; e, nessa situação, é muito fácil que a função do poder deixe de ser a de capacitar os outros e passe a concentrar-se na pura e simples afirmação dos interesses de um indivíduo. É aí que o poder se liga à exploração.

A associação do poder com a defesa dos próprios interesses é a base da maioria das análises contemporâneas do poder. Nas palavras de Galbraith, "Os indivíduos e os grupos buscam o poder para defender os próprios interesses e impor aos outros os seus próprios valores pessoais, religiosos ou sociais."[23] Um segundo estágio de exploração é alcançado quando o poder é procurado somente por ele mesmo. Sabe-se que, para a maioria das pessoas, o exercício do poder é fonte de grandes recompensas emocionais e materiais, que consubstanciam-se em elaborados símbolos e rituais de obediência — dos aplausos em pé, fanfarras e honras militares aos escritórios com banheiro, limusines, jatinhos e desfiles de automóveis.

À medida que uma comunidade cresce e sua complexidade aumenta, também o número de suas posições de poder cresce. Nas sociedades complexas, a resolução de conflitos e as decisões de como agir só são eficazes quando a autoridade e o poder organizam-se em estruturas administrativas. No decorrer da longa história da civilização humana, numerosas formas de organização social foram geradas por essa necessidade de organizar a distribuição de poder.

Assim, o poder desempenha papel de destaque no surgimento das estruturas sociais. Pela teoria social, todas as regras de conduta estão inclusas no conceito de estrutura social, quer sejam regras informais, que resultam de contínuas coordenações de comportamento, quer sejam formalizadas, documentadas e garantidas por lei. Todas essas estruturas formais, ou instituições sociais, são, em última análise, regras de comportamento que facilitam a tomada de decisões e corporificam as relações de poder. O importantíssimo elo entre o poder e a estrutura social foi discutido à exaustão nos textos clássicos sobre o poder. O sociólogo e economista Max Weber afirmou: "A dominação teve papel decisivo... nas estruturas sociais mais importantes do ponto de vista econômico, tanto no passado quanto no presente";[24] e, de acordo com a cientista política Hannah Arendt,: "Todas as instituições políticas são manifestações e materializações do poder."[25]

A estrutura nos sistemas biológicos e sociais

À medida que exploramos, nas páginas anteriores, a dinâmica das redes sociais, da cultura e da origem do poder, vimos várias vezes que a geração de estruturas materiais e sociais é uma das características fundamentais dessa dinâmica. A esta altura, ser-nos-á útil recapitular de maneira sistemática a função da estrutura nos sistemas vivos.

O elemento central de qualquer análise sistêmica é a noção de organização, ou "padrão de organização". Os sistemas vivos são redes autogeradoras, o que significa que o seu padrão de organização é um padrão em rede no qual cada componente contribui para a formação dos outros componentes. Essa idéia pode ser aplicada ao domínio social, desde que as redes vivas de que estamos falando sejam identificadas como redes de comunicações.

No domínio social, o conceito de organização adquire um significado suplementar. As organizações sociais, tais como as empresas ou instituições políticas, são sistemas sociais cujos padrões de organização são projetados especificamente para distribuir poder. Esses padrões feitos segundo um projeto formal são chamados de estruturas organizativas e são representados visualmente pelos organogramas tradicionais. São, em última análise, regras de comportamento que facilitam a tomada de decisões e corporificam as relações de poder.[26]

Nos sistemas biológicos, todas as estruturas são estruturas materiais. Os processos da rede biológica são processos de produção dos componentes materiais da rede, e as estruturas resultantes são corporificações materiais do padrão de organização do sistema. Todas as estruturas biológicas mudam continuamente; assim, o processo de corporificação ou incorporação material é contínuo.

Já os sistemas sociais produzem estruturas materiais e imateriais. Os processos que sustentam a rede social são processos de comunicação, que geram um corpo comum de significados e regras de comportamento (a cultura da rede) e um corpo comum de conhecimentos. As regras de comportamento, formais ou informais, são chamadas de estruturas sociais. O sociólogo Manuel Castells afirma que: "As estruturas sociais são o conceito fundamental da teoria social. Todas as outras coisas funcionam por meio das estruturas sociais."[27]

As idéias, valores, crenças e outras formas de conhecimento geradas pelos sistemas sociais constituem estruturas de significado, que vou chamar de "estruturas semânticas". Essas estruturas semânticas e, portanto, todos os padrões de organização da rede, corporificam-se fisicamente em alguma medida nos cérebros dos indivíduos que pertencem à rede. Podem também incorporar-se em outras estruturas biológicas por meio dos efeitos da mente sobre o corpo, como acontece no caso das doenças relacionadas ao *stress*. Descobertas recentes da ciência da cognição nos dão a entender que, como a mente é sempre encarnada ou corporificada, existe uma interação contínua entre as estruturas semânticas, as neurais e outras estruturas biológicas.[28]

Nas sociedades modernas, as estruturas semânticas das culturas são documentadas — ou seja, ganham um corpo material — em textos escritos e digitais. Corporificam-se também em artefatos, obras de arte e outras estruturas materiais, como ocorre nas culturas tradicionais que não dispõem de escrita. Com efeito, uma das atividades específicas dos indivíduos nas redes sociais é a produção organizada de bens materiais. Todas essas estruturas materiais — textos, obras de arte, tecnologias e bens materiais — são criadas com uma determinada intenção e segundo um determinado projeto. São corporificações dos significados comuns gerados pelas redes de comunicações da sociedade.

Tecnologia e cultura

Segundo a biologia, o comportamento de um organismo vivo é determinado por sua estrutura. À medida que a estrutura muda no decorrer do desenvolvimento do organismo e da evolução da sua espécie, muda também seu comportamento.[29] Dinâmica semelhante pode ser observada nos sistemas sociais. A estrutura biológica de um organismo corresponde à infra-estrutura material da sociedade, que é, por sua vez, a corporificação da cultura da mesma sociedade. À medida que a cultura evolui, evolui também a infra-estrutura — as duas evoluem juntas, através de contínuas influências recíprocas.

As influências da infra-estrutura material sobre o comportamento e a cultura de um povo são especialmente significativas no caso da tecnologia, por isso a análise da tecnologia tornou-se um ponto de especial interesse para a teoria social, tanto dentro quanto fora da tradição marxista.[30]

O significado da palavra "tecnologia", como o de "ciência", mudou consideravelmente no decorrer dos séculos. O termo grego original *technologia*, derivado de *techne* ("arte"), significava um discurso sobre as artes. Quando o termo foi usado pela primeira vez em língua inglesa, no século XVII, significava uma discussão sistemática sobre as "artes aplicadas", ou seja, os ofícios, e aos poucos passou a designar os próprios ofícios. No começo do século XX, esse significado foi ampliado e passou a incluir não só as ferramentas e máquinas como também métodos e técnicas não materiais, ou seja, a aplicação sistemática de qualquer uma dessas técnicas. É assim que falamos, por exemplo, de uma "tecnologia da administração" ou de "tecnologias de simulação". Hoje em dia, a maior parte das definições de tecnologia dão ênfase à relação desta com a ciência. O sociólogo Manuel Castells define a tecnologia como "o conjunto de instrumentos, regras e procedimentos através dos quais o conhecimento científico é aplicado de maneira reprodutível a uma determinada tarefa".[31]

A tecnologia, porém, é muito mais antiga do que a ciência. Suas origens (na fabricação de instrumentos) remontam ao próprio alvorecer da espécie humana, à época em que a linguagem, a consciência reflexiva e a capacidade de construir utensílios evoluíram juntas.[32] Por isso, a primeira espécie propriamente humana recebeu o nome de *homo habilis* ("homem hábil"), numa referência à sua capacidade de construir ferramentas sofisticadas.[33] A tecnologia é uma das características que definem a natureza humana: sua história se estende por todo o decorrer da evolução do ser humano.

Sendo um aspecto fundamental da natureza humana, a tecnologia moldou de modo decisivo as sucessivas eras de civilização.[34] Com efeito, é pela tecnologia que nós caracterizamos os grandes períodos da civilização humana — a Idade da Pedra, a Idade do Bronze, a Idade do Ferro, a Era Industrial e a Era da Informática. No decorrer das eras, mas especialmente depois da Revolução Industrial, diversas vozes críticas levantaram-se para mostrar que as influências da tecnologia sobre a vida e a cultura do ser humano nem sempre são benéficas. No começo do século XIX, William Blake vituperou as "tenebrosas usinas satânicas" do crescente industrialismo britânico; e, décadas depois, Karl Marx descreveu de maneira vívida e comovente a horrenda exploração dos trabalhadores nas indústrias têxteis e cerâmicas da Inglaterra.[35]

Em épocas mais recentes, os críticos têm salientado as crescentes tensões entre os valores culturais e a alta tecnologia.[36] Os defensores da tecnologia costumam descartar-se dessas vozes incômodas alegando que a tecnologia é neutra e pode ter efeitos benéficos ou maléficos dependendo do modo como é usada. Entretanto, esses "paladinos" da tecnologia não percebem que uma tecnologia específica sempre há de moldar a natureza humana de maneira igualmente específica, pelo fato de o uso da tecnologia ser um aspecto fundamental da existência humana. Como explicam os historiadores Melvin Kranzberg e Carroll Pursell,

> Dizer que a tecnologia não é rigorosamente neutra, que é dotada de certas tendências intrínsecas ou impõe os seus próprios valores, equivale simplesmente a admitir o fato de que, enquanto parte de nossa cultura, ela exerce uma influência sobre a maneira pela qual nós crescemos e nos comportamos. Assim como [os seres humanos] sempre tiveram uma ou outra forma de tecnologia, assim também essa tecnologia sempre influenciou a natureza e a direção do desenvolvimento humano. Não se pode parar esse processo nem pôr fim a essa relação; só se pode compreendê-los e, tomara, dirigi-los para objetivos dignos da [espécie humana].[37]

Com essa breve discussão da interação entre a tecnologia e a cultura, a qual voltarei a mencionar com freqüência nas páginas subseqüentes, concluo minha apresentação sucinta de uma estrutura unificada e sistêmica para a compreensão tanto da vida biológica quanto da vida social. No restante do livro, vou aplicar essa nova estrutura conceitual a algumas das questões sociais e políticas mais importantes da nossa época — a administração das organizações humanas, os desafios e os perigos da globalização econômica, os problemas da biotecnologia e o projeto e a criação de comunidades sustentáveis.

Parte Dois

Os desafios do século XXI

Quatro

A vida e a liderança nas organizações humanas

Nos últimos anos, a natureza das organizações humanas tem sido discutida à exaustão nas rodas empresariais e administrativas, numa reação ao sentimento generalizado de que as empresas de hoje em dia precisam passar por uma transformação fundamental. A mudança das organizações tornou-se um dos temas predominantes dos livros de administração, e vários consultores empresariais oferecem seminários e palestras sobre a "administração da mudança".

Eu mesmo fui convidado, nos últimos dez anos, a dar palestras em várias conferências empresariais, e, no começo, fiquei bastante perplexo ao deparar-me com o fato de que todos sentiam a forte necessidade de mudar. As grandes empresas pareciam mais poderosas do que nunca; não havia dúvida de que os negócios dominavam a política; os lucros e o valor das ações da maioria das empresas estavam alcançando patamares inauditos. As coisas pareciam estar indo muito bem para o setor econômico; então, por que se falava tanto sobre uma mudança fundamental?

Ao ouvir as conversas entre os executivos nos seminários de que participei, logo comecei a perceber o outro lado da moeda. Atualmente, os grandes executivos vivem sob enorme tensão. Trabalham mais do que jamais trabalharam antes; muitos se queixam de não ter tempo para se dedicar aos seus relacionamentos pessoais e reclamam da pouca satisfação que têm na vida, apesar da crescente prosperidade material. Suas empresas podem até parecer poderosas quando vistas de fora, mas eles mesmos se sentem empurrados para cá e para lá pelas forças globais de mercado e acham-se inseguros em face de turbulências que não conseguem prever e nem mesmo compreender plenamente.

Atualmente, o ambiente econômico da maioria das empresas muda com incrível rapidez. Os mercados estão sendo velozmente desregulamentados, e as incessantes fusões e aquisições impõem radicais mudanças estruturais e culturais às empresas envolvidas — mudanças que ultrapassam a capacidade de compreensão das pessoas e assoberbam tanto os indivíduos quanto as próprias organizações. Em decorrência disso, há um sentimento profundo e difuso entre os gerentes e administradores de que, por mais que trabalhem, não conseguem ter controle sobre as coisas.

Complexidade e mudança

A causa profunda dessa doença que acomete os executivos de negócios parece ser a enorme complexidade que se tornou uma das características predominantes da sociedade industrial de hoje. No começo deste novo século, estamos rodeados de sistemas altamente complexos que cada vez mais tomam conta de quase todos os aspectos da nossa vida. Trata-se de complexidades que seríamos incapazes de imaginar há meros cinqüenta anos — sistemas globais de comércio e troca de informações, uma comunicação global instantânea através de redes eletrônicas cada vez mais sofisticadas, empresas multinacionais gigantescas, fábricas automatizadas, etc.

A admiração que sentimos ao contemplar essas maravilhas das tecnologias industrial e eletrônica é maculada por uma sensação de inquietude, senão de franco mal-estar. Muito embora esses sistemas complexos continuem a ser louvados por sua crescente sofisticação, admite-se cada vez mais que eles trouxeram em seu bojo um ambiente empresarial e organizativo quase irreconhecível do ponto de vista da teoria e da prática tradicionais de administração.

Como se isso já não fosse suficiente causa de alarme, torna-se cada vez mais evidente que nossos sistemas industriais complexos, tanto sob o aspecto da organização quanto sob o da tecnologia, constituem a força principal de destruição do ambiente planetário e, a longo prazo, a principal ameaça à sobrevivência da humanidade. Para construir uma sociedade sustentável para nossos filhos e as gerações futuras, temos de repensar desde a base uma boa parte das nossas tecnologias e instituições sociais, de modo a conseguir transpor o enorme abismo que se abriu entre os projetos humanos e os sistemas ecologicamente sustentáveis da natureza.[1]

As organizações humanas precisam passar por uma mudança fundamental, tanto para se adaptar ao novo ambiente empresarial quanto para tornar-se sustentáveis do ponto de vista ecológico. Esse duplo desafio é urgente e real, de modo que as recentes e exaustivas discussões sobre a mudança empresarial estão plenamente justificadas. Porém, apesar dessas discussões e de alguns rumores acerca de uma ou outra empresa que foi transformada com êxito, os resultados globais têm sido extremamente fracos. Nas pesquisas mais recentes, os diretores-executivos têm relatado com freqüência que seus esforços de mudança empresarial não têm produzido os resultados esperados. Em vez de passar a administrar organizações novas, eles se vêem às voltas com a administração dos efeitos colaterais nocivos dos seus planos.[2]

À primeira vista, essa situação parece paradoxal. Quando olhamos para o ambiente à nossa volta, contemplamos a mudança, a adaptabilidade e a criatividade contínuas; não obstante, nossas organizações empresariais parecem incapazes de lidar com a mudança. No decorrer dos anos, percebi que as raízes desse paradoxo estão na natureza dual das organizações humanas.[3] Por um lado, elas são instituições sociais criadas em vista de objetivos específicos, como os de ganhar dinheiro para os acionistas, administrar a distribuição do poder político, transmitir conhecimento ou disseminar uma fé religiosa. Ao mesmo tempo, as organizações são comunidades de pessoas que interagem umas com as outras para construir relacionamentos, ajudar-se mutuamente e tornar significativas as suas atividades cotidianas num plano pessoal.

Esses dois aspectos das organizações correspondem a dois tipos de mudança muito diferentes. Muitos diretores-executivos ficam decepcionados com suas tentativas de conseguir mudanças porque, entre outras coisas, vêem suas empresas como instrumentos feitos para a obtenção de resultados específicos; e, quando procuram mudar a configuração dos instrumentos, querem ver uma mudança quantificável e previsível em toda a estrutura. Entretanto, a estrutura projetada sempre interage com os indivíduos e comunidades vivas da organização, cuja mudança não pode ser projetada.

Sempre ouvimos que, nas organizações, as pessoas resistem à mudança. Na realidade, porém, não é à mudança que elas resistem; resistem, isto sim, a uma mudança que lhes é imposta. Na medida em que estão vivos, os indivíduos e as comunidades são ao mesmo tempo estáveis *e* sujeitos à mudança e ao desenvolvimento; mas seus processos naturais de mudança são muito diferentes das mudanças organizativas projetadas por especialistas em "reengenharia" e determinadas pelo chefe supremo.

Para resolver o problema da mudança das organizações, temos, antes de mais nada, de compreender os processos naturais de mudança que caracterizam todos os sistemas vivos. Munidos dessa compreensão, poderemos começar a projetar de acordo com ela os processos de mudança organizativa, e a criar organizações humanas que reflitam a versatilidade, a diversidade e a criatividade da vida.

Segundo a compreensão sistêmica da vida, os sistemas vivos criam-se ou recriam-se continuamente mediante a transformação ou a substituição dos seus componentes. Sofrem mudanças estruturais contínuas ao mesmo tempo que preservam seus padrões de organização em teia.[4] Compreender a vida é compreender seus processos intrínsecos de mudança. Parece que a mudança das organizações começará a ser vista sob nova luz quando compreendermos claramente em que medida e sob que aspectos as organizações humanas podem ser consideradas "vivas". Nas palavras de Margaret Wheatley e Myron Kellner-Rogers, teóricos da organização, "A vida é a maior mestra da mudança."[5]

O que estou propondo, seguindo de perto Wheatley e Kellner-Rogers, é uma solução sistêmica ao problema da mudança das organizações, a qual, à semelhança de outras soluções sistêmicas, resolve não só esse problema como também muitos outros. É muito provável que a concepção das organizações como sistemas vivos, ou seja, como redes não-lineares complexas, nos dê novas idéias sobre a natureza da complexidade e nos ajude assim a lidar com as complicações do ambiente empresarial de hoje em dia.

Além disso, essa concepção nos permitirá projetar organizações empresariais ecologicamente sustentáveis, uma vez que os princípios de organização dos ecossistemas — que são a base da sustentabilidade — são idênticos aos princípios de organização de todos os sistemas vivos. Parece, pois, que a concepção e a compreensão das organizações humanas como sistemas vivos é um dos maiores desafios da nossa época.

Há mais um motivo pelo qual a compreensão sistêmica da vida é tão importante para a administração das atuais organizações empresariais. No decorrer das últimas décadas, assistimos ao surgimento de uma nova economia, moldada de modo decisivo pelas tecnologias da informática e da comunicação. Nessa nova economia, o processamento de informações e a criação de conhecimentos científicos e técnicos são as fontes principais da produtividade.[6] Segundo a teoria econômica clássica, as fontes fundamentais de riqueza são os recursos naturais (a terra, em particular), o capital e o trabalho. A produtividade resulta da combinação eficaz dessas três fontes através da administração e da tecnologia. Na economia de hoje em dia, tanto a administração quanto a tecnologia estão intrinsecamente ligadas à criação de conhecimento. Os aumentos de produtividade não vêm do trabalho, mas da capacidade de equipar o trabalho com novas habilidades baseadas num conhecimento novo. É por isso que a "administração do conhecimento", o "capital intelectual" e o "aprendizado das organizações" tornaram-se conceitos importantes, e novos, da teoria da administração.[7]

Segundo a visão sistêmica da vida, o surgimento espontâneo da ordem e a dinâmica da acoplagem estrutural, que provoca as mudanças estruturais contínuas que caracterizam todos os sistemas vivos, são os fenômenos básicos que determinam o processo de aprendizado.[8] Além disso, já vimos que a criação do conhecimento nas redes sociais é uma das características fundamentais da dinâmica da cultura.[9] A associação dessas duas idéias e a sua aplicação ao "aprendizado das organizações" (*organizational learning*) nos habilitará a conhecer claramente as condições sob as quais o aprendizado e a criação de conhecimento efetivamente ocorrem e a formular importantes diretrizes para a administração das organizações humanas de hoje em dia, que são fundamentalmente orientadas para a criação de conhecimentos.

Metáforas da administração

A idéia básica da administração, que subjaz tanto à teoria quanto à prática da mesma, é a de dirigir a organização, conduzindo-a numa direção compatível com as suas metas e objetivos.[10] No que diz respeito às organizações empresariais, essas metas são, antes de mais nada, metas financeiras; por isso, como diz o teórico da administração Peter Block, as principais atividades do administrador são a definição de objetivos, o uso do poder e a distribuição da riqueza.[11]

Para conseguir dirigir bem uma organização, os administradores precisam saber de modo suficientemente detalhado como a organização funciona; e, como os processos e padrões de organização podem ser muito complexos, especialmente nas grandes empresas de hoje em dia, os administradores sempre fizeram uso de metáforas para identificar grandes perspectivas gerais. Gareth Morgan, teórico da organização, analisou as principais metáforas utilizadas para descrever as organizações e publicou suas análises num livro esclarecedor intitulado *Images of Organization*. Segundo Morgan, "O veículo da organização e da administração é a metáfora. A teoria e a prática da administração são moldadas por um processo metafórico que influencia praticamente tudo o que fazemos."[12]

As principais metáforas que ele estuda são as da organização como máquina (voltada para o controle e a eficiência), como organismo (desenvolvimento, adaptação), como cérebro (aprendizagem organizativa), como cultura (valores, crenças) e como sistema de governo (conflitos de interesse, poder). Do ponto de vista da nossa estrutura conceitual, percebemos que as metáforas do organismo e do cérebro dizem respeito respectivamente às dimensões biológica e cognitiva da vida, ao passo que as metáforas da cultura e do sistema de governo representam aspectos análogos da dimensão social. O principal contraste é o que opõe a metáfora da organização como uma máquina à da organização como um sistema vivo.

Minha intenção, aqui, é a de ir além do nível metafórico para ver em que medida as organizações humanas podem ser compreendidas literalmente como sistemas vivos. Antes disso, porém, ser-nos-á útil recapitular a história e as principais características da metáfora da máquina.

Ela é uma parte do paradigma mecanicista mais amplo que foi formulado por Descartes e Newton no século XVII e dominou nossa cultura por vários séculos, no decorrer dos quais moldou a sociedade ocidental e influenciou significativamente o resto do mundo.[13]

A visão do universo como um sistema mecânico composto de peças elementares determinou e moldou a nossa percepção da natureza, do organismo humano, da sociedade e também da empresa. As primeiras teorias mecanicistas de administração foram as "teorias clássicas de administração" do começo do século XX, nas quais as organizações eram concebidas como conjuntos de partes que se interligavam de maneira precisa e específica — departamentos funcionais como os de produção, marketing, finanças e pessoal —, todas unidas por linhas definidas de comando e comunicação.[14]

A concepção da administração como uma espécie de engenharia, baseada num projeto técnico preciso, foi aperfeiçoada por Frederick Taylor, um engenheiro cujos "princípios de administração científica" constituíram a pedra fundamental de toda a teoria da administração na primeira metade do século XX. Como salienta Gareth Morgan, o Taylorismo em sua forma original ainda está bem vivo em diversas cadeias de *fast food* no mundo inteiro. Nesses restaurantes mecanizados, que servem hambúrgueres, pizzas e outros produtos altamente padronizados,

> o trabalho é quase sempre organizado nos seus mínimos detalhes, com base em projetos que analisam o processo total de produção, determinam os procedimentos mais eficientes, transformam esses procedimentos em tarefas especializadas e distribuem-nas para pessoas treinadas para desempenhá-las com a máxima precisão. Todo o pensamento fica a cargo dos gerentes e projetistas, e todo o trabalho braçal fica por conta dos empregados.[15]

Os princípios da teoria clássica da administração impregnaram tão profundamente o nosso modo de conceber as organizações empresariais que, para a maioria dos gerentes, o projeto de estruturas formais ligadas por linhas claras de comunicação, coordenação e controle tornou-se uma espécie de segunda natureza. Veremos que essa adoção praticamente inconsciente da perspectiva mecânica é um dos maiores obstáculos que ora se interpõem no caminho da mudança das organizações.

Para ter uma idéia de o quanto é profunda a influência da metáfora da máquina sobre a teoria e a prática da administração, vamos compará-la agora com a concepção da organização humana como um sistema vivo — por enquanto, ainda no nível da simples metáfora. Peter Senge, teórico da administração, que tem sido um dos maiores defensores do pensamento sistêmico e da idéia da "organização aprendiz" nos círculos empresariais dos Estados Unidos da América, elaborou um impressionante rol das conseqüências e implicações de cada uma dessas duas metáforas empresariais. Para salientar o contraste entre elas, Senge caracteriza a primeira como "uma máquina de ganhar dinheiro" e a segunda como "um ser vivo".[16]

Uma máquina é projetada por engenheiros em vista de um objetivo específico e é propriedade de alguém que tem liberdade para vendê-la. A visão mecanicista das organizações é exatamente assim. Implícita nela está a idéia de que a empresa é criada e possuída por pessoas que estão fora do sistema. Sua estrutura e seus objetivos são determinados pela administração ou por especialistas de fora e são impostos à organização. Quando concebemos a organização como um ser vivo, porém, a questão da propriedade se torna problemática. "No mundo inteiro", observa Senge, "a maior parte dos povos considera fundamentalmente imoral a idéia de um ser humano ser propriedade de outro."[17] Se as organizações fossem mesmo comunidades vivas, o ato de comprá-las e vendê-las seria equivalente à escravidão, e o hábito de sujeitar a vida de seus membros a objetivos predeterminados seria visto como uma desumanização.

Para funcionar como deve, a máquina tem de ser controlada por seus operadores e obedecer aos comandos deles. Por isso, a finalidade suprema da teoria clássica da administração é a de provocar operações eficientes por meio de um controle que se exerce de cima para baixo. Os seres vivos, por outro lado, agem com autonomia. Não podem ser controlados como máquinas. Tentar fazer isso é o mesmo que privá-los da sua vitalidade.

A concepção da empresa como máquina também implica que chega um momento em que ela se "quebra", a menos que sofra periodicamente uma "manutenção" feita pelos gerentes. É incapaz de mudar por si mesma; todas as mudanças têm de ser projetadas por outra pessoa. A visão da empresa como um ser vivo, por outro lado, implica que ela é capaz de regenerar-se, de mudar e evoluir naturalmente.

Conclui Senge: "A metáfora da máquina é tão poderosa que molda o caráter da maioria das empresas. Elas se tornam mais semelhantes a máquinas do que a seres vivos porque é assim que os seus membros as *concebem*."[18] A teoria mecânica da administração obteve, é certo, muito êxito em aumentar a eficiência e a produtividade, mas provocou também uma animosidade generalizada contra as empresas administradas de maneira mecânica. O motivo é óbvio: a maioria das pessoas simplesmente não gosta de ser tratada como engrenagem de uma máquina.

Quando olhamos bem para o contraste entre as duas metáforas — máquina *versus* ser vivo —, fica evidente o porquê de um estilo de administração determinado pela metáfora da máquina ter problemas para fazer mudanças na organização. A necessidade de que todas as mudanças sejam projetadas pela administração e impostas à organização tende a gerar uma rigidez burocrática. A metáfora da máquina não deixa espaço para as adaptações flexíveis, para o aprendizado e para a evolução, e não há dúvida de que as empresas administradas de maneira puramente mecânica simplesmente não têm condições de sobreviver no ambiente econômico de hoje em dia, que é complexo e orientado para o conhecimento e muda rapidamente.

Peter Senge publicou sua comparação das duas metáforas no prefácio a um livro notável, intitulado *The Living Company*.[19] Seu autor, Arie de Geus, ex-executivo da Shell, abordou a questão da natureza das organizações empresariais a partir de um ponto de vista muito interessante. Na década de 1980, De Geus realizou para o Grupo Shell um estudo acerca da longevidade empresarial. Ao lado de seus colegas, investigou algumas grandes empresas que já existiam há mais de cem anos e haviam sobrevivido a grandes mudanças no cenário mundial sem deixar de prosperar e sem perder sua identidade empresarial.

O estudo analisou 27 empresas "longevas" e constatou que elas tinham diversas características em comum.[20] Isso levou De Geus a concluir que as empresas resistentes e longevas são as que apresentam um comportamento e certas características semelhantes aos de entidades vivas. Essencialmente, ele identifica dois conjuntos de características. O primeiro é uma forte noção de comunidade e de identidade coletiva, que se constrói em torno de um conjunto de valores comuns; uma comunidade na qual todos os membros sabem que serão amparados em seus esforços para atingir os seus próprios objetivos. O outro conjunto de características engloba uma abertura para o meio externo, a tolerância à entrada de novos indivíduos e novas idéias e, em conseqüência, uma capacidade manifesta de aprender e adaptar-se às novas circunstâncias.

De Geus contrapõe os valores dessa "empresa aprendiz", cujo principal objetivo é o se sobreviver e prosperar a longo prazo, aos da "empresa econômica" convencional, cujas prioridades são determinadas por critérios puramente econômicos. Afirma ainda que "a notável diferença entre essas duas definições de empresa — a empresa econômica e a empresa aprendiz — está no âmago da crise com que se deparam os administradores hoje em dia".[21] Sugere também que, para superar a crise, os administradores precisam "mudar suas prioridades, de 'administrar empresas a fim de otimizar o capital' para 'administrar empresas a fim de otimizar as pessoas' ".[22]

Redes sociais

Para De Geus, não importa muito saber se a "empresa viva" é simplesmente uma metáfora útil ou se as organizações empresariais de fato são sistemas vivos; basta que os gerentes concebam a empresa como viva e mudem de acordo com essa idéia seu estilo de administração. Porém, ele também pede que os mesmos gerentes escolham entre as imagens da "empresa viva" e da "empresa econômica", o que me parece um pouco artificial. Não há dúvida de que a empresa é uma entidade jurídica e econômica; mas, por outro lado, ela também parece, em certo sentido, viva. A dificuldade está em integrar esses dois aspectos das organizações humanas. A meu ver, será mais fácil vencer essa dificuldade se compreendermos exatamente sob quais aspectos as organizações podem ser consideradas vivas.

Como já vimos, os sistemas sociais vivos são redes autogeradoras de comunicações.[23] Isso significa que uma organização humana só será um sistema vivo se for organizada em rede ou contiver redes menores dentro dos seus limites. Com efeito, as redes (*networks*) tornaram-se recentemente um dos principais objetos de atenção não só no mundo empresarial como também na sociedade em geral, em toda uma cultura global que está surgindo.

Num prazo de poucos anos, a Internet tornou-se uma poderosa rede global de comunicações, e muitas das novas empresas que operam pela Internet atuam como mediadoras entre as redes de consumidores e fornecedores. O exemplo pioneiro desse novo tipo de estrutura organizativa é o da Cisco Systems, uma empresa de San Francisco que é a maior fornecedora de comutadores e *routers* para a Internet, mas que por muitos anos não foi dona de uma fábrica sequer. Em essência, o que a Cisco faz é produzir e administrar informações através do seu *site*, estabelecendo contatos entre fornecedores e consumidores e oferecendo conhecimento especializado.[24]

Hoje em dia, a maioria das grandes empresas são redes descentralizadas compostas de unidades menores. Além disso, são ligadas a redes de empresas de pequeno e médio porte que lhes fornecem produtos e serviços; e unidades pertencentes a diferentes empresas também estabelecem alianças estratégicas e empreendimentos conjuntos. As diversas partes dessas redes empresariais recombinam-se e interligam-se continuamente, cooperando e competindo umas com as outras ao mesmo tempo.

Redes semelhantes existem entre as organizações não-governamentais (ONGs) e sem fins lucrativos. Dentro de cada escola e entre diversas escolas, os professores cada vez mais se comunicam pela rede eletrônica, na qual também se inserem os pais de alunos e várias organizações de apoio à educação. Além disso, o estabelecimento de redes de intercâmbio e contato tem sido uma das principais atividades das organizações e movimentos políticos populares há muitos anos. O movimento ambientalista, o movimento em prol dos direitos humanos, o movimento feminista, o movimento pacifista e muitos outros movimentos políticos e culturais de origem popular organizaram-se todos em redes que transcendem as fronteiras nacionais.[25]

Em 1999, centenas dessas organizações populares interligaram-se numa rede eletrônica por vários meses para preparar ações conjuntas de protesto na reunião da Organização Mundial do Comércio (OMC) em Seattle. A "Coalizão de Seattle" atingiu plenamente os seus objetivos, que eram os de desestabilizar a reunião da OMC e dar a conhecer ao mundo os seus pontos de vista (os da "Coalizão"). Suas ações combinadas, baseadas numa estratégia de redes, mudaram de uma vez por todas o clima político que envolve a questão da globalização econômica.[26]

Esses acontecimentos recentes deixam claro que as redes tornaram-se um dos principais fenômenos sociais do nosso tempo. A análise das redes sociais alçou-se ao grau de uma nova disciplina sociológica e é empregada por muitos cientistas para o estudo das relações sociais e da natureza das comunidades.[27] Pensando em escala ainda maior, o sociólogo Manuel Castells afirma que a recente revolução da informática deu origem a uma nova economia, toda ela estruturada em torno de fluxos de informação, poder e riqueza nas redes financeiras internacionais. Castells observa ainda que em todos os graus da sociedade, a organização em redes tem se configurado como uma nova forma de organização da atividade humana; e cunhou o termo "sociedade em rede" (*network society*) para designar e analisar essa nova estrutura social.[28]

Comunidades de Prática

Com as novas tecnologias de informação e comunicação, as redes sociais tomaram conta de tudo, tanto dentro quanto fora das organizações empresariais. Para que uma organização seja viva, porém, a existência de redes sociais não é suficiente; é preciso que sejam redes de um tipo especial. As redes vivas, como já vimos, são autogeradoras. Cada comunicação gera pensamentos e um significado, os quais dão origem a novas comunicações. Dessa maneira, a rede inteira gera a si mesma, produzindo um contexto comum de significados, um corpo comum de conhecimentos, regras de conduta, um limite e uma identidade coletiva para os seus membros.

Etienne Wenger, teórico da comunicação, inventou o termo "comunidades de prática" para designar essas redes sociais autogeradoras, numa referência não ao padrão de organização através do qual os significados são gerados, mas ao próprio contexto comum de significados. Explica Wenger: "À medida que, no decorrer do tempo, as pessoas dedicam-se a um empreendimento conjunto, acabam por desenvolver uma prática comum, ou seja, maneiras determinadas de fazer as coisas e de relacionar-se entre si, que permitem que atinjam o seu objetivo comum. Com o tempo, a prática resultante torna-se um elo que liga de maneira evidente as pessoas envolvidas."[29]

Wenger deixa bem claro que existem muitos tipos diferentes de comunidades, assim como existem tipos diferentes de redes sociais. Um bairro residencial, por exemplo, recebe freqüentemente o nome de "comunidade", e nós costumamos falar da "comunidade jurídica" e da "comunidade médica", por exemplo.* Em geral, porém, essas comunidades não são comunidades de prática dotadas da dinâmica característica das redes de comunicação autogeradoras.

Para Wenger, a comunidade de prática é uma comunidade caracterizada por três traços principais: um compromisso mútuo assumido entre os membros, um empreendimento comum e, com o tempo, um "repertório" comum de rotinas, conhecimentos e regras tácitas de con-

* Um jeito de falar tipicamente norte-americano e que vai entrando na língua portuguesa, principalmente através da tradução de livros dirigidos exatamente à "comunidade empresarial" (*business community*). (N. do T.)

duta.[30] No que diz respeito à estrutura conceitual, vemos que o compromisso mútuo se refere à dinâmica de uma rede de comunicações autogeradora; o empreendimento conjunto, à comunidade de objetivos e significados; e o repertório comum, à resultante coordenação de comportamento e criação de um corpo comum de conhecimentos.

A geração de um contexto comum de significados, de um corpo comum de conhecimentos e de regras de conduta são as características do que chamei de "dinâmica da cultura" nas páginas precedentes.[31] Essa dinâmica inclui, em específico, a criação de um limite feito de significados e, portanto, de uma identidade entre os membros da rede social, baseada na sensação de fazer parte de um grupo, que é a característica que define a comunidade. Segundo Arie de Geus, a forte sensação entre os funcionários de uma empresa de que pertencem à organização e identificam-se com as conquistas desta — em outras palavras, uma forte noção de comunidade — é essencial para a sobrevivência das empresas no turbulento ambiente econômico de hoje em dia.[32]

Em suas atividades cotidianas, a maioria das pessoas pertencem a diversas comunidades de prática — no trabalho, na escola, nos esportes e passatempos e na vida cívica. Algumas delas têm nomes e estruturas formais explícitas; outras podem ser tão informais que às vezes não são sequer identificadas como comunidades. Mas, seja como for, as comunidades de prática são uma parte essencial da nossa vida. No que diz respeito às organizações humanas, vemos agora que a sua natureza dual — a natureza de comunidades jurídicas e econômicas, por um lado, e de comunidades de pessoas, por outro — deriva do fato de que diversas comunidades de prática inevitavelmente surgem e se desenvolvem dentro das estruturas formais da organização. São essas redes informais — alianças e amizades, canais informais de comunicação (boatos, comentários) e outras redes emaranhadas de relacionamentos — que não param de crescer, mudar e adaptar-se a novas situações. Nas palavras de Etienne Wenger:

> Os trabalhadores organizam sua vida em conjunto com seus colegas e clientes imediatos para conseguir fazer o seu trabalho. Nesse processo, eles desenvolvem e conservam uma auto-imagem aceitável, divertem-se e ao mesmo tempo atendem às exigências de seus empregadores e clientes. Seja qual for a definição oficial do seu cargo ou função, eles criam uma prática que lhes permite fazer o que tem de ser feito. Muito embora os trabalhadores sejam contratados por uma grande instituição, na prática do dia-a-dia eles trabalham ao lado de um conjunto muito menor de indivíduos e comunidades — e, num certo sentido, trabalham *para* esses indivíduos e comunidades.[33]

Dentro de toda organização há um conglomerado de comunidades de prática ligadas entre si. Quanto maior for o número de participantes dessas redes informais, quanto mais desenvolvidas e sofisticadas forem as próprias redes, tanto mais a organização será capaz de aprender, reagir criativamente a circunstâncias inesperadas, mudar e evoluir. Em outras palavras, a vida da organização reside em suas comunidades de prática.

A organização viva

Para levar ao máximo o potencial criativo e a capacidade de aprendizado de uma empresa, é essencial que os chefes e administradores compreendam a interação que existe entre as estruturas formais e explícitas da organização e suas redes informais e autogeradoras.[34] As estruturas formais são conjuntos de regras e regulamentos que definem as relações entre as pessoas e as tarefas e determinam a distribuição de poder. Os limites são estabelecidos por acordos contratuais que delineiam subsistemas (departamentos) e funções bem definidas. As estruturas formais são as que aparecem nos documentos oficiais da organização — seus organogramas, estatutos, manuais e orçamentos, que descrevem as políticas formais, as estratégias e os procedimentos da empresa.

As estruturas informais, por outro lado, são redes de comunicações fluidas e oscilantes.[35] Essas comunicações podem ser formas não-verbais de participação num empreendimento conjunto, através das quais permutam-se habilidades e gera-se um conhecimento tácito. A prática comum gera limites flexíveis de significado, que nem sempre são expostos verbalmente. A distinção entre quem pertence e quem não pertence a uma determinada rede pode ser tão simples quanto a capacidade de entender certas conversas ou o fato de estar sabendo da última fofoca do escritório.

As redes informais de comunicação materializam-se nas pessoas mesmas que se dedicam à prática comum. Quando chegam pessoas novas, a rede inteira pode reconfigurar-se; quando as pessoas saem, a rede muda de novo, ou às vezes até deixa de existir. Já na organização formal, em contraposição, as funções e as relações de poder são mais importantes do que as pessoas, e permanecem por anos a fio enquanto as pessoas vêm e vão.

Em toda organização há uma interação contínua entre as suas redes informais e as suas estruturas formais. As políticas e procedimentos formais são sempre filtradas e modificadas pelas redes informais, o que permite que os funcionários possam usar a criatividade quando se deparam com situações inauditas e inesperadas. O poder dessa interação torna-se evidente quando os trabalhadores organizam um protesto de "trabalhar segundo as regras". Quando trabalham rigorosamente de acordo com os manuais e procedimentos oficiais, eles prejudicam seriamente o funcionamento da organização. O ideal é que a organização formal reconheça e apóie as suas redes informais de relacionamentos e incorpore as inovações destas às suas estruturas.

Repetindo: a vida de uma organização — sua flexibilidade, seu potencial criativo, sua capacidade de aprendizado — reside em suas comunidades informais de prática. As partes formais da organização podem ser "vivas" em diversos graus, dependendo da intimidade do seu contato com as redes informais. Os administradores experientes sabem trabalhar com a organização informal. No geral, deixam que as estruturas formais cuidem do trabalho de rotina e recorrem à organização informal para a realização de tarefas que transcendem a rotina cotidiana. Podem também transmitir informações importantes a certas pessoas, cientes de que as informações circularão e serão discutidas através dos canais informais.

Essas considerações nos levam a crer que o meio mais eficaz para intensificar o potencial de criatividade e aprendizado de uma organização, o melhor meio para mantê-la sempre viva e vibrante, consiste em apoiar e fortalecer as suas comunidades de prática. O primeiro passo nessa direção está em proporcionar o espaço social necessário para que floresçam as comunicações informais. Há empresas que promovem encontros especiais na lanchonete para encorajar as reuniões informais; outras fazem uso de quadros de avisos, do jornal da empresa, de uma biblioteca especial, de salas virtuais de bate-papo ou de retiros feitos em outros lugares para atingir a mesma finalidade. Quando são amplamente divulgadas dentro da empresa, de modo a deixar claro que são apoiadas pela administração, essas atividades liberam as energias das pessoas, estimulam a criatividade e desencadeiam os processos de mudança.

Aprender com a vida

Quanto mais os administradores conhecerem os detalhes dos processos que caracterizam as redes sociais autogeradoras, com tanto mais eficácia poderão trabalhar junto às comunidades de prática dentro da organização. Vejamos, portanto, o que os gerentes podem aprender com a compreensão sistêmica da vida.[36]

A rede viva responde às perturbações externas com mudanças estruturais, e é ela que determina quais as perturbações a que prestar atenção e como vai responder a cada uma delas.[37] As coisas a que as pessoas prestam atenção são determinadas pelo que essas pessoas são enquanto indivíduos e pelas características culturais de suas comunidades de prática. Não é a intensidade ou a freqüência de uma mensagem que vai fazê-la ser ouvida por elas; é o fato de a mensagem ser ou não significativa para elas.

Os administradores de tendência mecanicista costumam aferrar-se à crença de que poderão controlar a organização se compreenderem de que modo todas as partes desta se juntam. Nem mesmo o fato cotidiano de o comportamento das pessoas contradizer essa idéia os faz duvidar desse pressuposto básico. Muito pelo contrário, leva-os a estudar de modo ainda mais detalhado os mecanismos administrativos a fim de ser capazes de controlá-las.

Estamos tratando aqui de uma diferença fundamental entre um sistema vivo e uma máquina. A máquina pode ser controlada; de acordo com a compreensão sistêmica da vida,o sistema vivo só pode ser perturbado. Em outras palavras, as organizações não podem ser controladas através de intervenções diretas, mas podem ser influenciadas através de impulsos, não de instruções. A correspondente mudança do estilo de administração exige uma mudança de percepção que é tudo, menos fácil. Porém, quando acontece, traz consigo grandes recompensas. Quando trabalhamos com os processos intrínsecos dos sistemas vivos, não temos de despender um excesso de energia para pôr a organização em movimento. Não há necessidade de empurrá-la, puxá-la ou forçá-la a mudar. O ponto central não é nem a força nem a energia: é o significado. Perturbações significativas podem chamar a atenção da organização e desencadear mudanças estruturais.

A idéia de dar impulsos significativos em vez de instruções precisas pode parecer vaga demais aos administradores acostumados a buscar sempre a máxima eficiência e a só contar com resultados previsíveis. Porém, é fato bem conhecido que as pessoas inteligentes e atentas quase nunca executam ao pé da letra as instruções que recebem. Sempre as modificam e reinterpretam, ignoram algumas partes e acrescentam outras da sua própria criação. Às vezes, tudo se resume a uma mudança de ênfase; mas o fato é que as pessoas sempre respondem com novas versões das instruções recebidas.

Esse ato costuma ser interpretado como uma resistência, até mesmo como um ato de sabotagem. Porém, podemos dar-lhe uma interpretação muito diferente. Os sistemas vivos sempre escolhem a que prestar atenção e como reagir, ou "responder". Quando as pessoas modificam as instruções que recebem, estão respondendo criativamente a uma perturbação, pois é nisso que reside a essência da vida. Com suas respostas criativas, as redes vivas dentro da organização geram e comunicam significados, afirmando a sua liberdade de recriar-se continuamente. Até mesmo uma resposta passiva, ou de "agressividade passiva", é um modo pelo qual as pessoas manifestam sua criatividade. A obediência estrita só pode ser obtida à custa da vitalidade das pessoas, que são então transformadas em robôs indiferentes e apáticos. Essa consideração é especialmente importante para as organizações de hoje em dia, que são voltadas para o conhecimento: nelas, a lealdade, a inteligência e a criatividade são os maiores insumos.

Essa nova compreensão do porquê da resistência às mudanças organizativas impostas de cima para baixo pode ser muito valiosa, uma vez que nos permite aproveitar a criatividade das pessoas em vez de ignorá-la; permite-nos, inclusive, transformá-la numa força positiva. Se envolvermos as pessoas na mudança desde o começo, elas mesmas vão "optar por ser perturbadas", pois o processo será significativo para elas. Segundo Wheatley e Kellner-Rogers:

> Não temos escolha: temos de chamar as pessoas para o processo de repensar, reprojetar e reestruturar a organização. É em nosso prejuízo que ignoramos a necessidade das pessoas de participar. Se elas estiverem envolvidas, vão criar um futuro do qual elas mesmas já fazem parte. Não teremos de dedicar-nos à exaustiva e infrutífera tarefa de "vender-lhes" a solução, de fazê-las "colaborar", de descobrir quais são os incentivos com que podemos suborná-las para que aceitem adotar um comportamento concorde... A experiência nos mostra que um esforço de implementação gigantesco se faz necessário sempre que *outorgamos* mudanças à organização, em vez de pensar em como fazer para envolver as pessoas na criação dessas mudanças.... [Por outro lado,] já vimos que a implementação se dá com uma velocidade incrível entre as pessoas que se dedicaram ao projeto das mudanças.[38]

A tarefa, portanto, se resume em tornar o processo de mudança significativo para as pessoas desde o começo, em assegurar a participação delas e em proporcionar um ambiente em que a criatividade delas possa florescer.

A oferta de impulsos e princípios orientadores em vez de instruções rígidas evidentemente acarreta mudanças significativas nas relações de poder, que se transformam de relações de domínio e controle em relações de cooperação e parceria. Também essa é uma conseqüência fundamental da nova compreensão da vida. Nos últimos anos, os biólogos e ecologistas têm trocado a metáfora da hierarquia pela da rede e compreenderam que as parcerias — a tendência dos organismos de associar-se, estabelecer vínculos, cooperar uns com os outros e entrar em relacionamentos simbióticos — é um dos sinais característicos da vida.[39]

No que diz respeito à nossa discussão anterior sobre o poder, podemos dizer que a mudança da dominação para a parceria corresponde a uma mudança do poder coercivo — que usa a ameaça de sanções para impor a obediência às ordens — e do poder compensatório — que oferece incentivos e recompensas financeiras — para o poder condicionado, que, através da persuasão e da educação, procura tornar significativas as instruções dadas.[40] Até mesmo nas organizações tradicionais, o poder incorporado pelas estruturas formais da organização é sempre filtrado, modificado ou subvertido pelas comunidades de prática que criam as suas próprias interpretações das ordens que descem pela hierarquia empresarial.

O aprendizado nas organizações

Com a importância crítica assumida pela informática no ambiente empresarial de hoje em dia, os conceitos de administração do conhecimento e aprendizado das organizações tornaram-se pontos centrais da teoria da administração. A natureza exata do aprendizado das organizações tornou-se o tema de um acalorado debate. Será que a "organização aprendiz" é um sistema social capaz de aprender, ou será que é uma comunidade que encoraja e apóia o aprendizado entre os seus membros? Em outras palavras, será que o aprendizado é somente um fenômeno individual ou é também um fenômeno social?

Ilkka Tuomi, teórico das organizações, recapitula e analisa as mais recentes contribuições a esse debate num livro notável, *Corporate Knowledge*, no qual propõe também uma teoria integrada da administração do conhecimento.[41] O modelo de criação de conhecimento proposto por Tuomi baseia-se num trabalho anterior de Ikujiro Nonaka, que introduziu na teoria da administração o conceito de "empresa criadora de conhecimento" e foi um dos que mais contribuíram para o crescimento da nova disciplina da administração do conhecimento.[42] As opiniões de Tuomi acerca do aprendizado das organizações são bastante compatíveis com as idéias expostas nas páginas precedentes. Aliás, acredito que a compreensão sistêmica da consciência reflexiva e das redes sociais pode contribuir muito para esclarecer a dinâmica do aprendizado nas organizações.

Segundo Nonaka e seu colaborador Hirotaka Takeuchi:

> A rigor, o conhecimento só pode ser criado por indivíduos... A criação de conhecimento por parte das organizações, portanto, deve ser compreendida como um processo que amplifica "organizadamente" o conhecimento criado pelos indivíduos e cristaliza-o, tornando-o parte da rede de conhecimentos da organização.[43]

No âmago do modelo de criação de conhecimento de Nonaka e Takeuchi há uma distinção entre conhecimento explícito e conhecimento tácito, formulada pela primeira vez pelo filósofo Michael Polanyi, na década de 1980. Ao passo que o conhecimento explícito pode ser comunicado e documentado através da linguagem, o conhecimento tácito é adquirido pela experiência e nem sempre se manifesta exteriormente. Nonaka e Takeuchi dizem que, embora o conhecimento sempre seja criado por indivíduos, ele pode ser trazido à luz e dilatado pela organização através de interações sociais no decorrer das quais o conhecimento tácito se transforma em conhecimento explícito. Assim, embora a criação do conhecimento seja um processo individual, a sua amplificação e expansão são processos sociais que acontecem *entre* os indivíduos.[44]

Como observa Tuomi, na verdade é impossível separar o conhecimento em dois "compartimentos" perfeitamente distintos. Na opinião de Polanyi, o conhecimento tácito é sempre uma pré-condição para o conhecimento explícito, pois proporciona o contexto de significados a partir do qual o conhecedor adquire o seu conhecimento explícito. Esse contexto tácito, também chamado de "senso comum", que nasce de toda uma teia de convenções sociais, é bem conhecido pelos pesquisadores da inteligência artificial e é uma das suas principais causas de frustração. É por causa desse "senso comum" que, depois de décadas e décadas de exaustivo esforço, eles ainda não conseguiram programar computadores para compreender de maneira significativa a linguagem humana.[45]

O conhecimento tácito é criado pela dinâmica cultural que resulta de uma rede de comunicações (verbais e não-verbais) dentro de uma comunidade de prática. Isso quer dizer que o aprendizado das organizações (*organizational learning*) é um fenômeno social, pois o conhecimento tácito em que se baseia todo conhecimento explícito é gerado coletivamente. Além disso, os estudiosos da cognição perceberam que até mesmo a criação do conhecimento explícito tem uma dimensão social, em virtude da natureza intrinsecamente social da consciência reflexiva.[46] A compreensão sistêmica da vida e da cognição demonstra de maneira bem clara que o aprendizado das organizações tem aspectos individuais e sociais.

Essas idéias têm conseqüências importantes para a disciplina da administração do conhecimento. Deixam claro que a tendência generalizada de considerar o conhecimento como uma entidade independente das pessoas e do contexto social — uma "coisa" que pode ser reproduzida, transferida, quantificada e comercializada — só pode prejudicar o aprendizado das organizações. Nas palavras de Margaret Wheatley: "Para administrar com êxito o conhecimento, temos de prestar atenção às necessidades e à dinâmica intrínseca do ser humano.... O capital de que dispomos [não é] o conhecimento, mas as pessoas."[47]

A visão sistêmica do aprendizado das organizações reforça a lição que aprendemos com a compreensão da vida das organizações humanas: o meio mais eficaz para intensificar o potencial de aprendizado de uma organização é apoiar e fortalecer as suas comunidades de prática. Numa organização viva, a criação do conhecimento é natural, e a partilha dos conhecimentos adquiridos com os amigos e colegas é uma experiência satisfatória do ponto de vista humano. Cito Wheatley mais uma vez: "Trabalhar para uma organização voltada para a criação de conhecimento é uma motivação maravilhosa — não porque a organização terá mais lucros, mas porque nossa vida valerá mais a pena."[48]

O surgimento espontâneo de coisas novas

Se a vida de uma organização reside em suas comunidades de prática, e se a criatividade, o aprendizado, a mudança e o desenvolvimento são traços intrínsecos de todos os sistemas vivos, como é que esses processos se manifestam de fato nas redes e comunidades vivas da organização? Para responder a essa pergunta, temos de nos voltar para uma característica básica da vida com que já nos deparamos várias vezes nas páginas precedentes: o surgimento espontâneo de uma nova ordem. Esse fenômeno ocorre em momentos críticos de instabilidade provocados por flutuações do ambiente e realçados por elos de realimentação.[49] O surgimento espontâneo resulta na criação de coisas novas que são, muitas vezes, qualitativamente diferentes dos fenômenos a partir dos quais surgiram. A geração constante de novidades — o "avanço criativo da natureza", nas palavras do filósofo Alfred North Whitehead — é uma propriedade fundamental de todos os sistemas vivos.

Numa organização humana, o acontecimento que desencadeia o processo de surgimento espontâneo de uma nova ordem pode ser um comentário informal, que, muito embora não pareça importante para quem o fez, pode ser significativo para algumas pessoas dentro de uma comunidade de prática. Por ser significativo para elas, essas pessoas decidem "deixar-se perturbar" por ele e fazem com que a informação circule rapidamente pelas redes da organização. À medida que a informação circula por diversos anéis e elos de realimentação*, ela vai sendo amplificada e expandida, a tal ponto, às vezes, que a organização, no estado em que se encontra, já não tem a capacidade de absorvê-la. Quando isso acontece, chegou-se a um ponto de instabilidade. O sistema é incapaz de integrar a nova informação à sua ordem atual; é forçado, então, a deixar de lado algumas das suas estruturas, comportamentos ou crenças. O resultado é um estado de caos, confusão, incerteza e dúvida; e desse estado caótico nasce uma nova forma de ordem, organizada em torno de um novo significado. A nova ordem não é inventada por nenhum indivíduo em particular, mas surge espontaneamente em decorrência da criatividade coletiva da organização.

Esse processo passa por diversos estágios distintos. Para começar, é preciso que dentro da organização haja uma certa abertura às perturbações, para que o processo se desencadeie; e é preciso que haja uma rede ativa de comunicações, dotada de múltiplos anéis de realimentação, para que o acontecimento inicial seja amplificado. O estágio seguinte é o ponto de instabilidade, que pode manifestar-se sob a forma de tensão, caos, incerteza ou crise. Nesse estágio, o sistema pode entrar em *colapso* ou pode *romper uma barreira* e entrar num novo estado de ordem, caracterizado pela novidade e por uma experiência de criatividade que muitas vezes parece mágica.

Examinemos mais de perto esses estágios. A abertura inicial às perturbações do ambiente é uma propriedade básica de todas as formas de vida. Os organismos vivos têm de permanecer abertos a um fluxo constante de recursos (energia e matéria) para continuar vivos; as organizações humanas têm de permanecer abertas a um fluxo de recursos mentais (informações e idéias), e também aos fluxos de energia e matéria que fazem parte da produção de bens ou serviços. A abertura da organização a novos conceitos, novas tecnologias e novos conhecimentos é um indício da sua vida, da sua flexibilidade e da sua capacidade de aprendizado.

---

* *Feedback loops*. Ou seja, à medida que ela vai sendo transformada pelo contato com as redes informais da organização. (N. do T.)

A experiência da instabilidade crítica que leva ao surgimento espontâneo de uma nova ordem geralmente envolve emoções fortes — medo, confusão, sofrimento ou perda de autoconfiança — que podem chegar inclusive ao grau de uma crise existencial. Foi isso que aconteceu com o pequeno grupo de físicos quânticos na década de 1920, quando suas explorações do mundo atômico e subatômico puseram-nos em contato com uma realidade estranha e inesperada. No esforço de compreender essa nova realidade, os físicos tomaram consciência do fato de que os seus conceitos básicos, sua linguagem e todo o seu modo de pensar eram insuficientes e inadequados para descrever os fenômenos atômicos. Para muitos dentre eles, esse período foi marcado por uma crise emocional intensa, como nos diz, da maneira mais vívida possível, o físico Werner Heisenberg:

> Lembro-me de discussões com Bohr que se prolongavam por muitas horas, até tarde da noite, e terminavam num estado de quase desespero; e quando, no fim da conversa, eu saía sozinho para caminhar pelo parque que havia ali ao lado, fazia-me repetidamente a mesma pergunta: Será possível que a natureza seja tão absurda quanto nos parece nesses experimentos atômicos?[50]

Os físicos quânticos levaram bastante tempo para superar a sua crise, mas, no fim, obtiveram uma grande recompensa. Do esforço intelectual e emocional deles nasceram profundas intuições sobre a natureza do espaço, do tempo e da matéria, e, com elas, as linhas-mestras de todo um novo paradigma científico.[51]

A experiência da tensão e da crise que precede o surgimento de uma novidade é bem conhecida dos artistas, que muitas vezes sentem-se assoberbados pelo processo de criação mas, não obstante, perseveram nele com disciplina e paixão. Marcel Proust nos dá um belo testemunho da experiência do artista em sua obra-prima *Em Busca do Tempo Perdido*:

> Muitas vezes, é simplesmente pela falta do espírito criativo que nós não perseveramos até o fim no nosso sofrimento. E a mais terrível das realidades nos dá, junto com o sofrimento, a alegria de uma grande descoberta, pois simplesmente confere uma forma nova e clara a coisas sobre as quais pensávamos há muito tempo sem que delas tomássemos consciência.[52]

É claro que nem todas as experiências da crise e do encontro com o novo precisam ser tão fortes quanto essa. Elas ocorrem numa ampla gama de intensidades, que vão das pequenas intuições momentâneas até as transformações mais dolorosas e gratificantes. O que todas elas têm em comum é uma sensação de incerteza e de perda do controle sobre as coisas, sensação essa que é, no mínimo, incômoda. Os artistas e outras pessoas criativas sabem assimilar essa incerteza e essa perda de controle. Os romancistas nos falam muitas vezes que seus personagens assumem vida própria no processo de criação e a narrativa como que passa a escrever a si mesma; e o grande Michelângelo nos deixou a inesquecível imagem do escultor que tira o excesso de mármore para deixar surgir a estátua.

Depois do prolongado mergulho na incerteza, na confusão e na dúvida, o surgimento súbito da novidade assume facilmente as aparências de um momento mágico. Os artistas e cientistas nos descrevem com freqüência esses momentos de perplexidade e maravilhamento, em que uma situação confusa e caótica cristaliza-se milagrosamente para revelar uma idéia nova ou a solução a um problema antes indecifrável. Uma vez que o processo do surgimento espontâneo é totalmente não-linear e envolve múltiplos anéis de realimentação, não pode ser perfeitamente analisado pelo nosso raciocínio linear convencional; por isso, nossa tendência é a de identificá-lo como uma espécie de mistério.

Nas organizações humanas, as soluções emergentes criam-se dentro do contexto de uma determinada cultura organizativa e, em geral, não podem ser simplesmente transplantadas para outra organização dotada de outra cultura. De hábito, esse é um grande problema com que se deparam os líderes empresariais, que, naturalmente, gostariam muito de reproduzir uma mudança organizativa que teve êxito. Porém, o que eles geralmente tendem a fazer é reproduzir a nova estrutura que deu certo, sem transferir para a sua empresa o conhecimento tácito e o contexto de significados a partir da qual surgiu essa nova estrutura.

Surgimento espontâneo e planejamento

Em todo o mundo vivo, a criatividade da vida expressa-se através do processo do surgimento espontâneo. As estruturas criadas através desse processo — as estruturas biológicas dos organismos vivos ou estruturas sociais de comunidades humanas — podem, com toda propriedade, ser chamadas "estruturas emergentes". Antes da evolução dos seres humanos, todas as estruturas existentes no planeta eram estruturas emergentes. Com a evolução humana, entraram em jogo a linguagem, o pensamento conceitual e todas as outras características da consciência reflexiva, que nos habilitaram a formar imagens mentais de objetos físicos, a formular objetivos e estratégias e, assim, a criar estruturas planejadas.

Às vezes falamos do "projeto" estrutural da folha de uma planta ou da asa de um inseto, mas trata-se aí de uma linguagem metafórica. Essas estruturas não foram projetadas, muito pelo contrário: formaram-se no processo de evolução da vida e sobreviveram pela seleção natural. São, portanto, estruturas emergentes. O projeto ou o planejamento exigem a capacidade de formar-se imagens mentais. Como essa capacidade, pelo que sabemos, é um privilégio dos seres humanos e dos outros grandes macacos, não há projeto nem planejamento na natureza em geral.

As estruturas planejadas são sempre criadas em vista de algum fim e levam em si algum significado.[53] Na natureza não-humana, porém, não existe nem finalidade nem intenção. É nosso costume atribuir uma finalidade à forma de uma planta ou ao comportamento de um animal. Diríamos, por exemplo, que uma flor tem uma determinada cor para atrair abelhas polinizadoras, ou que o esquilo esconde as nozes para ter o que comer no inverno. Porém, essas são projeções antropomórficas pelas quais atribuímos características humanas de ação intencional a fenômenos não-humanos. As cores das flores e o comportamento dos animais foram moldados por longos processos de evolução e seleção natural, muitas vezes numa co-evolução com outras espécies. Do ponto de vista da ciência, não existe nem objetivo, nem projeto, nem planejamento na natureza.[54]

Isso não significa que a vida seja puramente arbitrária e sem sentido, como assevera a escola mecanicista do neodarwinismo. A compreensão sistêmica da vida reconhece que a ordem, a auto-organização e a inteligência manifestam-se em todas as partes do mundo físico, e, como já vimos, essa idéia é perfeitamente coerente com uma concepção espiritual da vida.[55] Entretanto, o pressuposto teleológico de que os fenômenos naturais têm cada qual um objetivo intrínseco é uma projeção humana, pois o ter um objetivo é uma característica da consciência reflexiva, que não existe indiscriminadamente na natureza.[56]

As organizações humanas sempre contêm estruturas projetadas e estruturas emergentes. As estruturas projetadas ou planejadas são as estruturas formais da organização, que constam dos documentos oficiais. As estruturas emergentes são criadas pelas redes informais da organização e pelas comunidades de prática. Os dois tipos de estrutura são, como já vimos, muito diferentes, e toda organização precisa de ambos.[57] As estruturas planejadas proporcionam as regras e rotinas que são necessárias para o efetivo funcionamento da organização. Permitem que a empresa otimize os seus processos de produção e venda seus produtos através de campanhas eficazes de propaganda. São as estruturas projetadas que dão estabilidade à organização.

Já as estruturas emergentes proporcionam a novidade, a criatividade e a flexibilidade. São versáteis e adaptáveis, capazes de mudar e evoluir. No complexo ambiente empresarial e comercial de hoje em dia, as estruturas puramente projetadas e formais não têm a reatividade e a capacidade de aprendizado necessárias. Podem ser autoras de feitos magníficos, mas, como não se adaptam, tornam-se deficientes quando chega a hora de aprender e mudar; correm, assim, o sério risco de ficar para trás.

Não se trata de uma questão de deixar de lado as estruturas projetadas em favor das emergentes. Precisamos de ambas. Em toda organização humana existe uma tensão entre suas estruturas projetadas, que incorporam e manifestam relações de poder, e suas estruturas emergentes, que representam a vida e a criatividade da organização. Nas palavras de Margaret Wheatley, "As dificuldades pelas quais passam as organizações são manifestações da vida que se afirma contra o poder de controle."[58] Os administradores hábeis compreendem a interdependência entre o planejamento e o surgimento espontâneo. Sabem que, no ambiente econômico turbulento em que ora vivemos, o desafio que se lhes apresenta é o de encontrar o reto equilíbrio entre a criatividade do surgimento espontâneo e a estabilidade do planejamento.

Dois tipos de liderança

Para encontrar-se o equilíbrio perfeito entre o planejamento e o surgimento espontâneo, parece necessária uma fusão de dois tipos de liderança. A imagem tradicional do líder é a de uma pessoa capaz de reter na mente uma visão, de formulá-la claramente e de comunicá-la com paixão e carisma. Trata-se também de uma pessoa cujas ações manifestam certos valores que servem como um padrão ao qual os outros devem se comparar e que devem tentar alcançar. A capacidade de reter na mente uma imagem clara de uma forma ideal, ou de um estado de coisas desejado, é algo que os líderes tradicionais têm em comum com os planejadores ou projetistas.

O outro tipo de liderança consiste em facilitar o surgimento da novidade. Consiste, portanto, mais em criar condições do que em transmitir instruções; consiste em usar o poder da autoridade para capacitar, fortalecer e dar poder aos outros. Ambos os tipos de liderança têm uma relação com a criatividade. Ser líder é criar uma visão; é ir aonde ninguém jamais esteve. É também habilitar a comunidade como um todo a criar alguma coisa nova. Facilitar o surgimento espontâneo de coisas novas é facilitar a criatividade.

A visão de um objetivo é um elemento essencial do sucesso de qualquer organização, pois todos os seres humanos precisam sentir que suas ações são significativas e colaboram para que determinados objetivos sejam atingidos. Em todos os níveis da organização, as pessoas precisam ter uma idéia de para onde estão caminhando. A visão é uma imagem mental de algo que queremos atingir ou realizar. As visões, porém, são muito mais complexas do que os objetivos concretos, e não é fácil expressá-las através de uma linguagem racional comum. Os objetivos concretos podem ser medidos, ao passo que a visão é uma coisa qualitativa, algo muito menos tangível.

Sempre que precisamos expressar imagens complexas e sutis, recorremos às metáforas; por isso, não é de se admirar que as metáforas desempenhem papel de destaque na formulação da "visão" de uma empresa.[59] Muitas vezes, a visão permanece obscura enquanto tentamos explicá-la, mas de repente fica clara quando encontramos a metáfora correta. A capacidade de expressar uma visão em metáforas, de formulá-la de tal modo que seja compreendida e adotada por todos, é uma qualidade essencial da liderança.

Para facilitar eficientemente o surgimento de coisas novas, os líderes das comunidades precisam compreender os diversos estágios desse processo vital fundamental. Como já vimos, para que haja surgimento espontâneo, é preciso que haja uma rede ativa de comunicações com múltiplos elos de realimentação. Para facilitar esse surgimento é preciso antes de mais nada criar e fazer crescer redes de comunicações a fim de "ligar o sistema cada vez mais a si mesmo", como dizem Wheatley e Kellner-Rogers.[60]

Além disso, temos de nos lembrar que o surgimento da novidade é uma propriedade dos sistemas abertos, o que significa que a organização tem de abrir-se a novas idéias e conhecimentos. Para facilitar o surgimento da novidade, é preciso criar essa abertura — uma cultura de aprendizado que encoraje o questionamento constante e recompense a inovação. As organizações dotadas de uma tal cultura valorizam a diversidade e, nas palavras de Arie de Geus, "toleram atividades marginais: experimentos e excentricidades que dilatem a sua margem de conhecimento".[61]

Muitas vezes, os líderes têm dificuldade para estabelecer os elos de realimentação necessários para aumentar a ligação da organização consigo mesma. Tendem a recorrer sempre às mesmas pessoas — geralmente as que são mais poderosas dentro da organização e, portanto, mais tendem a resistir à mudança. Além disso, os diretores-executivos pensam que, em virtude das tradições e da história da organização, certas questões delicadas não podem ser abordadas abertamente.

Em casos como esse, uma das medidas mais eficazes que um líder pode tomar é contratar um consultor de fora para trabalhar como "catalisador". Na qualidade de catalisador, o consultor não é afetado pelos processos que ajuda a desencadear, e é, assim, capaz de analisar a situação com muito mais clareza. Angelika Siegmund, co-fundadora da Consultoria Corphis em Munique, Alemanha, descreve o seu trabalho da seguinte forma:

> Uma das minhas principais atividades é a de facilitar os comentários e "aumentar-lhes o volume". Não projeto soluções, mas facilito a comunicação; é a organização que cuida do conteúdo. Analiso a situação, apresento minha análise à diretoria e faço tudo para que cada decisão seja imediatamente comunicada através de um elo de realimentação. Construo redes, aumento os vínculos internos entre os membros da organização e amplifico as vozes de funcionários que, de outro modo, jamais seriam ouvidas. Em conseqüência disso, os gerentes começam a discutir coisas que não seriam jamais discutidas, e assim aumenta a capacidade de aprendizado da organização. A experiência me diz que um líder poderoso associado a um consultor hábil, de fora da organização, constituem uma combinação fantástica capaz de operar verdadeiros milagres.[62]

A sensação de instabilidade crítica que precede o surgimento da novidade pode envolver a incerteza, o medo, a confusão e a perda de autoconfiança. Os líderes experientes sabem que essas emoções fazem parte da dinâmica organizativa e criam um clima de confiança e apoio mútuo. Na economia global turbulenta destes nossos dias, isso é especialmente importante, pois as pessoas têm muito medo de perder o emprego em virtude de fusões empresariais ou outras mudanças estruturais radicais. Esse medo gera uma forte resistência à mudança e, por isso, a construção da confiança é um elemento essencial.

O problema é que as pessoas, em todos os níveis, querem saber quais serão os resultados concretos do processo de mudança, ao passo que os próprios chefes não sabem o que vai acontecer. Nessa fase caótica, muitos chefes tendem a reter informações em vez de comunicar-se de modo honesto e franco; o efeito disso é que os boatos começam a correr e ninguém mais sabe em que informação acreditar.

Os bons líderes falam francamente e muitas vezes com seus empregados acerca de quais aspectos da mudança já ficaram definidos e quais ainda estão em aberto. Procuram tornar transparente o processo, muito embora os resultados deste não possam ser conhecidos de antemão.

Durante o processo de mudança, é possível que se rompam algumas das antigas estruturas; mas, na medida em que continuam existindo o clima de apoio e os elos bilaterais de comunicação da rede, aumenta a possibilidade de que surjam estruturas novas e mais significativas. Quando isso acontece, as pessoas muitas vezes têm uma sensação de maravilhamento e extrema alegria; o papel do líder passa a ser então o de aceitar essas emoções e proporcionar oportunidades de comemoração.

No fim, os líderes precisam conhecer a dinâmica detalhada de todos esses estágios. No fim, precisam ser capazes de reconhecer a novidade que surgiu, formulá-la da maneira mais clara possível e incorporá-la no projeto formal da organização. Porém, nem todas as soluções emergentes serão viáveis; por isso, a cultura que estimula o surgimento espontâneo de novidades tem de abarcar em si a liberdade de cometer erros. Numa tal cultura, a experimentação é encorajada e o aprendizado é tão valorizado quanto o sucesso.

Como o poder se incorpora em todas as estruturas sociais, o surgimento de novas estruturas sempre muda as relações de poder; o processo de surgimento espontâneo nas comunidades é também um processo de fortalecimento coletivo. Os líderes que facilitam o surgimento da novidade usam o próprio poder para dar poder aos outros. O resultado disso pode ser uma organização em que tanto o poder quanto o potencial de liderança acham-se amplamente distribuídos. Isso não significa que vários indivíduos assumem simultaneamente a liderança, mas que diversos líderes vão se apresentar no momento em que forem necessários para facilitar os vários estágios do surgimento da novidade. A experiência nos mostra que o desenvolvimento dessa liderança distribuída é algo que, em geral, leva vários anos.

Às vezes se diz que a necessidade de coerência das decisões e estratégias exige um poder supremo. Entretanto, muitos líderes empresariais já afirmaram que as estratégias coerentes surgem por si mesmas quando os executivos principais dedicam-se a um processo constante de conversação. Nas palavras de Arie de Geus, "As decisões crescem sobre o solo fértil das conversas formais e informais — às vezes estruturadas (como nas reuniões de diretoria e no processo de definição do orçamento), às vezes técnicas (no processo de implementação de planos ou práticas específicas), às vezes *ad hoc*."[63]

Situações diversas exigem tipos diversos de liderança. Às vezes, é preciso criar redes informais e canais de comunicação; às vezes, as pessoas precisam de estruturas firmes com objetivos concretos e um cronograma definido em torno do qual possam organizar-se. O líder experiente fará uma avaliação da situação e assumirá o comando se isso for necessário, mas será, depois, flexível o suficiente para abdicar do poder supremo. É evidente que uma tal liderança exige uma ampla gama de capacidades, de modo a permitir que o líder faça sua escolha dentre os muitos caminhos de ação que se abrem à sua frente.

Como dar vida às organizações

O ato de dar vida às organizações humanas pelo fortalecimento de suas comunidades de prática não só aumenta-lhes a flexibilidade, a criatividade e o potencial de aprendizado como também aumenta a dignidade e a humanidade dos indivíduos que compõem a organização, que vão tomando contato com essas qualidades em si mesmos. Em outras palavras, a valorização da vida e da auto-organização fortalece e capacita o indivíduo. Cria ambientes de trabalho sadios dos pontos de vista mental e emocional, nos quais as pessoas sentem-se apoiadas na busca de realização dos seus próprios objetivos e não têm de sacrificar a própria integridade a fim de atender às exigências da organização.

O problema é que as organizações humanas não são somente comunidades vivas, mas também instituições sociais projetadas em vista de um fim específico e que operam no contexto de um ambiente econômico específico. Hoje em dia, esse ambiente não é favorável à vida, mas cada vez mais contrário a ela. Quanto mais compreendemos a natureza da vida e tomamos consciência de o quanto uma organização pode ser realmente viva, tanto maior é a nossa dor ao perceber a natureza mortífera do nosso atual sistema econômico.

Quando os acionistas e outros "corpos estranhos" avaliam a "saúde" de uma empresa, no geral não querem saber da vida das comunidades dentro da empresa, da integridade e do bem-estar dos empregados e da sustentabilidade ecológica dos produtos. Querem saber de lucros, valor das ações, fatia de mercado e outros parâmetros econômicos; e fazem toda a pressão que puderem para garantir que seus investimentos tenham o retorno mais rápido possível, sejam quais forem as conseqüências de longo prazo para a vida da organização, o bem-estar dos empregados e o meio ambiente natural e social.

Essas pressões econômicas são aplicadas com a ajuda de tecnologias de informação e comunicação cada vez mais sofisticadas, as quais criaram um profundo conflito entre o tempo biológico e o tempo dos computadores. Como já vimos, os novos conhecimentos nascem de processos caóticos de surgimento espontâneo, que levam tempo. Ser criativo é ser capaz de permanecer tranqüilo em meio à incerteza e à confusão. Na maioria das organizações, isso está cada vez mais difícil, pois as coisas andam rápido demais. As pessoas sentem que praticamente não têm tempo para refletir com calma; e, uma vez que a consciência reflexiva é uma das características que definem a natureza humana, essa situação tem um efeito profundamente desumanizante.

A enorme carga de trabalho dos executivos atuais é mais uma das conseqüências diretas do conflito entre o tempo biológico e o tempo dos computadores. O trabalho deles está cada vez mais computadorizado; e, à medida que a tecnologia dos computadores progride, essas máquinas trabalham cada vez rápido e assim economizam cada vez mais tempo. A questão de saber o que fazer com o tempo que sobra se torna uma questão de valores. O tempo pode ser distribuído entre os indivíduos que compõem a organização — criando-se um tempo para que eles reflitam, organizem-se, façam contatos e reúnam-se para conversas informais — ou pode ser subtraído da organização e transformado em mais lucro para os acionistas e executivos de primeiríssimo escalão — obrigando-se as pessoas a trabalhar mais e, assim, aumentar a produtividade da empresa. Infelizmente, a maior parte das empresas da nossa tão admirada era da informação optaram pela segunda alternativa. Em conseqüência disso, vemos um aumento enorme da riqueza empresarial no topo da pirâmide e, na base, milhares de trabalhadores perdendo o emprego em decorrência da febre de "enxugamento" e das fusões empresariais, enquanto os que permanecem (inclusive os próprios executivos de primeiro escalão) são forçados a trabalhar como bestas de carga.

A maioria das fusões empresariais acarretam mudanças estruturais rápidas e drásticas, para as quais as pessoas em geral acham-se completamente despreparadas. As fusões e aquisições acontecem, em parte, porque as grandes corporações querem penetrar em novos mercados ou comprar o conhecimento e a tecnologia desenvolvidos por empresas menores (na absurda pretensão de "cortar caminho" no processo de aprendizado). Cada vez mais, porém, a razão que determina a fusão é a idéia de deixar a empresa maior ainda e, portanto, menos suscetível de ser ela mesma "engolida" por outra. Na maioria dos casos, a fusão determina a justaposição problematicíssima de duas culturas empresariais diferentes, o que parece não aumentar em nada a eficiência ou os lucros, mas sim gerar infindáveis lutas pelo poder, uma tensão enorme, um terror existencial generalizado entre os participantes do processo e, assim, uma profunda desconfiança em relação à mudança estrutural.[64]

É evidente que as principais características do ambiente econômico e empresarial de hoje em dia — concorrência global, mercados turbulentos, fusões empresariais marcadas pelas mudanças estruturais rápidas, uma carga de trabalho cada vez maior e a exigência de uma acessibilidade contínua (24 horas por dia, sete dias por semana) através da Internet e dos telefones celulares — combinam-se todas para criar uma situação altamente estressante e profundamente insalubre. Nesse clima, muitas vezes é difícil reter na mente a imagem de uma organização viva, criativa e voltada para o bem-estar dos seus membros e do mundo vivente em geral. Quando estamos tensos, tendemos a recair em nossos velhos hábitos de ação. Quando as coisas se desintegram numa situação caótica, tendemos a querer assumir o controle ostensivo dos acontecimentos. Essa tendência é especialmente forte entre os administradores e chefes, que estão acostumados com a eficiência e sentem-se atraídos pelo exercício do poder.

Paradoxalmente, o ambiente empresarial atual, com suas turbulências e complexidades e sua ênfase no conhecimento e no aprendizado, também é um ambiente em que a flexibilidade, a criatividade e a capacidade de aprendizado que sempre acompanham a vitalidade da organização tornam-se mais necessárias.

Mas esse fato já está sendo reconhecido por alguns líderes empresariais visionários, que estão reformulando suas prioridades para incluir entre elas o desenvolvimento do potencial criativo dos empregados, a melhoria da qualidade das comunidades internas da empresa e a integração dos desafios da sustentabilidade ecológica no planejamento estratégico empresarial. Em virtude da necessidade de uma contínua administração da mudança no ambiente turbulento de hoje em dia, as "organizações aprendizes" gerenciadas por essa nova geração de líderes empresariais têm obtido muito sucesso, apesar das atuais restrições econômicas.[65]

A longo prazo, as organizações realmente vivas só poderão florescer quando mudarmos nosso sistema econômico de modo que, em vez de destruir a vida, ele passe a apoiá-la. Trata-se, esta, de uma questão global que vou discutir detalhadamente no capítulo seguinte. Veremos que as características mórbidas do ambiente econômico em que as empresas são forçadas a operar não são elementos isolados, mas, sempre, conseqüências inevitáveis da "nova economia" que se tornou o contexto crítico da nossa vida social e empresarial.

Essa nova economia estrutura-se em torno dos fluxos de informação, poder e riqueza que correm pelas redes financeiras globais, as quais dependem em enorme medida das mais avançadas tecnologias de informação e comunicação.[66] Ela é, num nível muito fundamental, moldada e determinada por máquinas; o resultado disso é que o ambiente econômico, social e cultural não é favorável à vida, mas contrário a ela. A nova economia global suscitou muita resistência, a qual pode confluir para um movimento internacional em prol da mudança do sistema econômico atual mediante a organização dos seus fluxos financeiros de acordo com um outro conjunto de valores e crenças. A compreensão sistêmica da vida deixa claro que, nos anos vindouros, essa mudança será absolutamente necessária, não só para o bem-estar das empresas como também para a sobrevivência e a sustentabilidade da raça humana como um todo.

Cinco

As redes do capitalismo global

No decorrer da última década do século XX, cresceu entre os empresários, políticos, cientistas sociais, líderes comunitários, ativistas de movimentos populares, artistas, historiadores da cultura e mulheres e homens comuns de todas as classes sociais a percepção de que um novo mundo estava surgindo — um mundo moldado pelas novas tecnologias, pelas novas estruturas sociais, por uma nova economia e uma nova cultura. O termo usado para designar as extraordinárias mudanças e o movimento aparentemente irresistível percebido por milhões de pessoas foi "globalização".

Com a criação da Organização Mundial do Comércio (OMC) em meados da década de 1990, a globalização econômica, caracterizada pelo "livre comércio", foi exaltada pelos grandes empresários e políticos como uma nova ordem que viria beneficiar todas as nações, gerando uma expansão econômica mundial cujos frutos acabariam chegando a todas as pessoas, até às mais pobres. Entretanto, um número cada vez maior de ambientalistas e ativistas de movimentos sociais logo percebeu que as novas regras econômicas estabelecidas pela OMC eram manifestamente insustentáveis e estavam gerando um sem-número de conseqüências tétricas, todas elas ligadas entre si — desintegração social, o fim da democracia, uma deterioração mais rápida e extensa do meio ambiente, o surgimento e a disseminação de novas doenças e uma pobreza e alienação cada vez maiores.

Para compreender a globalização

Em 1996, foram publicados dois livros que ofereciam as primeiras análises sistêmicas da nova globalização econômica. Foram escritos em estilos muito diferentes e seus autores encaram o assunto sob pontos de vista diversos, mas seu ponto de partida é o mesmo — a tentativa de analisar e compreender as profundas mudanças produzidas pela combinação entre uma extraordinária inovação tecnológica e a expansão mundial das grandes empresas.

The Case Against the Global Economy é uma coletânea de ensaios escritos por mais de quarenta ativistas e líderes comunitários, coligida por Jerry Mander e Edward Goldsmith e publicada pelo Sierra Club, uma das mais antigas e respeitadas organizações ambientalistas dos Estados Unidos.[1] Os autores do livro representam tradições culturais de muitos países e são, em sua maioria, bem conhecidos pelos ativistas que defendem mudanças sociais. Seus argumentos são apaixonados, nascidos no cadinho da experiência de suas comunidades, e têm por finalidade remodelar a globalização segundo valores e visões diferentes.

The Rise of the Network Society, de Manuel Castells, professor de sociologia na Universidade da Califórnia, em Berkeley, é uma brilhante análise dos processos fundamentais que determinam a globalização econômica e foi publicado pela Blackwell, uma das maiores editoras de livros produzidos pela comunidade universitária.[2] Castells acredita que, antes de procurar remodelar a globalização, temos de compreender as profundas raízes sistêmicas do mundo que está surgindo. No Prólogo a seu livro, ele escreve: "Proponho a hipótese de que todas as principais tendências de mudança que constituem este mundo novo e confuso são relacionadas entre si, e que essa inter-relação pode ser compreendida. E acredito, sim, apesar de uma longa tradição de erros intelectuais que tiveram, às vezes, conseqüências trágicas, acredito que a observação, a análise e a teorização são um dos meios de que dispomos para construir um mundo diferente e melhor."[3]

Nos anos que se seguiram à publicação desses dois livros, alguns dos autores de *The Case Against the Global Economy* constituíram o Fórum Internacional sobre a Globalização, uma organização sem fins lucrativos que realiza, em diversos países, seminários cujo tema é a globalização econômica. Em 1999, esses seminários deram o embasamento filosófico para uma coalizão internacional de associações populares que conseguiu impedir a reunião da Organização Mundial do Comércio em Seattle e deu a conhecer ao mundo a sua oposição à política econômica e ao regime autocrático da OMC.

Já no *front* teórico, Manuel Castells publicou dois outros livros, *The Power of Identity* (1997) e *End of Millennium* (1998), completando uma série de três títulos sobre *The Information Age: Economy, Society and Culture* ["A Era da Informação: Economia, Sociedade e Cultura"].[4] Essa trilogia é uma obra monumental, enciclopédica quanto à documentação, que Anthony Giddens comparou à *Economia e Sociedade* de Max Weber, escrita quase um século antes.[5]

A tese de Castells é ampla e esclarecedora. Seu principal objeto de estudo são as revolucionárias tecnologias de informática e comunicação que surgiram nas três últimas décadas do século XX. Assim como a Revolução Industrial deu origem à "sociedade industrial", assim também a nova Revolução da Informática está dando origem à "sociedade da informação". E como a informática desempenhou um papel decisivo na ascensão das ligações em rede (*networking*) como nova forma de organização da atividade humana nos negócios, na política, nos meios de comunicação e nas organizações não-governamentais, Castells também chama a sociedade da informação de "sociedade de redes".

Outro aspecto importante da globalização, e bastante misterioso, foi a súbita ruína do comunismo soviético na década de 1980, que aconteceu sem a intervenção de movimentos sociais e sem uma grande guerra e deixou atônitos a maioria dos observadores ocidentais. Segundo Castells, também essa profunda transformação geopolítica foi uma conseqüência da Revolução da Informática. Numa análise detalhada da ruína econômica da União Soviética, Castells postula que as raízes da crise que desencadeou a *perestroika* de Gorbachev e culminou na dissolução da URSS encontram-se na incapacidade do sistema político e econômico soviético de empreender a transição para o novo paradigma "informático" que estava se espalhando pelo resto do mundo.[6]

Depois do fim do comunismo soviético, o capitalismo tem se espalhado pelo mundo inteiro e, como observa Castells, "aprofunda a sua penetração em países, culturas e domínios de vida. Apesar de uma paisagem social e cultural altamente diversificada, pela primeira vez na história o mundo inteiro está organizado em torno de um conjunto mais ou menos comum de regras econômicas".[7]

Nos primeiros anos do novo século, os acadêmicos, políticos e líderes comunitários continuam tentando compreender a natureza e as conseqüências da globalização. No ano 2000, uma coletânea de ensaios sobre o capitalismo global, de autoria de alguns dos principais cientistas políticos e economistas do planeta, foi publicada pelos cientistas sociais ingleses Will Hutton e Anthony Giddens.[8] Ao mesmo tempo, o presidente tcheco Václav Havel e Elie Wiesel, ganhador do Prêmio Nobel, reuniram um grupo de elite de líderes religiosos, políticos, cientistas e líderes comunitários numa série de simpósios anuais chamada de "Fórum 2000", realizados no Castelo de Praga, para discutir "os problemas da nossa civilização... [e] pensar a respeito da dimensão política, da dimensão humana e da dimensão ética da globalização".[9]

Neste capítulo, vou procurar sintetizar as principais idéias sobre a globalização, que aprendi com as pessoas e livros mencionados acima. Espero também contribuir com algumas idéias minhas, tiradas da nova compreensão unificada da vida biológica e social que apresentei nos três primeiros capítulos do livro. Em específico, vou tentar mostrar que a ascensão da globalização se deu por meio de um processo característico de todas as organizações humanas — o jogo de ações e reações entre as estruturas projetadas e as estruturas emergentes.[10]

A revolução da informática

A característica comum aos múltiplos aspectos da globalização é uma rede global de informática e comunicações baseada no uso de tecnologias novas e revolucionárias. A Revolução da Informática é o resultado de uma complexa dinâmica de interações tecnológicas e humanas que gerou efeitos sinérgicos em três grandes setores da eletrônica — os computadores, a microeletrônica e as telecomunicações. As principais inovações que criaram o ambiente eletrônico radicalmente novo dos anos 1990 ocorreram todas vinte anos antes, na década de 1970.[11]

A tecnologia de computadores têm suas bases teóricas na cibernética, que é também uma das raízes conceituais da nova compreensão sistêmica da vida.[12] Os primeiros computadores comerciais foram produzidos na década de 1950 e, nos anos 1960, a IBM firmou-se como a força dominante no ramo da produção de computadores, com suas grandes máquinas do tipo *mainframe*. O desenvolvimento da microeletrônica nos anos subseqüentes mudou radicalmente esse quadro. Tudo começou com a invenção e a posterior miniaturização do chamado circuito integrado — um pequeno circuito eletrônico montado numa plaqueta (*chip*) de silício —, que pode conter milhares de transístores, os quais processam impulsos elétricos.

No começo da década de 1970, a microeletrônica deu um gigantesco salto adiante com a invenção do microprocessador, que é essencialmente um computador num *chip*. De lá para cá, a densidade (ou "capacidade de integração") de circuitos nos microprocessadores aumentou de modo fenomenal. Nos anos 70, milhares de transístores cabiam num *chip* do tamanho de uma unha; vinte anos depois, já eram milhões. A capacidade dos computadores aumentou sem parar, à medida que a microeletrônica avançava para dimensões tão pequenas que desafiam a nossa imaginação. E, à medida que esses *chips* processadores de informação foram ficando menores, passaram também a ser colocados em praticamente todas as máquinas e aparelhos que fazem parte da nossa vida cotidiana, e que nem sequer temos consciência da existência deles.

A aplicação da microeletrônica ao projeto de computadores permitiu uma incrível redução de tamanho num prazo de poucos anos. O lançamento do primeiro microcomputador da Apple, em meados dos anos 70, inventado por dois jovens que haviam abandonado a universidade, Steve Jobs e Stephen Wozniak, abalou o domínio dos antigos *mainframes*. Mas a IBM não deixou por menos e logo lançou o seu próprio microcomputador sob o engenhoso nome de "Personal Computer (PC)", que logo se tornou o nome genérico dos microcomputadores.

Em meados dos anos 1980, a Apple lançou o seu primeiro Macintosh, com a nova tecnologia do *mouse* e dos ícones, mais acessível ao usuário. Ao mesmo tempo, outra dupla de jovens que haviam largado a universidade, Bill Gates e Paul Allen, criou o primeiro *software* específico para PC e, sobre o sucesso assim obtido, fundou a Microsoft, que é atualmente a maior empresa de *software* do mundo.

O estágio atual da Revolução da Informática foi alcançado quando a tecnologia avançada dos PCs e da microeletrônica foi associada de modo sinergético com as mais recentes conquistas no campo das telecomunicações. A revolução das comunicações começou em nível mundial no fim da década de 1960, quando foram lançados os primeiros satélites de órbita estacionária, usados para transmitir sinais entre dois pontos quaisquer da superfície da Terra de modo quase instantâneo. Os satélites atuais lidam com milhares de canais de comunicação simultaneamente. Alguns deles também emitem um sinal constante que permite que aviões, navios e até automóveis determinem com alto grau de precisão suas posições por latitude e longitude.

Enquanto isso, as comunicações sobre a superfície da Terra intensificaram-se com o advento da fibra ótica, que aumentou de modo incrível a capacidade das linhas de transmissão. O primeiro cabo telefônico transatlântico, lançado em 1956, levava 50 canais de voz; os cabos atuais de fibra óptica levam 50.000. Além disso, a diversidade e a versatilidade das comunicações aumentou de modo considerável com o uso de uma variedade maior de freqüências eletromagnéticas, inclusive a de microondas, a transmissão a *laser* e a dos telefones celulares digitais.

Todos esses desenvolvimentos fizeram com que o uso dos computadores passasse por uma mudança radical, da armazenagem e processamento de dados em grandes máquinas isoladas, para o uso interativo de microcomputadores em redes eletrônicas. Evidentemente, o exemplo mais destacado dessa nova forma interativa de uso dos computadores é a Internet, que em menos de trinta anos passou de uma pequena rede experimental, que atendia a pouco mais de dez institutos de pesquisa dos Estados Unidos, a um sistema global feito de milhares de redes interconectadas, ligando milhões de computadores e aparentemente capaz de uma expansão e uma diversificação infinitas. A história da evolução da Internet é fascinante, pois exemplifica do modo mais claro possível o contínuo intercâmbio entre o planejamento engenhoso e o surgimento espontâneo de novas idéias que tem caracterizado a Revolução da Informática como um todo.[13]

Na Europa e nos Estados Unidos, as décadas de 1960 e 1970 não foram só uma época de inovações tecnológicas revolucionárias, mas também uma era de grande turbulência social. O movimento pelos direitos civis no sul dos Estados Unidos, o movimento pela liberdade de expressão no campus de Berkeley, a Primavera de Praga e a revolta dos estudantes parisienses de maio de 1968 — com tudo isso, surgiu no mundo inteiro uma "contracultura" que defendia o questionamento das autoridades, a liberdade e o poder do indivíduo e a expansão da consciência, tanto espiritual quanto socialmente. As expressões artísticas desses ideais geraram muitos estilos e movimentos novos nas artes e determinaram a criação de formas novas e fortes de poesia, teatro, cinema, música e dança, que ajudaram a definir o *zeitgeist* daquele período.

As inovações sociais e culturais dos anos sessenta e setenta não só moldaram de diversas maneiras as décadas subseqüentes como também influenciaram algumas das mentes mais inovadoras da Revolução da Informática. Quando o Vale do Silício tornou-se o pólo da mais alta tecnologia e atraiu milhares de mentes jovens e criativas do mundo inteiro, esses novos pioneiros logo descobriram — caso já não soubessem — que a região da Baía de San Francisco também era um dos mais fervilhantes centros da contracultura. As atitudes irreverentes, o forte sentido de comunidade e a sofisticação cosmopolita dos "anos sessenta" compuseram o pano de fundo cultural do estilo de trabalho informal, aberto, descentralizado, cooperativo e futurista que se tornou característico das novas tecnologias da informática.[14]

A ascensão do capitalismo global

Por várias décadas depois da Segunda Guerra Mundial, o modelo keynesiano da economia capitalista, baseado num contrato social entre o capital e o trabalho e num controle sutil dos ciclos econômicos nacionais por meio de medidas tomadas pelo poder estatal — elevação ou redução das taxas de juros, aumento ou diminuição de impostos, etc. —, teve um grande êxito e levou a prosperidade econômica e a estabilidade social à maioria dos países que seguiam economias de mercado de caráter misto. Na década de 1970, porém, esse modelo atingiu os seus limites conceituais.[15]

Os economistas keynesianos concentraram-se na economia interna de cada país, desconsiderando os tratados econômicos internacionais e a rede comercial global que se tornava cada vez maior; esqueceram-se do imenso poder das empresas multinacionais, que se tornaram os elementos principais da cena econômica mundial; e por último, mas não menos importante, ignoraram os custos sociais e ambientais das atividades econômicas, como ainda estão acostumados a fazer a maioria dos economistas. Quando a crise do petróleo abateu-se sobre os países industrializados no fim da década de 1970, junto com uma inflação galopante e um desemprego gigantesco, o impasse da economia keynesiana tornou-se evidente.

Reagindo à crise, os governos e empresas ocidentais encetaram um doloroso processo de reestruturação do capitalismo, ao mesmo tempo que um processo paralelo de reestruturação do comunismo — a *perestroika* de Gorbachev — ocorria na União Soviética. O processo de reestruturação do capitalismo foi marcado pela gradativa anulação do contrato social entre o capital e o trabalho, pela desregulamentação e liberalização do mercado financeiro e por muitas mudanças empresariais criadas para incentivar a flexibilidade e a capacidade de adaptação.[16] Realizou-se de modo pragmático, por tentativa e erro, e teve efeitos muito diferentes nos diversos países do mundo — desde os efeitos desastrosos da "*Reaganomics*" sobre a economia dos EUA até a bem-sucedida mistura de alta tecnologia, competitividade e cooperação da economia japonesa, passando pela resistência ao sucateamento do bem-estar social na Europa Ocidental. Mas, por fim, a reestruturação do capitalismo impôs uma disciplina econômica comum aos países da nova economia global, através da atividade dos bancos centrais e do Fundo Monetário Internacional.

Todas essas medidas pressupunham, como um de seus elementos essenciais, as novas tecnologias de informática e comunicação, que possibilitaram, por exemplo, a transferência quase instantânea de fundos entre vários segmentos da economia e vários países do globo, e permitiram que a enorme complexidade advinda da rápida desregulamentação e da nova engenhosidade financeira pudesse ser abarcada e, até certo ponto, compreendida. No fim das contas, a Revolução da Informática ajudou a trazer à luz uma nova economia global — um capitalismo rejuvenescido, flexível e enormemente ampliado.

Como enfatiza Castells, esse novo capitalismo é profundamente diferente do que se formou durante a Revolução Industrial e do que surgiu depois da Segunda Guerra Mundial. Caracteriza-se por três traços fundamentais: suas principais atividades econômicas são globais; suas principais fontes de produtividade e competitividade são a inovação, a geração de conhecimento e o processamento de informações; e ele se estrutura principalmente em torno de redes de fluxos financeiros.

A nova economia

Nessa nova economia, o capital funciona "em tempo real", movimentando-se rapidamente pelas redes financeiras internacionais. A partir dessas redes, ele é investido em atividades econômicas de todo tipo, e a maior parte dos lucros são redirecionados para a meta-rede de fluxos financeiros. As tecnologias sofisticadas de informática e telecomunicações permitem que o capital financeiro mova-se rapidamente de uma opção a outra numa incansável busca de oportunidades de investimento pelo planeta inteiro, o que faz com que as margens de lucro no mercado financeiro sejam, em geral, muito mais altas do que na maioria dos investimentos diretos. Por isso, todos os fluxos de dinheiro convergem, em última análise, para as redes financeiras internacionais, sempre à procura de ganhos maiores.

O duplo papel dos computadores — instrumentos para o processamento rápido de informações e para a elaboração de modelos matemáticos altamente sofisticados — fez com que o ouro e o papel-moeda fossem praticamente substituídos por produtos financeiros cada vez mais abstratos, como as "opções sobre futuros" (opções de compra numa data futura, com o objetivo de conseguir os ganhos financeiros previstos por projeções de computador), "fundos de *hedge*" (fundos de investimento, muitas vezes usados para comprar e vender quantidades enormes de moedas em períodos de poucos minutos a fim de obter muito lucro a partir de uma margem pequena) e os "derivativos" (pacotes de fundos diversos que representam aglomerados de valores financeiros atuais ou potenciais). Eis como Manuel Castells descreve o resultante cassino global:

> O mesmo capital é jogado para cá e para lá entre as diversas economias em questão de horas, minutos e, às vezes, segundos. Favorecidos pela desregulamentação,... pela abertura dos mercados financeiros internos e por poderosos programas de computador, hábeis analistas financeiros/gênios da computação sentam-se nas encruzilhadas globais de uma rede seletiva de telecomunicações e literalmente brincam com bilhões de dólares... Esses adeptos da jogatina global não são especuladores obscuros, mas grandes bancos de investimento, fundos de pensão, empresas multinacionais... e fundos mútuos organizados especialmente em vista da manipulação financeira.[17]

Com a crescente "virtualidade" dos produtos financeiros e a importância cada vez maior de projeções computadorizadas baseadas nas percepções subjetivas de seus criadores, a atenção dos investidores deslocou-se dos lucros reais para o critério subjetivo e volátil do valor possível das ações. Na nova economia, o objetivo básico do jogo não é tanto o de aumentar os lucros ao máximo, mas sim o de aumentar ao máximo o valor das ações. É claro que, a longo prazo, o valor de uma empresa diminuirá se ela continuar funcionando sem dar lucros; mas, a curto prazo, seu valor pode aumentar ou diminuir independentemente do seu desempenho real, em função de uma "expectativa de mercado" que, muitas vezes, não tem a menor razão de ser.

As novas empresas criadas para a Internet, as famosas "ponto-com", que durante certo tempo acusaram aumentos prodigiosos de valor sem dar lucro algum, são exemplos marcantes da dissociação entre ganhos financeiros e ganhos produtivos na nova economia. Por outro lado, também o valor de mercado de empresas sólidas e produtivas diminuiu drasticamente, arruinando as empresas e levando a gigantescos cortes de pessoal apesar de um bom desempenho contínuo, em virtude simplesmente de mudanças sutis no ambiente financeiro das mesmas empresas.

O processamento rápido de informações e o conhecimento necessário para a inovação tecnológica são elementos essenciais para a competitividade na rede mundial de fluxos financeiros. Nas palavras de Castells: "A produtividade nasce essencialmente da inovação, e a competitividade nasce da flexibilidade... A informática e a capacidade cultural de utilizá-la são essenciais [para ambas]."[18]

Complexidade e turbulência

O processo de globalização econômica foi elaborado intencionalmente pelos grandes países capitalistas (o chamado "G-7"), as principais empresas multinacionais e as instituições financeiras globais — entre as quais destacam-se o Banco Mundial, o Fundo Monetário Internacional (FMI) e a Organização Mundial do Comércio (OMC) — criadas expressamente para esse fim.

Entretanto, o processo não tem sido um mar de rosas. Quando as redes financeiras globais alcançaram um certo grau de complexidade, suas interconexões não-lineares geraram anéis de realimentação rápida que deram origem a muitos fenômenos emergentes inesperados. A nova economia que resultou disso é tão complexa e turbulenta que não pode ser analisada pelas teorias econômicas convencionais. É por isso que Anthony Giddens, atual diretor da prestigiosa Faculdade de Economia de Londres, admite: "O novo capitalismo, que é uma das forças motrizes da globalização, é, até certo ponto, um mistério. Até agora, não sabemos exatamente como ele funciona."[19]

No cassino global operado por máquinas eletrônicas, os fluxos financeiros não seguem uma lógica de mercado. Os mercados são continuamente manipulados e transformados por estratégias de investimento criadas em computador, pelas percepções subjetivas de analistas influentes, por acontecimentos políticos em qualquer parte do mundo e — o que é mais significativo — por turbulências inesperadas causadas pelas interações complexas dos fluxos de capital nesse sistema altamente não-linear. Essas turbulências, que dificilmente podem ser controladas, são fatores tão importantes da fixação de preços e tendências de mercado quanto as tradicionais forças de oferta e procura.[20]

Só os mercados de moedas movimentam diariamente mais de dois trilhões de dólares; e como esses mercados determinam em grande medida o valor de qualquer moeda nacional, contribuem significativamente para a incapacidade dos governos de controlar a política econômica.[21] Por causa disso, assistimos recentemente a uma série de crises financeiras graves, no México (1994), no Sudeste Asiático (1997), na Rússia (1998) e no Brasil (1999).

As economias grandes, dotadas de bancos fortes, geralmente são capazes de suportar a turbulência financeira, sofrendo somente danos limitados e temporários; mas a situação é muito menos confortável para os chamados "mercados emergentes" da metade sul do globo, cujas economias são pequenas em comparação com os mercados internacionais.[22] Em virtude do seu forte potencial de crescimento econômico, esses países tornam-se alvos preferenciais para os jogadores do cassino global, que fazem investimentos gigantescos nos mercados emergentes mas retiram esses investimentos com a mesma rapidez ao menor sinal de enfraquecimento da economia.

Quando fazem isso, desestabilizam as economias pequenas, desencadeiam a fuga de capitais e criam uma crise de grandes proporções. Para recuperar a confiança dos investidores, o país afligido geralmente é induzido pelo FMI a aumentar as taxas de juros, ao preço devastador do aprofundamento da recessão local. As recentes quebras de mercados financeiros lançaram cerca de 40 por cento da população mundial numa recessão profunda![23]

Depois da crise financeira asiática, os economistas puseram a culpa dessa crise em certos "fatores estruturais" dos países asiáticos, como, por exemplo, um sistema bancário fraco, a interferência excessiva do governo e a falta de transparência financeira. Entretanto, como salienta Paul Volcker, ex-diretor do Conselho do *Federal Reserve* dos Estados Unidos, nenhum desses fatores era novo ou desconhecido, e nenhum deles piorou de súbito. "É óbvio", conclui Volcker, "que algo ficou faltando em nossas análises e em nossas reações... O problema não é regional, mas internacional; e temos todos os motivos para crer que seja sistêmico."[24] Segundo Manuel Castells, as redes financeiras globais da nova economia são intrinsecamente instáveis. Produzem padrões aleatórios de turbulência informativa que podem desestabilizar qualquer empresa, bem como países ou regiões inteiras, independentemente do seu desempenho econômico real.[25]

É interessante aplicar a compreensão sistêmica da vida à análise desse fenômeno. A nova economia consiste numa meta-rede global de interações tecnológicas e humanas complexas, que envolve múltiplos anéis e elos de realimentação que operam longe do equilíbrio e produzem uma variedade infinita de fenômenos emergentes. A criatividade, a adaptabilidade e a capacidade cognitiva dessa meta-rede lembram, sem dúvida, as de uma rede viva mas a meta-rede não manifesta a estabilidade que é uma das propriedades fundamentais da vida. Os circuitos de informação da economia global funcionam numa tal rapidez e recorrem a uma tal multiplicidade de fontes que estão constantemente a reagir a um dilúvio de informações; por isso, o sistema como um todo acaba escapando ao nosso controle.

Também os organismos vivos e ecossistemas podem chegar a um ponto em que se tornam continuamente instáveis; mas, quando isso acontece, eles desaparecem em virtude da seleção natural, e só sobrevivem os sistemas dotados de processos de estabilização. No domínio humano, esses processos terão de ser introduzidos na economia global através da consciência humana, da cultura e da política. Em outras palavras, temos de projetar e implementar mecanismos reguladores para estabilizar a nova economia. Robert Kuttner, editor da revista progressista *The American Prospect*, resume a situação da seguinte maneira: "O que está em jogo é valioso demais para que o capital especulativo e as flutuações da moeda possam determinar o destino da verdadeira economia."[26]

O mercado global — um Autômato

No nível existencial humano, a característica mais alarmante da nova economia talvez seja o fato de ela ser fundamentalmente moldada e determinada por máquinas. O chamado "mercado global", a rigor, não é um mercado de forma alguma, mas uma rede de máquinas programadas para agir segundo um único valor — ganhar dinheiro por ganhar dinheiro — à exclusão de todos os outros. Nas palavras de Manuel Castells:

> O resultado do processo de globalização financeira pode ter sido a criação de um Autômato que vive no coração de nossa economia [e] condiciona de modo decisivo a nossa vida. O pesadelo da humanidade de ver as máquinas assumirem o controle do nosso mundo parece prestes a se tornar realidade — não sob a forma de robôs que eliminam empregos ou de computadores do governo que policiam a nossa vida, mas de um sistema eletrônico de transações financeiras.[27]

A lógica desse Autômato não é a das leis tradicionais de mercado, e a dinâmica dos fluxos financeiros que ele desencadeia não se submete, atualmente, ao controle dos governos, das grandes empresas e das instituições financeiras, por mais ricas e poderosas que sejam. Porém, em virtude da grande versatilidade e precisão das novas tecnologias de informática e telecomunicações, a regulação eficaz da economia global é tecnicamente viável. O problema principal não é a tecnologia, mas a política e os valores humanos.[28] E esses valores humanos podem mudar; não são leis naturais. As mesmas redes eletrônicas de fluxos financeiros e de informações *poderiam* ser programadas de acordo com outros valores.

Uma das mais importantes conseqüências dessa concentração exclusiva nos lucros e no valor das ações, que caracteriza o novo capitalismo global, foi a febre de fusões e aquisições empresariais. No cassino eletrônico global, qualquer ação que puder ser vendida por um preço maior *será* vendida, e é esse fato que determina e possibilita as aquisições hostis. Quando uma empresa quer comprar outra, tudo o que tem de fazer é oferecer um preço maior pelas ações desta última. A legião de corretores cujo trabalho consiste em esquadrinhar incansavelmente o mercado em busca de oportunidades de investimento e lucro fará contato com os acionistas e instará com eles para que vendam suas ações pelo preço mais alto.

Quando essas aquisições hostis se tornaram possíveis, os proprietários de grandes empresas usaram-nas para penetrar em novos mercados, para comprar tecnologias especiais desenvolvidas por companhias pequenas ou simplesmente para crescer e ganhar prestígio. As empresas pequenas, por seu lado, ficaram com medo de ser engolidas e, para proteger-se, compraram empresas ainda menores para se tornarem maiores e mais difíceis de ser compradas. Assim desencadeou-se uma febre de fusões, que parece não ter fim. Como já dissemos, a maioria das fusões empresariais não fazem aumentar a eficiência nem os lucros das empresas, mas provocam mudanças estruturais rápidas e dramáticas para as quais as pessoas encontram-se totalmente despreparadas, causando, assim, uma tensão enorme e tempos difíceis para todos os envolvidos.[29]

O impacto social

Em sua trilogia sobre a Era da Informação, Manuel Castells faz uma análise detalhada dos efeitos sociais e culturais do capitalismo global. Evidencia, em particular, o modo pelo qual a nova "economia em rede" transformou profundamente as relações sociais entre o capital e o trabalho. O dinheiro tornou-se quase totalmente independente da produção e dos serviços e passou a existir sobretudo na realidade virtual das redes eletrônicas. O capital é global, ao passo que o trabalho, via de regra, é local. Assim, capital e trabalho cada vez mais existem em espaços e tempos diferentes: o espaço virtual dos fluxos financeiros e o espaço real dos locais e regiões onde as pessoas trabalham; o tempo instantâneo das comunicações eletrônicas e o tempo biológico da vida cotidiana.[30]

O poder econômico reside nas redes financeiras globais, que determinam o destino da maioria dos empregos, ao passo que o trabalho permanece constrangido pelas limitações espaciais do mundo real. Assim, o trabalho ficou fragmentado e perdeu o pouco poder que tinha. Hoje em dia, muitos trabalhadores, quer sindicalizados, quer não, recusam-se a lutar por salários maiores ou melhores condições de trabalho por medo de que seus empregos sejam deslocados para outro país.

À medida que um número cada vez maior de empresas se reestrutura e assume a forma de redes descentralizadas — redes de unidades menores que, por sua vez, são ligadas a redes de fornecedores e prestadores de serviços —, os trabalhadores são cada vez mais admitidos através de contratos individuais, e assim o trabalho perde a sua identidade coletiva e o seu poder de negociação. Com efeito, na nova economia, as tradicionais comunidades da classe trabalhadora praticamente desapareceram.

Castells afirma, além disso, que é importante distinguir entre dois tipos de trabalho. O trabalho não-especializado, "genérico", não precisa ter acesso à informação e ao conhecimento, pelo menos não mais do que o necessário para ter a capacidade de compreender e executar ordens. Na nova economia, grandes massas de trabalhadores não-especializados entram e saem dos mais diversos empregos. Podem ser substituídos a qualquer momento, quer por máquinas, quer por trabalhadores não-especializados de outras partes do mundo, dependendo das flutuações das redes financeiras internacionais.

O trabalhador "com formação", por outro lado, tem a capacidade de chegar a um nível mais alto de educação, de processar informações e de criar conhecimentos. Numa economia em que o processamento de informações, a inovação e a criação de conhecimento são as principais fontes de produtividade, esses trabalhadores "com formação" são muito valorizados. As empresas preferem manter um relacionamento prolongado e seguro com seus principais empregados, de modo a assegurar a lealdade deles e garantir que o seu conhecimento tácito seja transmitido para a organização.

A título de incentivo, os trabalhadores "com formação" cada vez mais recebem ações da empresa além do salário básico, o que lhes dá uma participação no valor criado pela companhia. Esse fato abalou ainda mais a tradicional solidariedade de classe dos trabalhadores. "A luta entre diversos capitalistas e uma miscelânea de classes trabalhadoras", observa Castells, "é englobada pela oposição mais fundamental entre a lógica nua e crua dos fluxos de capital e os valores culturais da experiência humana."[31]

É certo que a nova economia enriqueceu uma elite mundial de especuladores financeiros, empresários e profissionais da alta tecnologia. Nos níveis mais altos, ocorreu uma acumulação de riqueza sem precedentes na história, e o capitalismo global também beneficiou algumas economias nacionais, especialmente em certos países asiáticos. No todo, porém, seus efeitos sociais e econômicos têm sido desastrosos.

A fragmentação e a individualização do trabalho e o gradativo sucateamento das instituições e leis de bem-estar social, que cedem à pressão da globalização econômica, significam que a ascensão do capitalismo global tem sido acompanhada por uma desigualdade e uma polarização social crescentes.[32] O abismo entre os ricos e os pobres aumentou significativamente, tanto em nível internacional quanto dentro de cada país. Segundo o Relatório de Desenvolvimento Humano das Nações Unidas, a diferença de renda per capita entre o Norte e o Sul do globo triplicou de 5.700 dólares em 1960 para 15.000 dólares em 1993. Dentre os habitantes da Terra, os vinte por cento mais ricos são donos de oitenta e cinco por cento da riqueza mundial, ao passo que os vinte por cento mais pobres (que representam oitenta por cento da população mundial) são donos de apenas 1,4 por cento.[33] Só os bens das três pessoas mais ricas do mundo já superam o Produto Nacional Bruto de todos os países menos desenvolvidos, com seus 600 milhões de habitantes.[34]

Nos Estados Unidos, o país mais rico e mais avançado do mundo no que diz respeito à tecnologia, a renda familiar média estagnou no decorrer das últimas três décadas e, na Califórnia, até caiu durante a década de 1990, na época da explosão da alta tecnologia. Hoje em dia, a maioria das famílias só é capaz de equilibrar as contas quando dois de seus membros contribuem para o orçamento familiar.[35] O aumento da pobreza, e especialmente da pobreza extrema, parece ser um fenômeno mundial. Até mesmo nos Estados Unidos, quinze por cento da população (e vinte e cinco por cento de todas as crianças) vive hoje abaixo da linha de pobreza.[36] Uma das características mais marcantes da chamada "nova pobreza" é o fenômeno dos sem-teto, cujo número aumentou muitíssimo nas cidades norte-americanas na década de 1980 e permanece alto até hoje.

O capitalismo global fez aumentar a pobreza e a desigualdade social não só através da transformação das relações entre o capital e o trabalho, mas também por meio do processo de "exclusão social", que é uma conseqüência direta da estrutura em rede da nova economia. À medida que os fluxos de capital e informação interligam redes que se espalham pelo mundo inteiro, eles ao mesmo tempo excluem dessas redes todas as populações e territórios que não têm valor nem interesse para a busca de ganhos financeiros. Em decorrência dessa exclusão social, certos segmentos da sociedade, certos bairros, regiões e até países inteiros tornam-se irrelevantes do ponto de vista econômico. Nas palavras de Castells:

> As regiões que não têm valor para o capitalismo informático e que não apresentam um interesse político significativo para os poderes vigentes

> são excluídas dos fluxos de riqueza e informação e, em última análise, privadas da infra-estrutura tecnológica básica que nos permite comunicarnos, inovar, produzir, consumir e até viver no mundo de hoje.[37]

O processo de exclusão social tem o seu ícone na desolação dos guetos da região central das cidades norte-americanas, mas seus efeitos vão muito além dos indivíduos, bairros e grupos sociais. No mundo inteiro, surgiu um novo segmento miserável da humanidade, que às vezes é chamado de Quarto Mundo. Compreende ele grandes regiões do globo, entre as quais a maior parte da África Sub-Saariana e as áreas rurais pobres da Ásia e da América Latina. A nova geografia da exclusão social não deixa de lado nenhum país e nenhuma cidade do mundo.[38]

O Quarto Mundo é povoado por milhões de pessoas que não têm onde morar nem o que comer, e que em sua maior parte não sabem ler nem escrever; que se dedicam a trabalhos temporários, trocam muitas vezes de emprego e, em muitos casos, acabam caindo na economia do crime. Passam, em sua vida, por crises múltiplas que podem ter por motivo a fome, a doença, a dependência de drogas e a prisão — a forma máxima de exclusão social. No momento em que a sua pobreza transformase em miséria, essas pessoas facilmente se vêem presas numa espiral descendente de marginalidade da qual é quase impossível escapar. A detalhada análise que Manuel Castells faz das desastrosas conseqüências sociais da nova economia lança nova luz sobre os vínculos sistêmicos que interligam todos esses problemas e constitui, no todo, uma crítica devastadora da nova ordem do capitalismo global.

O impacto sobre a ecologia

Segundo a doutrina da globalização econômica — conhecida como "neoliberalismo" ou "acordo de Washington" —, os acordos de livre comércio impostos pela OMC a seus países-membros vão fazer aumentar o comércio internacional; com isso, criar-se-á uma expansão econômica global; e o crescimento econômico global fará diminuir a pobreza, pois seus benefícios, como numa reação em cadeia, chegarão a todas as pessoas, até mesmo às mais pobres. Como gostam de dizer os líderes políticos e empresariais, a maré montante da nova economia fará subir todos os barcos.

A análise de Castells mostra com a máxima clareza que esse raciocínio é fundamentalmente equivocado. O capitalismo global não alivia a pobreza e a exclusão social; muito pelo contrário, agrava-as. O acordo de Washington não levou em conta esses efeitos porque os economistas empresariais sempre excluíram de seus modelos de análise os custos sociais da atividade econômica.[39] Do mesmo modo, a maior parte dos economistas convencionais ignorou o custo ambiental da nova economia — o aumento e a aceleração da destruição do meio ambiente natural no mundo inteiro, que é tão grave quanto, senão mais grave do que os efeitos sociais.

A meta central da teoria e da prática econômicas atuais — a busca de um crescimento econômico contínuo e indiferenciado — é claramente insustentável, pois a expansão ilimitada num planeta finito só pode levar à catástrofe. Com efeito, nesta virada de século, já está mais do que evidente que nossas atividades econômicas estão prejudicando a biosfera e a vida humana de tal modo que, em pouco tempo, os danos poderão tornar-se irreversíveis.[40] Nessa precária situação, é essencial que a humanidade reduza sistematicamente o impacto das suas atividades sobre o meio ambiente natural. Como declarou corajosamente o senador Al Gore em 1992, "Precisamos fazer do resgate do meio ambiente o princípio organizador central da civilização."[41]

Infelizmente, em vez de seguir esse conselho, a nova economia aumentou de modo significativo o impacto danoso da atividade humana sobre a biosfera. Em *The Case Against the Global Economy*, Edward Goldsmith, criador de uma das principais revistas européias dedicadas à ecologia, *The Ecologist*, faz um resumo do impacto ambiental da globalização econômica.[42] Ele salienta que o aumento da destruição ambiental na esteira do crescimento econômico é ilustrado de modo patente pelos exemplos da Coréia do Sul e de Taiwan. Na década de 1990, ambos os países alcançaram taxas impressionantes de crescimento e foram apresentados pelo Banco Mundial como modelos a ser seguidos pelos países do Terceiro Mundo. Ao mesmo tempo, os danos ambientais por eles sofridos foram devastadores.

Em Taiwan, por exemplo, os venenos usados na agricultura e na indústria poluíram gravemente quase todos os grandes rios. Em alguns lugares, a água, além de não ter peixes e não servir para beber, chega a pegar fogo. O nível de poluição do ar é o dobro do considerado inadmissível nos Estados Unidos; o número de casos de câncer por segmento de população dobrou desde 1965, e o país apresenta a maior incidência de hepatite do mundo. Em princípio, Taiwan poderia usar a sua nova riqueza para limpar o seu meio ambiente, mas a competitividade da economia global é tão grande que a legislação ambiental, em vez de ser fortalecida, é cada vez mais enfraquecida a fim de fazer baixar os custos da produção industrial.

Um dos princípios do neoliberalismo reza que os países pobres devem dedicar-se à produção de uns poucos produtos específicos para exportação a fim de obter moeda estrangeira, e devem importar a maior parte das demais mercadorias. Essa ênfase na exportação levou ao rápido esgotamento dos recursos naturais necessários para a produção de produtos agrícolas de exportação em um grande número de países — água doce que é desviada dos essenciais campos de arroz para zonas de coleta de camarões; o plantio intensivo de espécies que precisam de muita água, como a cana-de-açúcar, o que culmina no esgotamento do lençol freático; o uso de terras férteis para a monocultura de produtos de exportação, como a soja; e o êxodo rural forçado de um número incalculável de agricultores. No mundo inteiro, temos inúmeros exemplos de como a globalização econômica está agravando a destruição ambiental.[43]

O sucateamento da produção local em favor das importações e exportações, que é a tônica das regras de livre comércio da OMC, aumenta dramaticamente a distância "da terra à mesa". Nos Estados Unidos, cada bocado de comida viaja, em média, mais de mil e seiscentos quilômetros antes de ser comido, o que impõe sobre o meio ambiente uma carga enorme. Novas rodovias e aeroportos cruzam florestas antes intocadas; novos portos destroem mangues e hábitats litorâneos; e o maior volume de transporte polui o ar e provoca freqüentes derramamentos de petróleo e de produtos químicos. Estudos feitos na Alemanha indicam que a contribuição da produção não-local de alimentos para o aquecimento global é de seis a doze vezes maior do que a da produção local, em virtude do aumento das emissões de CO_2.[44]

Como afirma o ecologista e ativista agrícola Vandana Shiva, o impacto da instabilidade climática e da destruição do ozônio na atmosfera recai principalmente sobre os países do Hemisfério Sul, onde a maioria das regiões depende da agricultura e onde pequenas mudanças climáticas podem destruir totalmente os meios de vida da população rural. Além disso, muitas empresas multinacionais usam as regras de livre comércio para deslocar para o Hemisfério Sul suas indústrias poluentes e baseadas no uso intensivo de recursos naturais, o que piora ainda mais a destruição ambiental. Nas palavras de Shiva, o efeito líqüido disso tudo é que "os recursos vão dos pobres para os ricos enquanto a poluição vai dos ricos para os pobres".[45]

A destruição do ambiente natural nos países do Terceiro Mundo caminha de mãos dadas com o fim do modo de vida tradicional e auto-suficiente das comunidades rurais, à medida que os programas da televisão norte-americana e as agências multinacionais de propaganda veiculam imagens glamourosas de modernidade para bilhões de pessoas em todo o mundo, sem deixar claro que o estilo de vida do consumo material infinito é totalmente insustentável. Edward Goldsmith calcula que, se todos os países do Terceiro Mundo chegassem ao mesmo nível de consumo dos Estados Unidos no ano 2060, os danos ambientais anuais provenientes das atividades econômicas seriam então 220 vezes maiores do que são hoje em dia — o que é absolutamente inconcebível.[46]

Uma vez que o ganhar dinheiro é o valor máximo do capitalismo global, os representantes deste procuram sempre que possível eliminar as legislações ambientais com a desculpa do "livre comércio", para que as mesmas legislações não prejudiquem os lucros. Assim, a nova economia provoca a destruição ambiental não só pelo aumento do impacto de suas operações sobre os ecossistemas do mundo, mas também pela eliminação das leis de proteção ao meio ambiente em países e mais países. Em outras palavras, a destruição ambiental não é somente um efeito colateral, mas um elemento essencial da concepção do capitalismo global. Conclui Goldsmith: "Evidentemente, não é possível proteger o nosso meio ambiente dentro do contexto de uma economia de 'livre comércio' global que busca o crescimento econômico incessante e, portanto, tende a fazer aumentar cada vez mais os efeitos maléficos das nossas atividades sobre um ambiente já fragilizado."[47]

A transformação do poder

A Revolução da Informática não só deu origem a uma nova economia como também transformou de modo decisivo as relações de poder tradicionais. Na Era da Informação, a organização em rede tornou-se um elemento importante de todos os segmentos da sociedade. Cada vez mais, as funções sociais dominantes organizam-se em torno de redes, e a participação nessas redes é uma fonte crítica de poder. Nessa "sociedade em rede", como a chama Castells, a geração de novos conhecimentos, a produtividade econômica, o poder político e militar e os meios de comunicação de massa estão todos ligados a redes globais de informação e riqueza.[48]

A ascensão da sociedade em rede foi acompanhada pelo declínio do Estado nacional como entidade soberana.[49] Metidos em redes globais de turbulentos fluxos financeiros, os governos são cada vez menos capazes de controlar a política econômica nacional; já não podem dar a seus cidadãos as vantagens tradicionais do estado de bem-estar social; estão perdendo a guerra contra uma nova economia globalizada do crime; e sua autoridade e legitimidade são cada vez mais postas em questão. Além disso, o Estado também está se desintegrando por dentro através da corrupção do processo democrático, na medida em que os políticos, especialmente nos Estados Unidos, dependem cada vez mais de empresas e outros grupos de *lobby*, que financiam suas campanhas eleitorais em troca de políticas favoráveis a seus "interesses especiais".

O surgimento de uma enorme economia criminosa globalizada e a crescente interdependência desta com a economia formal e as instituições políticas em todos os níveis é uma das características mais perturbadoras da nova sociedade em rede. Na desesperada tentativa de escapar da miséria absoluta, indivíduos e grupos vitimados pela exclusão social tornam-se presas fáceis e são recrutados pelas organizações criminosas, que se estabeleceram em muitos bairros pobres e tornaram-se uma força social e cultural significativa em muitas partes do mundo.[50] O crime, evidentemente, não é coisa nova. O fenômeno novo é a interligação global, em rede, de poderosas organizações criminosas, que afeta profundamente as atividades econômicas e políticas no mundo inteiro, como Castells nos prova de modo documental e detalhado.[51]

O tráfico de drogas é a operação mais importante das redes criminosas globais, mas o tráfico de armas também desempenha papel de destaque, bem como o contrabando de mercadorias e de pessoas, o jogo, os seqüestros, a prostituição, a falsificação de dinheiro e documentos e dezenas de outras atividades. Provavelmente, a legalização das drogas seria a maior ameaça ao crime organizado. Porém, como nota Castells com uma ponta de ironia, "[Essas organizações] podem contar com a cegueira política e a moralidade deturpada de sociedades que não conseguem compreender o aspecto básico do problema: sem a procura, não haveria oferta."[52]

A violência impiedosa, muitas vezes executada por matadores de aluguel, é um aspecto básico da cultura do crime. Tão importantes quanto esses assassinos, porém, são os policiais, juízes e políticos que constam das folhas de pagamento das organizações criminosas e são às vezes chamados, cinicamente, de "aparelho de segurança" do crime organizado.

A lavagem de dinheiro, contado às centenas de bilhões de dólares, é a atividade básica da economia do crime. O dinheiro lavado entra na economia formal através de complexos esquemas financeiros e redes de comércio; e, assim, mais um elemento desestabilizador invisível entra num sistema já desequilibrado e torna ainda mais difícil o controle das políticas econômicas nacionais. É possível que, em várias partes do mundo, as crises financeiras tenham sido desencadeadas por atividades criminosas. Já na América Latina, o narcotráfico representa um segmento seguro e dinâmico das economias regionais e nacionais. Na América Latina, a produção e a venda de drogas atendem a uma demanda constante, são voltadas para a exportação e totalmente internacionalizadas. Ao contrário da maior parte dos esquemas econômicos legalizados, são totalmente controladas por "empresários" latino-americanos.

À semelhança das empresas que operam na economia formal, as organizações criminosas de hoje em dia reestruturaram-se e assumiram a forma de redes, tanto internamente quanto umas em relação às outras. Constituíram-se alianças estratégicas entre organizações criminosas do mundo inteiro, dos cartéis do narcotráfico colombiano às redes criminais russas, passando pelas máfias siciliana e americana. As novas tecnologias de comunicação, com destaque para os telefones celulares e computadores *laptop*, são largamente usadas para a comunicação entre criminosos e o acompanhamento das transações. É assim que os milionários da máfia russa podem gerenciar seus negócios em Moscou sentados confortavelmente em suas seguras mansões na Califórnia, sem perder o contato com as operações do dia-a-dia.

Segundo Castells, a força organizativa do crime global se baseia "na combinação entre a organização flexível em rede das quadrilhas locais, dotadas de uma tradição e de uma identidade e operando num sistema institucional favorável, e o alcance global proporcionado pelas alianças estratégicas".[53] Castells acredita que as redes criminosas de hoje em dia são mais avançadas do que as empresas multinacionais no que diz respeito à capacidade de integrar a identidade cultural local e a participação na economia global.

Se o Estado nacional está perdendo a sua autoridade e legitimidade em virtude das pressões da economia global e dos efeitos desestabilizadores do crime globalizado, o que o substituirá? Castells observa que a autoridade política está se tornando mais importante nos níveis regional e local e aventa a hipótese de que essa descentralização do poder possa dar origem a uma nova espécie de organização política, o "Estado em rede" (*network state*).[54] Numa rede social, os diferentes nós podem ter tamanhos diversos, de modo que são comuns nessas redes as desigualdades políticas e as relações de poder assimétricas. Já num Estado em rede, todos os membros são interdependentes. Quando se tomam as decisões políticas, é preciso levar em conta os efeitos delas sobre todos os membros do Estado, até mesmo os menores, pois elas afetarão necessariamente a rede inteira.

Pode ser que a União Européia seja, até agora, a manifestação mais clara de uma rede desse tipo. Os Estados nacionais europeus dividem entre si a soberania em vez de transferi-la para um nível superior. As cidades e regiões têm acesso a ela através dos governos nacionais, e também se interligam horizontalmente através de um grande número de parcerias que cruzam as fronteiras nacionais. "A União Européia não suplanta os Estados nacionais existentes", conclui Castells, "mas, ao contrário, é um instrumento fundamental para a sobrevivência deles, que aceitam abdicar em certa medida da sua soberania em troca de ter uma participação mais forte no contexto mundial."[55]

Situação semelhante a essa existe no mundo empresarial. As empresas de hoje em dia organizam-se cada vez mais como redes descentralizadas compostas de unidades menores; ligam-se a redes de prestadores de serviços, fornecedores e consultores; e unidades pertencentes a redes diferentes também fazem alianças estratégicas e dedicam-se a empreendimentos conjuntos. Nessas estruturas em rede, cuja geometria é passível de uma variação indefinida, não existe um centro real de poder. Em contraste com isso, o poder das empresas em seu conjunto cresceu enormemente no decorrer das últimas décadas. Por meio de um sem-número de fusões e aquisições, o tamanho das grandes empresas continua crescendo.

Nos últimos vinte anos, as empresas multinacionais adotaram uma política extremamente agressiva de extração de subsídios financeiros e cortes de impostos dos governos dos países onde operam. Podem ser impiedosas quando se trata de baixar artificialmente os preços com o intuito de arruinar empresas pequenas que se dedicam ao mesmo ramo de atividade; estão habituadas a ocultar e distorcer informações relativas aos potenciais perigos dos seus produtos; e conseguiram, através dos acordos de livre comércio, coagir muitos governos a eliminar certas restrições legislativas.[56]

Mesmo assim, seria enganoso pensar que são umas poucas megaempresas que mandam no mundo. Para começar, o verdadeiro poder econômico está nas redes financeiras internacionais. Toda empresa depende do que acontece nessas redes complexas, que não são controladas por ninguém. Existem hoje milhares de grandes empresas transnacionais, que ao mesmo tempo cooperam e concorrem entre si. O mundo empresarial é uma rede muito complexa na qual todos dependem de todos, e não há nenhuma empresa capaz de impor unilateralmente suas condições às demais.[57]

A difusão do poder empresarial é uma conseqüência direta das propriedades das redes empresariais. Numa hierarquia, o exercício do poder é um processo controlado e linear. Numa rede, é um processo não-linear que envolve múltiplos anéis de realimentação e cujos resultados são, com freqüência, impossíveis de prever. As conseqüências de cada ação dentro da rede espalham-se por toda a estrutura, e qualquer ação tomada em vista de um determinado objetivo pode ter conseqüências secundárias que vão contra esse mesmo objetivo.

É instrutivo comparar essa situação com a das redes ecológicas. Embora pareça que num ecossistema há espécies mais poderosas e outras menos poderosas, o conceito de poder não se aplica nesse caso, pois as espécies não-humanas (com exceção de alguns primatas) não forçam os indivíduos a agir de acordo com objetivos preconcebidos. A dominação existe, mas é sempre exercida dentro de um contexto maior de cooperação, mesmo nas relações entre predador e presa.[58] As múltiplas espécies que fazem parte de um ecossistema não se distribuem em hierarquia, como muitas vezes se diz equivocadamente, mas existem em nichos dentro de redes.[59] Há uma diferença crucial entre as redes ecológicas da natureza e as redes empresariais da sociedade humana. Num ecossistema, nenhum ser é excluído da rede. Todas as espécies, até mesmo as menores dentre as bactérias, contribuem para a sustentabilidade do todo. Já no mundo humano da riqueza e do poder, grandes segmentos da população são excluídos das redes globais e se tornam insignificantes do ponto de vista econômico. Os efeitos do poder das empresas sobre os indivíduos e grupos excluídos são muito diferentes dos efeitos sobre os que fazem parte da sociedade em rede.

A transformação da cultura

As redes de comunicação que moldaram a nova economia não transmitem somente informações sobre transações financeiras e oportunidades de investimento, mas contam também com redes globais de notícias, artes, ciências, diversões e outras expressões culturais. Também essas expressões foram profundamente transformadas pela Revolução da Informática.[60]

A tecnologia possibilitou uma grande integração das comunicações, pela combinação de sons e imagens com palavras escritas e faladas num único "hipertexto". Uma vez que a cultura é criada e sustentada pelas redes de comunicações humanas, é inevitável que mude com a transformação dos seus modos de comunicação.[61] Manuel Castells afirma que "o surgimento de um novo sistema eletrônico de comunicação, caracterizado pelo alcance global, pela integração de todos os veículos de comunicação e pelo potencial de interatividade, está mudando e mudará para sempre a nossa cultura".[62]

À semelhança de todo o resto do mundo empresarial, também os meios de comunicação de massa têm se tornado redes globais descentralizadas. Esse desenvolvimento foi previsto na década de 1960 pelo visionário teórico da comunicação Marshall McLuhan.[63] Com o famoso aforismo "O meio é a mensagem", McLuhan identificou a natureza singular da televisão e observou que, em virtude do seu poder de sedução e da forte capacidade de simulação da realidade, ela é o meio ideal para a propaganda.

Na maioria dos lares norte-americanos, o rádio e a televisão criaram um ambiente audiovisual constante que bombardeia os telespectadores e ouvintes com uma corrente infindável de mensagens propagandísticas. Toda a programação das redes de televisão norte-americanas é financiada pelos comerciais e organizada em torno deles, de modo que a comunicação do valor empresarial do consumismo torna-se a mensagem preponderante transmitida pela televisão. A recente cobertura dos Jogos Olímpicos de Sidney pela NBC foi um exemplo grotesco de uma fusão quase total entre a propaganda e a reportagem. Em vez de cobrir os Jogos Olímpicos, a NBC preferiu "produzi-los" para seus telespectadores, empacotando os programas em segmentos curtos e chamativos, intercalados por comerciais, de tal modo que muitas vezes era difícil distinguir entre os comerciais e as competições. As imagens de atletas em competição eram repetidamente transformadas em símbolos "sentimentalóides" e reapareciam em comerciais poucos segundos depois. Por causa disso, a cobertura que de fato se deu aos esportes foi mínima.[64]

Apesar do bombardeio constante de propaganda e dos bilhões de dólares gastos todo ano com ela, vários estudos demonstraram que a propaganda feita pelos meios de comunicação praticamente não tem nenhum efeito específico sobre o comportamento dos consumidores.[65] Essa descoberta surpreendente é mais uma prova de que os seres humanos, como todos os sistemas vivos, não podem ser comandados, mas apenas perturbados. Como vimos, decidir em que prestar atenção e a que reagir é a própria essência do estar vivo.[66]

Isso não quer dizer que os efeitos da propaganda sejam desprezíveis. Como os meios de comunicação audiovisuais tornaram-se os principais canais de comunicação social e cultural nas sociedades urbanas modernas, as pessoas constroem suas imagens simbólicas, seus valores e suas regras de comportamento a partir dos diversos conteúdos oferecidos por esses meios de comunicação. Por isso, as empresas e seus produtos precisam estar presentes nos meios de comunicação para ter a sua marca reconhecida. O que está além do controle dos publicitários é o modo pelo qual os indivíduos vão reagir a um comercial específico.

No decorrer dos últimos vinte anos, novas tecnologias transformaram a tal ponto o mundo da comunicação que muitos observadores passaram a crer que a era dos meios de comunicação de massa — no sentido tradicional de um conteúdo limitado enviado a um público gigantesco e homogêneo — logo chegará ao fim.[67] Os grandes jornais agora são escritos, editados e impressos à distância, com edições diferentes feitas sob medida para os mercados regionais. Os videocassetes tornaram-se uma grande alternativa à televisão aberta, possibilitando que os filmes e programas sejam gravados e assistidos num momento mais conveniente. Além disso, houve a explosão da televisão a cabo, dos canais de satélite e das estações de televisão locais e comunitárias.

O resultado dessas inovações tecnológicas foi uma extraordinária diversificação do acesso aos programas de rádio e televisão e, do outro lado, um drástico declínio da audiência das redes de televisão aberta. Nos Estados Unidos, as três principais redes de televisão conquistavam noventa por cento da audiência no horário nobre em 1980, mas só cinqüenta por cento em 2000, e a audiência continua diminuindo. Segundo Castells, a tendência atual é de um aumento dos meios dirigidos a públicos específicos. Quando as pessoas tiverem acesso a todo um menu de canais feitos sob medida para o seu gosto, estarão dispostas a pagar por isso, o que eliminará desses canais a publicidade paga e aumentará, talvez, a qualidade da programação.[68]

A rápida ascensão da televisão que cobra por emissão específica (*pay-per-service*) nos Estados Unidos — HBO, Showtime, Fox Sports, etc. — não é sinal de que o controle das empresas sobre a televisão esteja diminuindo. Embora alguns desses canais não exibam comerciais, eles ainda assim são controlados por empresas que vão tentar fazer publicidade, custe o que custar. A Internet, por exemplo, é o meio mais recente de que as empresas dispõem para veicular suas propagandas. A America Online (AOL), o maior provedor da Internet, é essencialmente um *shopping center* virtual, saturado de anúncios. Embora ofereça acesso à Web, seus 20 milhões de assinantes passam 84 por cento do tempo usando os serviços do próprio provedor, e só 16 por cento do tempo na Internet aberta. E, unindo-se à gigantesca Time-Warner, a AOL pretende acrescentar ao seu domínio uma quantidade enorme de conteúdos e canais de distribuição já existentes, de modo que as grandes empresas que fazem publicidade possam ter acesso aos assinantes através de uma série de plataformas de mídia.[69]

Hoje em dia, o mundo dos meios de comunicação é dominado por uns poucos conglomerados gigantescos de multimídia, como a AOL-Time-Warner ou a ABC-Disney, que são enormes redes de empresas menores ligadas por vínculos e alianças estratégicas de várias espécies. É assim que os meios de comunicação, como o restante do mundo empresarial, estão também se tornando mais diversificados e descentralizados, ao mesmo tempo que o impacto das empresas sobre a vida das pessoas continua aumentando.

A integração de todas as formas de expressão cultural num único hipertexto eletrônico ainda não se realizou, mas os efeitos dessa perspectiva sobre as nossas percepções já se fazem sentir no conteúdo atual dos programas da televisão aberta e a cabo e nos *sites* da Web a eles associados. A cultura que criamos e sustentamos com nossas redes de comunicações determina não só nossos valores, crenças e regras de conduta, mas até mesmo a nossa percepção da realidade. Como explicam os estudiosos da cognição, os seres humanos existem num contexto de linguagem. À medida que tecemos continuamente uma teia lingüística, nós coordenamos nossos comportamentos e juntos criamos nosso mundo.[70]

Quando essa teia lingüística tornar-se um hipertexto feito de palavras, sons, imagens e outras expressões culturais, transmitidas eletronicamente e abstraídas da história e da geografia, esse fato influenciará profundamente a maneira pela qual vemos o mundo. Como observa Castells, já nos meios de comunicação eletrônicos de hoje em dia podemos observar uma confusão generalizada entre os diversos níveis de realidade.[71] À medida que as diversas modalidades de comunicação emprestam códigos e símbolos umas das outras, os noticiários cada vez mais se parecem com programas de entrevistas, a transmissão de um julgamento pela TV se parece com uma novela e as reportagens sobre conflitos armados se parecem com os filmes de ação, e torna-se cada vez mais difícil distinguir o virtual do real.

Uma vez que os meios eletrônicos, e especialmente a televisão, tornaram-se os principais canais de comunicação de idéias e valores ao público, a política cada vez mais acontece no espaço virtual desses meios.[72] A presença nos meios de comunicação é tão essencial para os políticos quanto é para as empresas e seus produtos. Hoje em dia, na maior parte dos países, os políticos que não aparecem nas redes eletrônicas de comunicação não têm a menor possibilidade de ganhar o apoio do povo. A verdade é que permanecerão totalmente desconhecidos para a imensa maioria dos eleitores.

Com a crescente confusão entre os noticiários e os programas de entretenimento, entre a informação e a publicidade, a política começa a parecer-se cada vez mais com um teatro. Os políticos mais bem-sucedidos já não são os que têm as plataformas mais populares, mas sim os que "ficam bem" na televisão e sabem manipular os símbolos e códigos culturais. A associação dos candidatos com uma "marca" — ou seja, o ato de tornar o nome e a imagem deles atraentes para o público mediante uma associação firme de nome e imagem com símbolos sedutores para os telespectadores — tornou-se tão importante na política quanto é na publicidade empresarial. Num nível muito básico, o poder político está ligado à capacidade de usar eficientemente os símbolos e códigos culturais para estruturar um discurso nos meios de comunicação. Como salienta Castells, isso significa que, na Era da Informação, as lutas pelo poder são lutas culturais.[73]

A questão da sustentabilidade

Nestes últimos anos, os efeitos sociais e ecológicos da nova economia têm sido discutidos à exaustão por acadêmicos e líderes comunitários, como mostramos nas páginas anteriores. As análises deles deixam perfeitamente claro que o capitalismo global, em sua forma atual, é manifestamente insustentável e teria de ser reestruturado desde as bases. Essa reestruturação é defendida até mesmo por alguns "capitalistas esclarecidos", que, depois de ganhar rios de dinheiro, começam agora a se preocupar com a natureza altamente imprevisível e o enorme potencial autodestrutivo do atual sistema. Tal é o caso do financista George Soros, um dos jogadores que mais ganharam no cassino global, que começou há pouco tempo a chamar a doutrina neoliberal da globalização econômica de "fundamentalismo de mercado" e a considera tão perigosa quanto qualquer outro tipo de fundamentalismo.[74]

Além de sua instabilidade econômica, a forma atual do capitalismo global é insustentável dos pontos de vista ecológico e social, e por isso não é viável a longo prazo. O ressentimento contra a globalização econômica está crescendo rapidamente em todas as partes do mundo. Pode ser que o destino último do capitalismo global seja, nas palavras de Manuel Castells, "a rejeição social, cultural e política, por parte de um grande número de pessoas no mundo inteiro, de um Autômato cuja lógica ignora ou desvaloriza a humanidade dessas pessoas".[75] Como veremos, é muito possível que essa rejeição já tenha começado.[76]

Seis

A biotecnologia em seu ponto de mutação

Quando pensamos nas tecnologias avançadas do século XXI, nossa mente se volta não só para a informática, mas também para a biotecnologia. Como a Revolução da Informática, a "revolução biotecnológica" começou nos anos 1970 com diversas inovações decisivas e alcançou seu clímax inicial na década de 1990.

A engenharia genética é às vezes considerada um ramo específico da informática, uma vez que envolve a manipulação de "informações" genéticas. Entretanto, existem diferenças fundamentais e muito interessantes entre as estruturas conceituais em que se baseiam essas duas tecnologias. A compreensão e o uso do conceito de redes têm sido um dos elementos essenciais da Revolução da Informática, ao passo que a engenharia genética baseia-se numa abordagem linear e mecânica, do tipo "encaixe de peças", e até há pouquíssimo tempo simplesmente desconsiderava as redes celulares que são fatores cruciais de todas as funções biológicas.[1] Com efeito, agora que entramos no século XXI, ficamos admirados ao ver que os mais recentes avanços da genética estão forçando os biólogos moleculares a questionar muitos dos conceitos fundamentais sobre os quais baseavam-se originalmente todas as suas pesquisas. Essa observação é o tema central de uma brilhante avaliação do estado da genética nesta virada de século, de autoria da bióloga e historiadora da ciência Evelyn Fox Keller, cujos argumentos vão servir de base para boa parte deste capítulo.[2]

O desenvolvimento da engenharia genética

A engenharia genética, nas palavras da bióloga molecular Mae-Wan Ho, é "um conjunto de técnicas para isolar, modificar, multiplicar e recombinar genes de diferentes organismos".[3] Permite que os cientistas transfiram genes entre espécies que jamais se cruzariam na natureza — tomando, por exemplo, genes de um peixe e colocando-os num morango ou num tomate, ou genes humanos e inserindo-os em vacas ou ovelhas, e criando, assim, novos organismos "transgênicos".

A ciência da genética culminou na descoberta de estrutura física do DNA e na "decifração do código genético", durante a década de 1950,[4] mas os biólogos levaram mais vinte anos para desenvolver as duas técnicas que tornaram possível a engenharia genética. A primeira, chamada de "seqüenciamento do DNA", é a capacidade de determinar a seqüência exata de elementos genéticos (as bases de nucleotídeos) em qualquer trecho da dupla hélice do DNA. A segunda, chamada de "fusão de genes" (*gene-splicing*), consiste em recortar e juntar seções de DNA com a ajuda de certas enzimas especiais isoladas de microorganismos.[5]

É importante compreender que os geneticistas não podem inserir genes estranhos diretamente em uma célula, em virtude das barreiras naturais que separam as espécies e de outros mecanismos de proteção que eliminam ou tornam inativo o DNA estranho. Para contornar esses obstáculos, os cientistas inserem os genes estranhos em certos vírus ou elementos paraviróticos que são rotineiramente usados pelas bactérias em suas trocas de genes.[6] Esses "vetores de transferência de genes" são usados então para "contrabandear" genes estranhos para dentro de células selecionadas, onde os vetores, junto com os genes neles inseridos, introduzem-se no DNA da célula. Quando todas as etapas dessa complexíssima seqüência funcionam do modo previsto — o que quase nunca acontece —, o resultado é um novo organismo transgênico. Outra técnica importante de recombinação genética consiste em produzir cópias de seqüências de DNA, inserindo-as em bactérias (mais uma vez através de vetores de transferência), nas quais elas se multiplicam rapidamente.

O uso de vetores para transferir genes do organismo doador para o organismo receptor é um dos principais motivos pelos quais os processos da engenharia genética são intrinsecamente perigosos. Vetores infecciosos e agressivos poderiam recombinar-se com vírus já existentes, e causadores de doenças, para gerar novas linhagens de vírus. No livro *Genetic Engineering — Dream or Nightmare?*, que serve para nos abrir os olhos, Mae-Wan Ho aventa a hipótese de o surgimento de um grande número de novos vírus e linhagens de bactérias resistentes a antibióticos durante a década passada ter sido devido à comercialização em grande escala da engenharia genética nesse mesmo período.[7]

Desde que se inventou a engenharia genética, os cientistas têm consciência do perigo da criação inadvertida de linhagens virulentas de vírus e bactérias. Nas décadas de 1970 e 1980, cuidavam para que os organismos transgênicos por eles criados ficassem contidos dentro dos laboratórios, pois achavam que não seria seguro soltá-los no meio ambiente. Em 1975, um grupo de geneticistas reunido em Asilomar, Califórnia, publicou a Declaração de Asilomar, que pedia uma moratória na engenharia genética até a elaboração de diretrizes reguladoras apropriadas.[8]

Infelizmente, essa atitude cuidadosa e responsável foi praticamente esquecida na década de 1990, marcada pela frenética corrida de comercialização das novas tecnologias genéticas para o uso na medicina e na agricultura. No começo, pequenas empresas de biotecnologia organizaram-se em torno de vencedores do Prêmio Nobel em algumas grandes universidades e centros de pesquisa norte-americanos; alguns anos depois, elas foram compradas por mega-empresas do setor químico e farmacêutico, que logo se tornaram ardentes defensoras da biotecnologia.

Na década de 1990, assistimos a diversos anúncios sensacionalistas da "clonagem" genética de animais, entre os quais a de uma ovelha no Instituto Roslin, de Edimburgo, e de vários camundongos na Universidade do Havaí.[9] Enquanto isso, a biotecnologia vegetal invadiu o mundo agrícola com uma rapidez incrível. Só entre 1996 e 1998, a área total plantada com sementes transgênicas no mundo mais do que decuplicou, de 2,8 para 30 milhões de hectares.[10] Essa disseminação maciça de organismos geneticamente modificados (OGMs) no meio ambiente acrescentou o risco ecológico aos problemas que a biotecnologia já apresentava.[11] Infelizmente, esse risco é simplesmente desconsiderado pelos geneticistas, que em geral não têm quase nenhum conhecimento de ecologia.

Como observa Mae-Wan Ho, as técnicas de engenharia genética são hoje dez vezes mais rápidas e mais poderosas do que há vinte anos; e novas linhagens de OGMs, criados para ter uma forte resistência ecológica, são deliberadamente soltos no ambiente em grande escala. Com tudo isso, e apesar do grande aumento dos potenciais perigos, não se viu mais nenhuma declaração dos geneticistas em favor de uma moratória. Muito pelo contrário: os conselhos responsáveis pela regulamentação têm cedido continuamente à pressão das empresas e mitigado normas de segurança que já não eram suficientes.[12]

Quando o capitalismo global começou a crescer na década de 1990, sua mentalidade de atribuir valor supremo ao ganho de dinheiro envolveu a biotecnologia e, ao que parece, provocou o esquecimento de todas as considerações éticas. Atualmente, muitos geneticistas de renome são donos de empresas de biotecnologia ou trabalham em íntima associação com tais empresas. A motivação desse crescimento da engenharia genética não é o progresso da ciência, nem a descoberta de curas para as doenças, nem a vontade de alimentar os famintos: é o desejo de garantir ganhos financeiros nunca vistos antes.

O maior empreendimento de biotecnologia já realizado até agora, e talvez o mais concorrido, foi o Projeto Genoma Humano — a tentativa de identificar e mapear a seqüência genética inteira da espécie humana, que contém dezenas de milhares de genes. Na década de 1990, esse esforço de pesquisa transformou-se numa desabalada corrida entre um projeto financiado pelo governo norte-americano, que tornava todas as suas descobertas disponíveis ao público, e um grupo privado de geneticistas que guardava segredo sobre todos os seus dados a fim de patenteá-los e vendê-los a empresas de biotecnologia. Na sua fase final e mais dramática, a corrida foi vencida por um inesperado herói — um jovem pós-graduando que criou sozinho o programa de computador que permitiu que o projeto público ganhasse a corrida por meros três dias de diferença, e assim impediu que o conhecimento científico dos genes humanos ficasse nas mãos de um grupo privado.[13]

O Projeto Genoma Humano começou em 1990. Era, na época, um programa de colaboração entre diversas equipes de geneticistas de elite, coordenado por James Watson (que, com Francis Crick, descobriu a dupla hélice do DNA) e financiado pelo governo dos EUA com uma verba de cerca de três bilhões de dólares. Esperava-se que um esboço do mapa genético ficasse pronto antes da época prevista, em 2001; mas, enquanto o projeto se desenvolvia, um outro grupo, a Celera Genomics, dotado de computadores superiores e financiado por investidores capitalistas, ultrapassou o projeto financiado pelo governo e começou a patentear seus dados para garantir a exclusividade de direitos comerciais sobre a manipulação de genes humanos. Reagindo a isso, o projeto público (que se tornara um consórcio internacional coordenado pelo geneticista Francis Collins) publicava diariamente suas descobertas na Internet, para garantir que elas caíssem no domínio público e não pudessem ser patenteadas.

Em dezembro de 1999, o consórcio público já identificara 400.000 fragmentos de DNA, a maioria dos quais era menor do que um gene médio; mas não se tinha idéia de como compor essas peças — que "não merecem ser consideradas uma seqüência", como gostava de observar o concorrente Craig Venter, biólogo fundador da Celera Genomics. A essa altura, David Haussler, professor de ciência da computação na Universidade da Califórnia (Santa Cruz), entrou no consórcio. Haussler acreditava que o projeto já dispunha de dados suficientes para a elaboração de um programa de computador que montasse corretamente as peças.

Entretanto, o progresso era lento demais e, em maio de 2000, Haussler contou a um de seus pós-graduandos, James Kent, que a perspectiva de terminar antes da Celera era "mínima". Como muitos outros cientistas, Kent também estava preocupado com a possibilidade de todo o trabalho futuro de compreensão do genoma humano ficar sob o controle de empresas privadas, caso os dados da seqüência não fossem publicados antes de ser patenteados. Quando ficou sabendo da lentidão com que caminhava o projeto público, disse a seu professor que se achava capaz de escrever um programa de composição baseado numa estratégia superior e mais simples.

Depois de quatro semanas de trabalho ininterrupto, no decorrer do qual aliviava com bolsas de gelo as dores nos pulsos entre as sessões de digitação, James Kent havia escrito 10.000 linhas de código, completando a primeira seqüência do genoma humano. "Ele é incrível", disse Haussler ao *New York Times*. "Esse programa representa um volume de trabalho que uma equipe de cinco ou dez programadores teria levado de seis meses a um ano para completar. Jim [sozinho] criou em quatro semanas... esse fragmento de código extraordinariamente complexo."[14]

Além do programa de seqüenciamento, apelidado de "caminho de ouro", Kent criou um outro programa, uma espécie de *browser*, que permitia que os cientistas vissem de graça a primeira seqüência montada do genoma humano, sem ter de assinar o banco de dados da Celera. A corrida do genoma humano terminou oficialmente sete meses depois, quando o consórcio público e os cientistas da Celera publicaram seus resultados — na mesma semana, o primeiro na *Nature* e os outros na *Science*.[15]

Uma revolução conceitual na genética

Enquanto fervia a competição pela busca do primeiro mapeamento do genoma humano, o próprio sucesso desse mapeamento e de outras tentativas de seqüenciamento do DNA desencadeou uma revolução conceitual na genética que, provavelmente, vai mostrar o quanto são fúteis as esperanças de que o mapeamento do genoma humano logo venha a gerar aplicações práticas e tangíveis. Para usar o conhecimento da genética a fim de influenciar o funcionamento do organismo — para prevenir ou curar doenças, por exemplo — não basta sabermos onde os genes específicos se localizam; é preciso saber também como eles funcionam. Depois de determinar a seqüência de grandes porções do genoma humano e de mapear os genomas completos de diversas espécies vegetais e animais, os geneticistas naturalmente voltaram a sua atenção da estrutura dos genes para a sua função; e, quando o fizeram, constataram o quanto ainda é limitado o nosso conhecimento do funcionamento dos genes. Como observa Evelyn Fox Keller, "Os desenvolvimentos mais recentes da biologia molecular nos deram uma nova noção da grandeza do abismo que separa a informação genética do significado biológico."[16]

Várias décadas depois da descoberta da dupla hélice do DNA e do código genético, os biólogos moleculares ainda acreditavam que o "segredo da vida" estava na seqüência de elementos genéticos dos filamentos de DNA. Pensavam que, se fôssemos capazes de identificar e decodificar essas seqüências, compreenderíamos a "programação" genética que determina todas as estruturas e processos biológicos. Hoje em dia, são muito poucos os biólogos que ainda crêem nisso. As novas e sofisticadas técnicas de seqüenciamento do DNA e de pesquisa genética, desenvolvidas recentemente, evidenciam cada vez mais que os conceitos tradicionais do "determinismo genético" — entre os quais o conceito de programação genética e, talvez, o próprio conceito de gene — não correspondem à realidade e precisam ser radicalmente revistos.

Está ocorrendo uma profunda mudança de ponto de vista na qual o elemento principal deixa de ser a estrutura das seqüências genéticas e passa a ser a organização das redes metabólicas; deixa de ser a genética e passa a ser a epigenética. É uma mudança do pensamento reducionista para o pensamento sistêmico. Nas palavras de James Bailey, geneticista do Instituto de Biotecnologia de Zurique, "A atual proliferação de seqüências genômicas completas... está forçando a pesquisa em biociências a tomar por tema a integração e o comportamento sistêmico [dos elementos celulares]."[17]

Estabilidade e mudança

Para compreender a magnitude e a extensão dessa mudança conceitual, temos de recapitular as origens da genética, que estão na teoria da evolução de Darwin e na teoria da hereditariedade de Mendel. Quando Charles Darwin formulou sua teoria, baseada nos conceitos de "variação aleatória" (chamada depois de mutação aleatória) e seleção natural, logo ficou claro que as variações aleatórias, tais como Darwin as concebia, não poderiam explicar o surgimento de novas características na evolução das espécies. Darwin partilhava com seus contemporâneos o pressuposto de que as características biológicas de um indivíduo qualquer representam uma "mistura" das características de seus pais, mistura essa que seria formada com partes iguais de cada um dos pais. Segundo essa idéia, o indivíduo gerado por um pai portador de uma variação aleatória útil só herdaria 50 por cento da nova característica, e só passaria

25 por cento dela para a geração seguinte. Assim, a nova característica rapidamente se diluiria, e teria pouquíssima probabilidade de fixar-se na espécie pela seleção natural.

Embora a teoria darwiniana da evolução tenha proporcionado ao mundo científico uma compreensão radicalmente nova da origem e da transformação das espécies, que se tornou uma das grandes conquistas da ciência moderna, não pôde explicar a permanência de características recém-evoluídas, nem mesmo o fato mais geral de que, em cada geração, os organismos vivos, à medida que crescem e se desenvolvem, manifestam infalivelmente as características típicas da sua espécie. Essa impressionante estabilidade se aplica até mesmo a características individuais particulares, como certas semelhanças de família que se transmitem fielmente de geração em geração.

O próprio Darwin reconheceu que a inépcia de sua teoria para explicar a constância dos traços hereditários era uma lacuna grave que ele não conseguia suprir. Ironicamente, a solução do problema foi descoberta por Gregor Mendel uns poucos anos depois da publicação do *A Origem das Espécies* de Darwin, mas permaneceu ignorada por várias décadas até ser redescoberta no começo do século XX.

A partir de cuidadosos experimentos feitos em sua horta de ervilhas, Mendel deduziu que havia "unidades de hereditariedade" — depois chamadas de genes — que não se misturavam no processo de reprodução, mas eram transmitidas de geração em geração sem mudar de identidade. Essa descoberta autorizava a suposição de que as mutações aleatórias não desapareceriam depois de poucas gerações, mas seriam preservadas, para depois ser reforçadas ou eliminadas pela seleção natural.

Com a descoberta da estrutura física dos genes, feita por Watson e Crick na década de 1950, a estabilidade genética passou a ser compreendida como a fiel auto-replicação da dupla hélice do DNA; e as mutações, do mesmo modo, passaram a ser concebidas como erros aleatórios ocorridos nesse processo, ocasionais mas muito raros. No decorrer das décadas subseqüentes, essa idéia fez com que se firmasse o conceito do gene como uma unidade hereditária claramente distinta e estável.[18]

Entretanto, os recentes progressos da biologia molecular puseram em xeque toda a nossa concepção da estabilidade genética e, com ela, a imagem dos genes como agentes causais da vida biológica, imagem essa que se arraigou profundamente no pensamento popular e científico. Como explica Evelyn Fox Keller,

> É verdade que a estabilidade genética continua sendo uma propriedade tão notável quanto sempre foi, e é, sem dúvida alguma, uma propriedade

de todos os organismos conhecidos. A dificuldade surge com a questão de como essa estabilidade se mantém, questão essa que tem se revelado muito mais complexa do que se podia imaginar.[19]

Quando os cromossomos de uma célula se duplicam no processo de divisão celular, suas moléculas de DNA dividem-se de tal modo que as duas cadeias da dupla hélice se separam e cada uma serve de matriz para a construção de uma nova cadeia complementar. Essa auto-replicação ocorre com uma fidelidade impressionante. A freqüência de erros de cópia, ou seja, de mutações, é mais ou menos de um em dez bilhões!

Essa fidelidade extrema, que está na origem da estabilidade genética, não é somente uma conseqüência da estrutura física do DNA. Com efeito, uma molécula de DNA, por si, não é capaz de auto-replicar-se. Ela precisa de enzimas específicas para facilitar cada passo do processo de auto-replicação.[20] Um tipo de enzima ajuda os dois filamentos originais a desenrolar-se um do outro; outro tipo impede que os filamentos desenrolados se enrolem de novo; e todo um exército de outras enzimas selecionam os elementos genéticos corretos, ou "bases", para a constituição dos filamentos complementares, verificam a correção das bases acrescentadas ao novo filamento, corrigem os erros de combinação e reparam os danos acidentais sofridos pela estrutura do DNA. Sem esse elaborado sistema de controle, verificação e conserto, os erros no processo de auto-replicação aumentariam de maneira drástica. Segundo as estimativas atuais, não uma em cada dez bilhões, mas uma em cada cem bases seria copiada erroneamente.[21]

Essas descobertas recentes mostram claramente que a estabilidade genética não é uma propriedade intrínseca da estrutura do DNA, mas uma propriedade emergente que resulta da dinâmica complexa de toda a rede celular. Nas palavras de Keller:

> Parece, portanto, que a estabilidade da estrutura celular não é um ponto de partida, mas um produto final — o resultado de um processo dinâmico altamente orquestrado que exige a participação de um grande número de enzimas organizadas em complexas redes metabólicas que regulam e garantem tanto a estabilidade da molécula de DNA quanto a fidelidade da sua replicação.[22]

Quando uma célula se reproduz, ela transmite às células-filhas não só a dupla hélice de DNA recém-replicada, mas também um conjunto completo das enzimas necessárias, além das membranas e outras estruturas celulares — em suma, a rede celular inteira. E assim o metabolismo celular continua sem romper jamais os seus padrões autogeradores em rede.

Na tentativa de compreender a complexa orquestração da atividade enzimática que dá origem à estabilidade genética, os biólogos, há pouco tempo, ficaram perplexos ao descobrir que a fidelidade da replicação do DNA nem sempre é levada ao máximo. Parece haver mecanismos que geram ativamente erros de cópia através da mitigação de alguns dos processos de controle. Além disso, parece que, para ocorrer, esse processo de aumento da taxa de mutações depende tanto do organismo quanto das condições em que o organismo se encontra.[23] Em todo organismo vivo, há um equilíbrio sutil entre a estabilidade genética e a "mutabilidade" — a capacidade do organismo de produzir ativamente mutações em si mesmo.

O controle da mutabilidade é uma das descobertas mais fascinantes da pesquisa genética contemporânea. Segundo Keller, ele se tornou um dos temas mais "quentes" da biologia molecular. "Com as novas técnicas analíticas que agora temos à disposição", explica ela, "muitos aspectos desse mecanismo bioquímico de controle foram elucidados. Mas, a cada passo rumo à elucidação, o quadro se torna mais complexo e mais rico em detalhes."[24]

Seja qual for a dinâmica específica desse processo de controle, as implicações da mutabilidade genética para a nossa compreensão da evolução são enormes. De acordo com a concepção neodarwinista convencional, o DNA é uma molécula intrinsecamente estável sujeita a mutações aleatórias ocasionais; e a evolução é determinada pelo mero acaso, ao qual se sucede a seleção natural.[25] As novas descobertas da genética forçarão os biólogos a adotar uma concepção radicalmente diferente: a de que as mutações são geradas e controladas ativamente pela rede epigenética da célula e que a evolução é um elemento essencial da auto-organização dos organismos vivos. O biólogo molecular James Shapiro escreveu:

> Essas novas idéias sobre as moléculas geraram um novo conceito de como o genoma se organiza e reorganiza e abriram toda uma nova gama de possibilidades de concepção da evolução. Em vez de ficarmos limitados à contemplação de um processo lento e dependente de variações genéticas aleatórias (ou seja, cegas)..., temos agora a liberdade de pensar de maneira realista, do ponto de vista molecular, sobre os modos pelos quais o genoma se reestrutura rapidamente, controlado por redes biológicas de realimentação.[26]

A nova concepção da evolução como parte da auto-organização da vida é corroborada ainda por prolongadas pesquisas feitas no campo da microbiologia, que mostraram que as mutações constituem apenas um dos três caminhos de mudança evolutiva, sendo os outros dois a troca de genes entre bactérias e a simbiogênese — a criação de novas formas de vida através da fusão de diversas espécies. O recente mapeamento do genoma humano mostrou que muitos genes humanos originaram-se das bactérias, dando mais uma confirmação à teoria da simbiogênese, proposta há mais de trinta anos pela microbióloga Lynn Margulis.[27] Em seu conjunto, esses avanços da genética e da microbiologia representam uma admirável mudança conceitual no contexto da teoria da evolução — uma mudança da insistência neodarwinista no "acaso" e na "necessidade" para uma visão sistêmica na qual a mudança evolutiva é entendida como uma manifestação da auto-organização da vida.

Uma vez que a concepção sistêmica da vida também identifica a atividade auto-organizadora dos organismos com a cognição,[28] isso significa que a evolução, em última análise, tem de ser compreendida como um processo cognitivo. No seu discurso, proferido na entrega do Prêmio Nobel de 1983, a geneticista Barbara McClintock refletiu profeticamente:

> No futuro, não há dúvida de que todas as atenções se voltarão para o genoma, com uma consciência maior do significado deste como um órgão altamente sensível da célula, que acompanha as atividades genômicas, corrige os erros comuns, percebe os acontecimentos estranhos e inesperados e reage a eles.[29]

Para além do determinismo genético

Vamos recapitular a primeira intuição importante que nasceu dos recentes progressos das pesquisas em genética: A estabilidade dos genes, que são as "unidades de hereditariedade" do organismo, não é uma propriedade intrínseca da molécula de DNA, mas nasce espontaneamente de uma dinâmica complexa de processos celulares. Munidos dessa concepção da estabilidade genética, voltemo-nos para a questão central da genética: O que fazem os genes, na realidade? Como dão origem aos traços e formas de comportamento hereditários? Depois da descoberta da dupla hélice do DNA e do mecanismo de auto-replicação dessa molécula, os biólogos moleculares levaram mais dez anos para encontrar uma resposta a essa pergunta, numa pesquisa que foi, mais uma vez, comandada por James Watson e Francis Crick.[30]

Para dizê-lo de forma extremamente simplificada, os processos celulares que subjazem às formas biológicas e ao comportamento são catalisados por enzimas, e as enzimas são especificadas pelos genes. Para produzir-se uma enzima específica, as informações contidas no gene correspondente (ou seja, na seqüência correspondente de bases nucleotídicas no filamento de DNA) são copiadas para um filamento complementar de RNA. A molécula de RNA serve de mensageira e leva as informações genéticas para um ribossomo, a estrutura celular onde são produzidas as enzimas e outras proteínas. No ribossomo, a seqüência genética é traduzida em instruções para a montagem de uma seqüência de aminoácidos, os elementos básicos de que são feitas as proteínas. O célebre "código genético" é a correspondência precisa pela qual os sucessivos tripletes de bases genéticas no filamento de RNA traduzem-se numa seqüência de aminoácidos na molécula de proteína.

Com essas descobertas, a resposta à questão do funcionamento do gene parecia incrivelmente simples e elegante: os genes detêm os códigos de produção das enzimas, que são os catalisadores necessários de todos os processos celulares. Assim, os genes determinam os traços biológicos e o comportamento, e cada gene corresponde a uma enzima específica. Francis Crick deu a essa explicação o nome de Dogma Central da biologia molecular. Ela postula uma cadeia causal linear que vai do DNA ao RNA, deste às proteínas (enzimas) e destas às características biológicas. Na paráfrase coloquial que se tornou conhecida entre os biólogos moleculares, "O DNA faz o RNA, o RNA faz as proteínas e as proteínas fazem a gente."[31] O Dogma Central inclui ainda a asserção de que essa cadeia causal linear define um fluxo unidirecional de informação dos genes às proteínas, sem a possibilidade de nenhuma determinação no sentido contrário.

A cadeia linear proposta pelo Dogma Central é, de fato, simplista demais para descrever os processos reais que resultam na síntese de proteínas. E a discrepância entre a estrutura teórica e a realidade biológica torna-se ainda maior quando a seqüência linear é resumida somente em seus dois extremos, de modo que o Dogma Central passe a ser a afirmação: "Os genes determinam o comportamento." Essa idéia, chamada de determinismo genético, tornou-se a base conceitual da engenharia genética. É vigorosamente promovida pelas empresas de biotecnologia e repetida à exaustão pelos meios de comunicação populares: Quando conhecermos exatamente a seqüência de bases genéticas do DNA, saberemos como os genes causam o câncer, a inteligência ou a índole violenta.

O determinismo genético tem sido o paradigma dominante na biologia molecular desde há quarenta anos, no decorrer dos quais deu origem a um bom número de poderosas metáforas. O DNA costuma ser chamado de "programa" ou "projeto" genético do organismo, ou mesmo de "livro da vida", e o código genético seria a "linguagem universal da vida". Como observa Mae-Wan Ho, o excesso de atenção dirigida para os genes tem praticamente impedido que os biólogos olhem para o organismo como um todo. O organismo vivo tende a ser entendido simplesmente como um conjunto de genes, pelo fato de ser totalmente passivo, dependente de mutações aleatórias e forças seletivas do ambiente sobre as quais não tem absolutamente nenhum controle.[32]

Segundo o biólogo molecular Richard Strohman, a falácia básica do determinismo genético está numa confusão de níveis. Uma teoria que, pelo menos a princípio, funcionava bem para a compreensão do código genético — o modo pelo qual os genes contêm as informações necessárias para a produção de proteínas — transformou-se numa teoria geral da vida, sendo os genes concebidos como agentes causais de todos os fenômenos biológicos. "Na biologia, nós estamos confundindo os níveis, e isso não dá certo", conclui Strohman. "A extensão ilegítima de um paradigma genético — que passa do nível relativamente simples da codificação e decodificação genética para o nível complexo do comportamento celular — representa um erro epistemológico de primeira ordem."[33]

Os problemas do dogma central

Os problemas do Dogma Central evidenciaram-se no fim da década de 1970, quando os biólogos passaram a fazer pesquisas de genética com outros organismos que não as bactérias. Logo descobriram que, nos organismos superiores, a correspondência simples entre as seqüências de DNA e as seqüências protéicas de aminoácidos já não existe, de modo que o preciso e simples princípio "um gene — uma proteína" tem de ser descartado. Aliás, parece que os processos de síntese de proteínas vão se tornando cada vez mais complexos quanto mais complexos são os organismos de que se trata — o que, afinal de contas, é bastante razoável.

Nos organismos superiores, os genes que portam as informações necessárias para a síntese de proteínas tendem a apresentar-se fragmentados, e não a formar seqüências contínuas.[34] São formados por segmentos codificadores entremeados de longas e repetitivas seqüências não-codificadoras, cuja função ainda não está clara. A proporção do DNA codificador para o não-codificador varia muito, e em alguns organismos pode não passar de 1 a 2 por cento. Todo o restante costuma ser chamado de "DNA refugo" (*junk DNA*). Entretanto, como a seleção natural preservou esses segmentos não-codificadores no decorrer de toda a história da evolução, é razoável supor que eles desempenhem um papel importante, conquanto ainda misterioso.

Com efeito, a complexa paisagem genética revelada pelo mapeamento do genoma humano nos dá algumas pistas curiosas sobre a evolução humana — uma espécie de registro fóssil genético dos chamados "genes saltadores", que se separaram de seus cromossomos nos primórdios da nossa evolução, reproduziram-se independentemente e depois reintroduziram suas cópias em diversas partes do genoma principal. A distribuição dos "genes saltadores" mostra que algumas dessas seqüências não-codificadoras podem contribuir para a ordenação geral da atividade genética.[35] Em outras palavras, elas não são refugo de maneira alguma.

Quando um gene fragmentado é transcrito para um filamento de RNA, a cópia tem de ser processada para que a síntese da proteína possa começar. Então entram em jogo enzimas especiais que retiram do filamento os segmentos não-codificadores e recombinam os segmentos codificadores restantes para formar uma transcrição "madura": o RNA mensageiro sofre um processo de edição no caminho para a síntese protéica.

Esse processo de edição não é sempre igual. As seqüências codificadoras podem ser recombinadas de mais de uma maneira, e cada recombinação alternativa resulta numa proteína diferente. Assim, muitas proteínas diferentes podem ser produzidas a partir da mesma seqüência genética primária — num número que às vezes chega às centenas, de acordo com as estimativas atuais.[36] Isso significa que temos de abandonar definitivamente o princípio de que cada gene determina a produção de uma enzima (ou outra proteína) específica. Já não podemos deduzir, a partir da seqüência genética do DNA, qual enzima será produzida. Keller afirma que:

> O sinal ou os sinais que determinam o padrão específico a ser assumido pela transcrição final... [são dados pela] dinâmica reguladora complexa da célula como um todo.... A decifração da estrutura desses caminhos de sinalização tornou-se um dos grandes temas de pesquisa da biologia molecular contemporânea.[37]

Outra surpresa recente foi a descoberta de que a dinâmica reguladora da rede celular determina não só qual proteína será produzida a partir de um gene fragmentado, mas também como essa proteína vai funcionar. Há algum tempo já se sabe que uma proteína pode funcionar de várias maneiras, dependendo do contexto em que está. Agora os cientistas descobriram que a complexa estrutura tridimensional de uma molécula de proteína pode ser modificada por meio de vários mecanismos celulares, e que essas modificações alteram a função da molécula.[38] Em suma, a dinâmica celular pode determinar a formação de muitas proteínas a partir de um único gene, e de muitas funções a partir de uma única proteína — algo muito diferente da cadeia causal linear do Dogma Central.

Quando deixamos de olhar só para o gene e passamos a olhar para o genoma inteiro — e, do mesmo modo, quando deixamos de lado a formação de proteínas específicas e voltamos nossa atenção para a formação do organismo como um todo —, encontramos todo um novo conjunto de problemas relacionados à idéia do determinismo genético. Quando as células se dividem no desenvolvimento do embrião, por exemplo, cada nova célula recebe exatamente o mesmo conjunto de genes, e, não obstante, as células especializam-se de maneiras muito diversas, tornando-se células musculares, células sangüíneas, células nervosas, etc. Há muitas décadas, os biólogos desenvolvimentistas concluíram desse fato que os tipos de células são diferentes não porque contêm genes diferentes, mas porque em cada um deles os genes ativados são diferentes. Em outras palavras, a estrutura do genoma é a mesma em todas essas células, mas os padrões de atividade genética são diferentes. A pergunta que fica é a seguinte: o que causa as diferenças de atividade nos genes, ou, para usar um termo técnico, de "expressão" genética? Nas palavras de Keller, "Os genes não se limitam a *agir*; têm de ser *ativados*."[39] Eles são como que "ligados" e "desligados" em face de determinados sinais.

Situação semelhante é a que surge quando comparamos os genomas de diferentes espécies. As pesquisas recentes em genética revelaram semelhanças surpreendentes entre os genomas dos seres humanos e dos chimpanzés, e até mesmo entre os dos seres humanos e os dos ratos. Os geneticistas já acreditam que o plano corporal básico dos animais é construído a partir de conjuntos de genes muito semelhantes em todo o reino animal.[40] Não obstante, o resultado é uma enorme variedade de criaturas radicalmente diferentes. Parece, mais uma vez, que as diferenças devem-se aos padrões de expressão genética.

Para resolver o problema da expressão genética, os biólogos moleculares François Jacob e Jacques Monod, no começo da década de 1960, criaram uma engenhosa distinção entre "genes estruturais" e "genes reguladores". Os genes estruturais, diziam, seriam os responsáveis pela codificação das proteínas, ao passo que os genes reguladores controlariam as taxas de transcrição do DNA e ordenariam, assim, a expressão genética.[41]

Partindo do princípio de que os próprios mecanismos reguladores eram genéticos, Jacob e Monod conseguiram manter-se dentro do paradigma do determinismo genético, e salientaram esse ponto mediante o uso da metáfora da "programação genética" para descrever o processo de desenvolvimento biológico. Uma vez que, nessa mesma época, a ciência da computação estava criando raízes como uma disciplina empolgante e de vanguarda, a metáfora da programação genética ganhou muita força e em pouco tempo tornou-se a explicação predominante do desenvolvimento biológico.

As pesquisas subseqüentes mostraram, porém, que o "programa" responsável pela ativação dos genes não reside no genoma, mas na rede epigenética da célula. Várias estruturas celulares ligadas à regulação da expressão genética já foram identificadas. Entre elas existem proteínas estruturais, hormônios, redes de enzimas e muitos outros complexos moleculares. Em particular, a "cromatina" — um grande número de proteínas que se entremeiam aos filamentos de DNA dentro dos cromossomos — parece desempenhar um papel de destaque, uma vez que constitui o ambiente mais imediato em que existe o genoma.[42]

O que decorre dos recentes progressos da genética é uma consciência cada vez maior de que os processos biológicos que envolvem os genes — a fidelidade com que o DNA se reproduz, a taxa de mutações, a transcrição das seqüências codificadoras, a escolha das funções das proteínas e os padrões de expressão genética — são todos regulados pela rede celular na qual o genoma está inserido. Essa rede é altamente não-linear e contém múltiplos anéis de realimentação, de modo que os padrões de atividade genética mudam continuamente em face das circunstâncias mutáveis.[43]

O DNA é uma parte essencial da rede epigenética, mas não é o único agente causal das formas e funções biológicas, como queria o Dogma Central. A forma e o comportamento biológicos são propriedades emergentes da dinâmica não-linear da rede, e podemos ter certeza de que nossa compreensão desses processos de surgimento espontâneo crescerá muito quando a teoria da complexidade for aplicada à nova disciplina da "epigenética". Aliás, essa aplicação já está sendo levada a cabo por vários biólogos e matemáticos.[44]

A teoria da complexidade pode ainda lançar nova luz sobre uma propriedade curiosa do desenvolvimento biológico, descoberta há quase cem anos pelo embriologista alemão Hans Driesch. Numa série de cuidadosos experimentos feitos com ovos de ouriços-do-mar, Driesch demonstrou que, mesmo que se destruíssem várias células do embrião nos primeiros estágios do seu desenvolvimento, ele ainda assim cresceria e se tornaria um ouriço-do-mar adulto e perfeito.[45] Do mesmo modo, experimentos genéticos mais recentes demonstraram que a desativação de genes específicos, mesmo dos que supostamente seriam essenciais, tem pouquíssimo efeito sobre o funcionamento do organismo.[46]

A estabilidade, essa notável robustez do desenvolvimento biológico, significa que um embrião pode partir de estágios iniciais muito diferentes — no caso de genes específicos ou células inteiras serem destruídos acidentalmente — mas, não obstante, alcançar a mesma forma madura que é característica da sua espécie. Está claro que esse fenômeno é absolutamente incompatível com o determinismo genético. Nas palavras de Keller, a pergunta é a seguinte: "O que faz com que o desenvolvimento não se desvie dos seus caminhos?"[47]

Os pesquisadores em genética estão chegando a uma espécie de consenso em torno da idéia de que essa robustez é sinal de uma redundância funcional nos caminhos genéticos e metabólicos. Parece que as células têm múltiplos caminhos para a produção das estruturas celulares mais importantes e para dar apoio aos processos metabólicos essenciais.[48] Essa redundância garante não só a marcante estabilidade do desenvolvimento biológico como também uma grande flexibilidade e uma notável capacidade de adaptação às mudanças ambientais inesperadas. A redundância genética e metabólica talvez possa ser concebida como análoga à biodiversidade nos ecossistemas. Parece que a vida fez evoluir uma ampla diversidade e redundância em todos os seus níveis de complexidade.

A constatação da redundância genética contradiz frontalmente o determinismo genético e, em particular, a metáfora do "gene egoísta" proposta pelo biólogo Richard Dawkins.[49] Segundo Dawkins, os genes se comportam como se fossem egoístas, competindo constantemente uns com os outros, através dos organismos que produzem, para deixar mais cópias de si mesmos. A partir desse ponto de vista reducionista, a disseminadíssima existência de genes redundantes não tem um sentido evolutivo. Já do ponto de vista sistêmico, reconhecemos que a seleção natural não se faz valer sobre os genes individuais, mas sobre os padrões de auto-organização do organismo. Como diz Keller, "É a própria permanência do ciclo de vida que... se tornou o objeto da evolução."[50]

É evidente que a existência de caminhos múltiplos é uma propriedade essencial de todas as redes; pode até ser vista como a característica que define uma rede. Por isso, não é motivo de surpresa se a dinâmica não-linear (a matemática da teoria da complexidade), que é eminentemente adequada à análise das redes, tenha contribuições importantes a dar para a compreensão da força e da estabilidade do desenvolvimento.

Na linguagem da teoria da complexidade, o processo de desenvolvimento biológico é visto como o desdobramento contínuo de um sistema não-linear, que se desenrola à medida que o embrião se forma a partir de um amplo domínio de células.[51] Essa "camada de células" tem certas propriedades dinâmicas que dão origem a uma seqüência de deformações e dobraduras à medida que o embrião cresce. O processo inteiro pode ser representado matematicamente por uma trajetória num "espaço de fase", que se move dentro de uma "bacia de atração" rumo a um "atrator" que descreve o funcionamento do organismo em sua forma adulta estável.[52]

Uma das propriedades características dos sistemas complexos não-lineares é o fato de manifestarem uma certa "estabilidade estrutural". Uma bacia de atração pode ser perturbada ou deformada sem mudar as características básicas do sistema. No caso de um embrião em fase de desenvolvimento, isso significa que as condições iniciais do processo podem, até certo ponto, ser modificadas sem perturbar seriamente o desenvolvimento como um todo. É assim que a estabilidade do desenvolvimento, que parece misteriosa para a teoria do determinismo genético, passa a ser reconhecida como conseqüência de uma propriedade muito básica dos sistemas complexos não-lineares.

O que é um gene?

O progresso surpreendente feito pelos geneticistas no esforço de identificar e determinar a seqüência de genes específicos e de mapear genomas inteiros trouxe consigo a consciência premente de que precisamos ir além da idéia de gene para compreender de fato os fenômenos genéticos. Pode até ser que sejamos forçados a abandonar por completo o conceito do "gene" como entidade discreta. Uma coisa é certa: os genes não são aqueles agentes causais dos fenômenos biológicos, independentes e distintos, postulados pelo determinismo genético e até mesmo sua estrutura parece furtar-se a uma definição precisa.

Os geneticistas têm dificuldade para chegar a um consenso, até quanto ao número de genes contidos no genoma humano, pois a porção de genes responsáveis pela codificação de aminoácidos parece ser de menos de dois por cento. E como esses genes codificadores são fragmentados e entremeados de longas seqüências não-codificadoras, a pergunta de onde começa e termina um gene não é nada fácil de responder. Antes do término do Projeto Genoma Humano, as estimativas do número total de genes iam de 30.000 a 120.000. Parece agora que o valor inferior é mais próximo do número real, mas nem todos os geneticistas concordam com isso.

Pode ser que, no fim, nós só possamos dizer que os genes são segmentos contínuos ou descontínuos de DNA, cujas estruturas exatas e funções específicas só podem ser determinadas pela dinâmica da rede genética circundante e podem inclusive mudar com a mudança das circunstâncias. O geneticista William Gelbart vai ainda mais longe ao escrever:

> Ao contrário dos cromossomos, os genes não são objetos físicos, mas simples conceitos que adquiriram, no decorrer das últimas décadas, uma enorme bagagem histórica... É possível que tenhamos chegado a um ponto em que o uso do termo "gene" tem muito pouco valor, podendo inclusive ser um obstáculo à nossa compreensão do genoma.[53]

Na sua prolongada avaliação do estado atual da genética, Evelyn Fox Keller chega a uma conclusão parecida:

> Muito embora essa mensagem ainda tenha de ser assimilada pela imprensa popular, um número cada vez maior de pessoas que trabalham em pesquisas contemporâneas de vanguarda tem certeza de que a primazia do gene como conceito explicativo básico das formas e funções biológicas é mais uma característica do século XX do que será do século XXI.[54]

O fato de muitos dos principais pesquisadores em genética molecular sentirem agora a necessidade de ir além dos genes e adotar uma perspectiva epigenética mais ampla é importante para nossa avaliação do estado atual da biotecnologia. Veremos que os problemas relacionados à compreensão do elo entre os genes e as doenças, ao uso da clonagem nas pesquisas em medicina e às aplicações da biotecnologia na agricultura têm, todos eles, as suas raízes na estrutura conceitual estreita do determinismo genético, e provavelmente só poderão ser resolvidos quando uma perspectiva sistêmica e mais ampla for adotada pelos principais defensores da biotecnologia.

Os genes e as doenças

Quando as técnicas de seqüenciamento do DNA e recombinação de genes foram desenvolvidas, na década de 1970, as novas empresas de biotecnologia e os geneticistas que nelas trabalhavam voltaram sua atenção, antes de mais nada, para as aplicações na medicina da engenharia genética. Como se pensava que os genes determinavam as funções biológicas, era natural supor-se que as causas radicais dos distúrbios biológicos poderiam ser encontradas nas mutações genéticas, e assim os geneticistas propuseram-se a tarefa de identificar com precisão os genes causadores de doenças específicas. Pensavam que, se tivessem êxito nessa empreitada, poderiam prevenir ou curar essas doenças "genéticas" pela correção ou substituição dos genes defeituosos.

As empresas de biotecnologia viram o desenvolvimento dessas terapias genéticas como uma tremenda oportunidade de negócios, mesmo que o sucesso terapêutico não passasse de uma promessa para o futuro longínquo, e começaram a promover agressivamente, através dos meios de comunicação, suas pesquisas em genética. Ano após ano, grandes manchetes nos jornais e reportagens de capas de revistas relatavam freneticamente as descobertas de novos genes "causadores de doenças", com as conseqüentes possibilidades terapêuticas; geralmente, os alertas de cientistas sérios apareciam algumas semanas depois e eram publicados sob a forma de pequenas notas, no meio de uma grande massa de outras notícias.

Os geneticistas logo descobriram que existe um abismo enorme entre a capacidade de identificar genes ligados ao desenvolvimento de uma doença, por um lado, e a compreensão da função desses genes, por outro, sem mencionar as possibilidades de manipulação genética em vista da obtenção do resultado desejado. Como sabemos, esse abismo é uma conseqüência direta do descompasso que existe entre as cadeias causais lineares do determinismo genético e as redes epigenéticas não-lineares da realidade biológica.

A força evocativa do termo "engenharia genética" evidencia o fato de que o público geralmente supõe que a manipulação de genes seja um procedimento mecânico exato e muito bem compreendido. Com efeito, é assim que ela é apresentada na imprensa popular. Nas palavras do biólogo Craig Holdrege,

> Nós ouvimos dizer que os genes são *cortados* ou *emendados* por meio de enzimas, e que novas combinações de DNA são *fabricadas* e *inseridas* na célula. A célula incorpora o novo DNA ao seu *mecanismo*, o qual começa a *ler a informação* que está *codificada* no novo DNA. Essa *informação* então se *expressa* na *fabricação* das proteínas correspondentes, que têm uma função específica no organismo. E assim, por obra desses procedimentos determinados com tanta precisão, o organismo transgênico assume novas características.[55]

A realidade da engenharia genética é muito mais confusa. Em seu estágio atual, os geneticistas não têm controle algum sobre o que acontece com o organismo. São capazes de inserir um gene no núcleo de uma célula com a ajuda de um vetor de transferência específico, mas não sabem se a célula vai incorporar o novo gene em seu DNA, nem onde esse novo gene estará localizado se for incorporado, nem quais os efeitos que terá sobre o organismo. Assim, a engenharia genética funciona na base da tentativa e erro e prima pelo desperdício. A média de sucesso dos experimentos genéticos é de cerca de um por cento, pois o contexto vivo do organismo hospedeiro, que determina o resultado do experimento, continua praticamente inacessível à mentalidade "técnica" que está por trás da atual biotecnologia.[56]

"A engenharia genética", explica o biólogo David Ehrenfeld, "baseia-se na premissa de que podemos tomar um gene da espécie A, onde ele faz algo desejável, e transferi-lo para a espécie B, onde continuará fazendo a mesma coisa desejável. A maioria dos engenheiros genéticos sabe que isso nem sempre acontece, mas o setor de biotecnologia, em seu conjunto, age como se as coisas fossem realmente assim."[57] Ehrenfeld observa que essa premissa tem três falhas principais.

Em primeiro lugar, a expressão genética depende do ambiente genético e celular (de toda a rede epigenética) e pode mudar quando os genes são colocados num novo ambiente. O biólogo molecular Richard Strohman escreve: "Sempre voltamos a constatar que genes associados a determinadas doenças nos ratos não têm ligação com essas doenças nos seres humanos.... Parece, portanto, que mesmo a mutação em genes importantíssimos pode ter um determinado efeito ou não, dependendo do contexto genético em que esses genes se encontram."[58]

Em segundo lugar, os genes geralmente têm efeitos múltiplos; e certos efeitos indesejáveis, suprimidos numa determinada espécie, podem expressar-se quando esse gene é transferido para outra espécie. E, em terceiro lugar, há muitas características que estão ligadas a mais de um gene, talvez até mesmo a genes situados em vários cromossomos, os quais resistem muito a ser manipulados. Consideradas em seu conjunto, essas três falhas são o motivo pelo qual as aplicações da engenharia genética na medicina ainda não deram os resultados desejados. David Weatherall, diretor do Instituto de Medicina Molecular da Universidade de Oxford, resume: "Com todos os sofisticados mecanismos reguladores envolvidos [nesse processo], a tarefa de transferir genes para um novo ambiente e estimulá-los... a cumprir cada qual a sua função tem sido, até agora, difícil demais para os geneticistas moleculares."[59]

De início, os geneticistas tinham a esperança de associar doenças específicas com genes isolados, mas parece agora que essas doenças de um único gene são extremamente raras, e não representam mais do que dois por cento de todas as doenças humanas. E até mesmo nos casos claros — a anemia falciforme, por exemplo, ou a distrofia muscular, ou a fibrose cística — em que uma mutação causa uma disfunção numa única proteína de crucial importância, os vínculos entre o gene defeituoso e o desenvolvimento da doença ainda não são compreendidos. O desenvolvimento da anemia falciforme, por exemplo, que é comum em pessoas de origem africana, pode ser muitíssimo diferente em indivíduos portadores do mesmo gene defeituoso; as manifestações da doença vão desde uma morte dolorosa na infância até uma manifestação branda, praticamente irrelevante, na meia-idade.[60]

Outro problema é que os genes defeituosos nessas doenças ligadas a um único gene são, com freqüência, muito grandes. O gene ligado à fibrose cística, doença comum entre os europeus do norte, é formado por cerca de 230.000 pares de bases e leva a informação necessária para a síntese de uma proteína feita de quase 1500 aminoácidos. Mais de 400 mutações diferentes já foram observadas nesse gene. Só uma delas resulta na doença, e mutações idênticas podem estar ligadas a sintomas diferentes em indivíduos diferentes. Tudo isso faz com que a identificação do "defeito da fibrose cística" seja altamente problemática.[61]

Os problemas encontrados nas raras moléstias associadas a um único gene se multiplicam quando os geneticistas estudam doenças comuns, como o câncer e as doenças cardíacas, que envolvem redes de múltiplos genes. Nesses casos, segundo Evelyn Fox Keller,

> os limites da compreensão que temos atualmente aparecem muito mais. O efeito líqüido [de tudo isso] é que, embora tenhamos nos tornado peritos em identificar riscos genéticos, a perspectiva da obtenção de benefícios medicinais significativos — benefícios que, há meros dez anos, esperava-se que decorressem do desenvolvimento das novas técnicas de diagnóstico — recua para um futuro ainda mais distante.[62]

É improvável que a situação mude até que os geneticistas comecem a ir além dos genes e se concentrem na organização complexa da célula como um todo. Como explica Richard Strohman:

> Para os males da artéria coronária, [por exemplo], já se identificaram mais de 100 genes que dão de algum modo a sua contribuição. Dada a existência de redes formadas por 100 genes e mais os seus produtos, que intera-

gem com um ambiente sutil para afetar [as funções biológicas], é ingenuidade pensar que se possa omitir da análise diagnóstica uma teoria não-linear das redes.[63]

Enquanto isso, porém, as empresas de biotecnologia continuam a promover o obsoleto dogma do determinismo genético para justificar suas pesquisas. Como observa Mae-Wan Ho, a tentativa de identificar "predisposições" genéticas para doenças como o câncer, o diabetes ou a esquizofrenia — ou, pior ainda, para problemas como o alcoolismo ou a criminalidade — estigmatiza indivíduos e nos desvia a atenção da contribuição fundamental dos fatores sociais e ambientais para o desenvolvimento desses problemas.[64]

Está claro que o interesse principal das empresas de biotecnologia não é a saúde humana nem o progresso da medicina, mas o lucro. Um dos meios mais eficazes de que elas dispõem para garantir que o valor de suas ações continue alto, mesmo à revelia de quaisquer benefícios médicos significativos, é a perpetuação, perante os olhos do público, da idéia de que os genes determinam o comportamento.

A biologia e a ética da clonagem

O determinismo genético moldou de modo decisivo, além disso, todas as discussões públicas a respeito da clonagem, que se seguiram ao recente e notável êxito dos experimentos de geração de novos organismos por manipulação genética e não por reprodução sexuada. O procedimento usado nesses casos, como veremos, é diferente da clonagem no sentido estrito do termo, mas vem sendo normalmente chamado de "clonagem" pela imprensa.[65]

Quando veio a público a notícia, em 1997, de que uma ovelha fora "clonada" dessa maneira pelo embriologista Ian Wilmut e seus colegas do Instituto Roslin, na Escócia, ela foi recebida com vivas pela comunidade científica, mas também provocou uma intensa apreensão e estimulou um forte debate público. Pensavam as pessoas: será que a clonagem de seres humanos também estava a caminho? Por que permitiram que uma pesquisa desse tipo começasse, e ainda sem o conhecimento do público?

Como evidencia o paleobiólogo Richard Lewontin numa ponderada reflexão sobre a ciência e a ética da clonagem, toda a controvérsia precisa ser compreendida perante o pano de fundo do determinismo genético.[66] Como o público em geral não conhece a falácia fundamental da doutrina de que os genes "fazem" o organismo, tende naturalmente a crer que genes idênticos produzem pessoas idênticas. Em outras palavras, a maioria das pessoas confunde o estado genético de um organismo com a totalidade das características biológicas, psicológicas e culturais de um ser humano. Não são só os genes que determinam o desenvolvimento de um indivíduo — tanto no que diz respeito ao surgimento da forma biológica quanto no que se refere à formação de uma personalidade humana única e singular a partir de certas experiências de vida. Por isso, a idéia de "clonar Einstein" é absurda.

Como veremos, gêmeos idênticos são muito mais semelhantes entre si, do ponto de vista genético, do que um organismo clonado é semelhante ao doador de seus genes; e mesmo assim suas personalidades e histórias de vida são, em geral, bastante diferentes, apesar dos esforços de muitos pais para reforçar as semelhanças entre os gêmeos, vestindo-os com as mesmas roupas, dando-lhes a mesma educação, etc. O medo de que a clonagem venha a violar a identidade singular de um indivíduo não tem fundamento. Nas palavras de Lewontin, "A questão... não é a de saber se a identidade genética *per se* destrói a individualidade, mas se o estado equivocado da compreensão biológica do público não vai minar e destruir a noção de singularidade e autonomia do indivíduo."[67] Entretanto, devo acrescentar desde já que a clonagem de seres humanos é moralmente repreensível e inaceitável por outros fatores, dos quais falarei adiante.

O determinismo genético também avaliza a opinião de que certas circunstâncias podem justificar a clonagem de seres humanos — uma mulher, por exemplo, cujo marido está moribundo e em coma após um acidente e quer desesperadamente um filho dele; ou um homem estéril cuja família morreu toda num acidente e não quer que sua herança biológica se extinga. Por trás desses casos hipotéticos está sempre a suposição errônea de que a preservação da identidade genética de uma pessoa equivale, de algum modo, à preservação da sua própria essência. O interessante, como observa Lewontin, é que essa crença é um prolongamento da antiga associação do sangue humano com certas características de classe social ou personalidade individual. No decorrer dos séculos, essa associação equivocada gerou um sem-número de problemas morais desnecessários e foi responsável por incontáveis tragédias.

Os verdadeiros problemas éticos da clonagem evidenciam-se quando compreendemos as manipulações genéticas envolvidas nas práticas atuais e as motivações que estão por trás dessas pesquisas. Quando procuram "clonar" um animal hoje em dia, os biólogos tomam um óvulo de um animal adulto, retiram-lhe o núcleo e fundem o restante da célula com um núcleo de célula (ou uma célula inteira) tirado de um outro animal. A resultante célula "híbrida", equivalente do óvulo fertilizado, é desenvolvida *in vitro* e, depois de mostrar que está se desenvolvendo "normalmente", é implantada no útero de um terceiro animal, que serve de mãe substituta e porta o embrião até o término da gestação.[68] A conquista científica de Wilmut e seus colegas foi a de demonstrar que o obstáculo da especialização celular pode ser superado. As células do animal adulto são especializadas, ou seja, sua reprodução só produz, normalmente, células do mesmo tipo. Os biólogos pensavam que essa especialização era irreversível. Os cientistas do Instituto Roslin mostraram que, de algum modo, ela pode ser revertida pelas interações entre o genoma e a rede celular.

Ao contrário dos gêmeos idênticos, o animal "clonado" não é completamente idêntico, do ponto de vista genético, ao doador de seus genes, pois a célula manipulada a partir da qual cresce não é formada só pelo núcleo da célula do doador — que fornece, portanto, a maior parte do genoma —, mas também pela célula enucleada de outro doador, que contém outros genes fora de seu núcleo.[69]

Os verdadeiros problemas éticos dos procedimentos de clonagem têm sua raiz nos problemas de desenvolvimento biológico associados a esses procedimentos. Esses problemas decorrem do fato importantíssimo de que a célula manipulada, a partir da qual cresce o embrião, é um híbrido de componentes celulares de dois animais diferentes. Seu núcleo vem de um organismo, ao passo que o restante da célula, que contém toda a rede epigenética, vem de outro. Em virtude da enorme complexidade da rede epigenética e das suas interações com o genoma, os dois componentes raramente são compatíveis, e nosso conhecimento das funções reguladoras e dos processos de troca de informações dentro da célula ainda é demasiado exíguo para que possamos torná-los compatíveis. Por isso, o procedimento de clonagem levado a cabo hoje em dia é muito mais baseado na tentativa e erro do que numa compreensão real dos processos biológicos envolvidos. No experimento do Instituto Roslin, por exemplo, 277 embriões foram criados, mas só uma ovelha "clonada" sobreviveu — uma taxa de sucesso de cerca de 0,35 por cento.

Além de nos perguntarmos se é lícito que um número tão grande de embriões seja descartado em nome da ciência, precisamos levar em conta a natureza das criaturas que, geradas por esse processo, não têm a capacidade de sobreviver. Na reprodução natural, as células do embrião em desenvolvimento dividem-se de tal modo que os processos de divisão celular e reprodução dos cromossomos (e do DNA) dão-se em perfeita sincronia. Essa sincronia faz parte da regulação celular da atividade genética.

No caso da "clonagem", pelo contrário, os cromossomos tendem a dividir-se num momento diferente do da divisão das células embriônicas, em virtude das incompatibilidades entre os dois componentes da célula inicialmente manipulada.[70] Isso pode resultar em células dotadas de cromossomos a mais ou a menos, gerando um embrião anormal, que pode morrer ou, o que é pior, desenvolver-se de maneira monstruosa. O uso de animais para esses fins levantaria questões éticas mesmo que as pesquisas fossem motivadas tão-somente pelo desejo de aumentar nossos conhecimentos de medicina e ajudar a humanidade; na atual situação, o debate é muito mais urgente, pois o ritmo e a orientação das pesquisas são determinados antes de mais nada por interesses comerciais.

O setor de biotecnologia está levando a cabo numerosos projetos nos quais se usam técnicas de clonagem em vista de um potencial ganho financeiro, muito embora os riscos para a saúde sejam altos e os benefícios, questionáveis. Uma dessas linhas de pesquisa consiste na produção de animais cujas células e tecidos possam ser úteis para o uso terapêutico em seres humanos. Outra se baseia na inserção de genes humanos mutantes em animais, de modo que estes possam servir de modelos para pesquisas sobre doenças do ser humano. Por essa "engenharia", por exemplo, já se criaram ratos que nascem com câncer, e os animais transgênicos doentes foram patenteados![71] Não é de admirar que a maioria das pessoas sinta um forte mal-estar quando ouve falar desses empreendimentos comerciais.

Outra grande linha de atividade da biotecnologia é a modificação genética do gado para que o leite produzido já contenha substâncias medicamentosas úteis. Como nos projetos de pesquisa sobre os quais falei acima, também este exige que muitos embriões sejam manipulados e descartados para que uns poucos animais transgênicos sejam produzidos, e mesmo estes, em sua maioria, já nascem doentes. Além disso, no caso do leite transgênico, a questão de saber se o produto final pode ser consumido com segurança pelos seres humanos é de fundamental importância. Como a engenharia genética sempre envolve o uso de vetores de transferência infecciosos, que facilmente podem se recombinar para criar novos vírus patogênicos, os malefícios do leite transgênico superam em muito quaisquer potenciais benefícios.[72]

Os problemas éticos dos experimentos de clonagem feitos com animais aumentariam imensamente se tais experimentos fossem feitos com seres humanos. Quantos embriões humanos estaríamos prontos a sacrificar? Quantas monstruosidades nos permitiríamos gerar nessa pesquisa faustiana? É evidente que, no atual estágio dos nossos conhecimentos, qualquer tentativa de clonar um ser humano é totalmente imoral e inaceitável. Com efeito, até mesmo no caso dos experimentos de clonagem com animais, a comunidade científica tem o dever de estabelecer diretrizes éticas rigorosas e de permitir que suas pesquisas sejam livremente conhecidas e julgadas pelo público.

A biotecnologia na agricultura

As aplicações da engenharia genética à agricultura encontraram muito mais resistência por parte do público em geral do que as aplicações na medicina. Vários motivos justificam essa resistência, que se transformou, nos últimos anos, num movimento político de escala mundial. No mundo inteiro, a maioria das pessoas tem uma relação muito íntima com o alimento e naturalmente se preocupa com a possibilidade de que seus alimentos tenham sido contaminados por produtos químicos ou sofrido manipulação genética. Muito embora não compreendam os detalhes da engenharia genética, ficam desconfiadas quando ouvem falar de novas tecnologias alimentares desenvolvidas em segredo por empresas gigantescas que procuram vender seus produtos sem advertências, rótulos, ou mesmo debates públicos. Nos últimos anos, a diferença entre as propagandas das indústrias biotecnológicas e a realidade da biotecnologia alimentar tornou-se mais do que evidente.

Os anúncios das empresas de biotecnologia retratam um admirável mundo novo em que a natureza será finalmente subjugada. Suas plantas serão mercadorias, fruto de um processo de engenharia genética e feitas sob medida para as necessidades do consumidor. As novas variedades de produtos agrícolas serão resistentes às secas, aos insetos e às ervas daninhas. As frutas não apodrecerão nem ficarão amassadas e marcadas. A agricultura não será mais dependente de produtos químicos e, por isso, não fará mais mal algum ao ambiente. Os alimentos serão mais nutritivos e seguros do que jamais foram e a fome desaparecerá do mundo.

Os ambientalistas e defensores da justiça social têm uma forte sensação de *déjà vu* quando lêem ou ouvem essas idéias otimistas, mas absolutamente ingênuas, do que será o futuro. Muita gente ainda se lembra de que uma linguagem muito semelhante era usada pelas mesmas empresas agroquímicas há várias décadas, quando promoveram uma nova era de agricultura química saudada como a "Revolução Verde".[73] De lá para cá, o lado negro da agricultura química tornou-se dolorosamente evidente.

Sabe-se muito bem, hoje em dia, que a Revolução Verde não ajudou nem os agricultores, nem a terra, nem os consumidores. O uso maciço de fertilizantes e pesticidas químicos mudou todo o modo de se fazer agricultura, na mesma medida em que as empresas agroquímicas convenceram os agricultores de que poderiam ganhar dinheiro plantando um único produto agrícola em áreas enormes e controlando as pragas e ervas daninhas com agentes químicos. A prática da monocultura, além de acarretar o forte risco de que uma grande área plantada seja destruída por uma única praga, também afeta seriamente a saúde dos lavradores e das pessoas que moram nas regiões agrícolas.

Com os novos produtos químicos, a agricultura tornou-se mecanizada e passou a ser marcada pelo uso intensivo de energia, favorecendo assim os grandes fazendeiros e agroindústrias munidos de capital suficiente e expulsando da terra a maioria das famílias tradicionais de agricultores. No mundo inteiro, um número enorme de pessoas, vítimas da Revolução Verde, saiu das áreas rurais e foi engrossar as massas de desempregados nas cidades.

Os efeitos de longo prazo do uso excessivo de produtos químicos na agricultura foram desastrosos para a saúde do solo, para a saúde humana, para as relações sociais e para todo o meio ambiente natural do qual dependem o nosso bem-estar e a nossa sobrevivência futura. À medida que as mesmas espécies foram sendo plantadas ano após ano e fertilizadas sinteticamente, o equilíbrio dos processos ecológicos do solo se rompeu; a quantidade de matéria orgânica diminuiu e, com ela, a capacidade do solo de reter umidade. As resultantes mudanças na textura da terra acarretaram toda uma multidão de conseqüências nocivas inter-relacionadas — perda de húmus, solo seco e estéril, erosão pelo vento e pela água, etc.

O desequilíbrio ecológico causado pelas monoculturas e pelo uso excessivo de produtos químicos resultou também num aumento enorme do número de pragas e doenças das plantações, combatidas pelos agricultores mediante a pulverização de doses cada vez maiores de pesticidas, num círculo vicioso de esgotamento e destruição. Os danos à saúde humana aumentaram correlativamente, à medida que uma quantidade cada vez maior de inseticidas tóxicos penetrava no solo, contaminava o lençol freático e chegava à nossa mesa.

Infelizmente, parece que as indústrias agroquímicas não aprenderam nada com a Revolução Verde. De acordo com o biólogo David Ehrenfeld:

> À semelhança da agricultura de alto investimento, a engenharia genética costuma ser apresentada como uma tecnologia humanitária, que vai alimentar mais gente com alimentos de melhor qualidade. Nada poderia es-

> tar mais longe da verdade. Com pouquíssimas exceções, a única finalidade da engenharia genética é a de aumentar as vendas de produtos químicos e biotecnológicos a agricultores dependentes.[74]

A verdade nua e crua é que a maioria das inovações na área de biotecnologia alimentar foram motivadas pelo lucro e não pela necessidade. A Monsanto, por exemplo, projetou uma soja transgênica que resiste especificamente ao herbicida Roundup, da mesma empresa, para aumentar as vendas deste último produto. Produziu, além disso, sementes de algodão portadoras de um gene inseticida a fim de aumentar as vendas de sementes. Tecnologias como estas aumentam a dependência dos agricultores em relação a produtos patenteados e protegidos por "direitos de propriedade intelectual", que lançam na ilegalidade as antiqüíssimas práticas agrícolas de reproduzir, armazenar e trocar sementes. Além disso, as empresas de biotecnologia cobram "taxas de tecnologia" sobre o preço das sementes, ou senão forçam os agricultores a pagar preços abusivos por pacotes de sementes e herbicida.[75]

Através de uma série de grandes fusões, e em virtude do controle rigoroso possibilitado pela tecnologia genética, o que está acontecendo agora é uma concentração nunca antes vista da propriedade e do controle sobre a produção de alimentos.[76] As dez maiores empresas agroquímicas controlam 85 por cento do mercado mundial; as cinco maiores controlam praticamente todo o mercado de sementes geneticamente modificadas (GM). Só a Monsanto comprou parte das maiores empresas produtoras de sementes da Índia e do Brasil, além de ter comprado diversas empresas de biotecnologia; e a Du Pont comprou a Pioneer Hi-Bred, a maior produtora de sementes do mundo. O objetivo desses gigantes empresariais é criar um único sistema agrícola mundial no qual eles possam controlar todos os estágios da produção de alimentos e manipular tanto os estoques quanto os preços da comida. Como explicou um executivo da Monsanto, "Vocês estão assistindo à formação de um monopólio sobre toda a cadeia alimentar."[77]

Todas as grandes empresas agroquímicas têm a intenção de começar a produzir versões diversas da chamada "tecnologia terminal" — plantas com sementes geneticamente esterilizadas, que forçariam os agricultores a comprar produtos patenteados ano após ano e poriam fim à capacidade essencial do lavrador de produzir novas safras. Isso teria um efeito especialmente devastador no Terceiro Mundo, onde 80 por cento das plantações são feitas a partir de sementes guardadas da colheita passada. Estes planos, mais do que quaisquer outros, evidenciam a fria intenção comercial que está por trás da modificação genética de cereais e outros produtos agrícolas. É possível que muitos cientistas que trabalham para essas empresas acreditem sinceramente que suas pesquisas vão ajudar a alimentar os seres humanos e melhorar a qualidade de nossos alimentos. Porém, eles trabalham dentro de uma cultura de poder e domínio, incapaz de ouvir e obcecada por uma visão estreita e reducionista — uma cultura na qual as preocupações éticas simplesmente não fazem parte das estratégias empresariais.

Os defensores da biotecnologia têm dito reiteradamente que as sementes transgênicas são essenciais para alimentar os famintos do mundo. Trata-se do mesmo raciocínio equivocado que tem sido proposto há décadas pelos adeptos da Revolução Verde. Segundo eles, a produção de alimentos convencionais não vai acompanhar o crescimento da população mundial. É assim que os anúncios da Monsanto, em 1998, proclamavam: "Não adianta se preocupar com a fome das gerações futuras. O que adianta é a biotecnologia alimentar."[78] Como salientam os agroecologistas Miguel Altieri e Peter Rosset, esse argumento baseia-se em dois pressupostos sem fundamento.[79] O primeiro é o de que a fome no mundo é causada por uma escassez global de alimentos; e o segundo é o de que a engenharia genética é o único meio de que dispomos para aumentar a produção de alimentos.

Há muito tempo que as agências internacionais de desenvolvimento sabem que não existe relação direta entre a existência de um grande número de famintos e a densidade ou crescimento populacional de um país. A fome existe em países densamente povoados, como Bangladesh e o Haiti, mas também em países de densidade demográfica bem mais baixa, como o Brasil e a Indonésia. Até mesmo nos Estados Unidos, em meio ao cúmulo da abundância, existem entre 20 e 30 milhões de pessoas desnutridas.

No clássico estudo *World Hunger: Twelve Myths*, publicado agora em edição revista, a especialista em desenvolvimento Frances Moore Lappé e seus colegas do Instituto de Política Alimentar e de Desenvolvimento fizeram um relato detalhado da produção de alimentos no mundo, o qual surpreendeu muitos leitores.[80] Mostraram que a abundância, e não a escassez, é a palavra que melhor descreve a produção de alimentos no mundo atual. No decorrer dos últimos trinta anos, o aumento da produção global de alimentos superou em 16 por cento o aumento da população mundial. Nesse período, montanhas de cereais excedentes empurraram para baixo os preços no mercado mundial. O aumento da produção de alimentos superou o da população em todas as regiões do mundo, exceto a África, nos últimos 50 anos. Num estudo feito em 1997 nos países em desenvolvimento, constatou-se que 78 por cento de todas as crianças desnutridas com menos de cinco anos moram em países que produzem um excedente alimentar. Muitos desses países, em que a fome é uma realidade cotidiana, exportam mais produtos agrícolas do que importam.

Essas estatísticas evidenciam a má-fé da idéia de que a biotecnologia é necessária para alimentar os famintos. As causas radicais da fome no mundo não têm relação alguma com a produção de alimentos. São a pobreza, a desigualdade e a falta de acesso aos alimentos e à terra.[81] As pessoas ficam com fome porque os meios de produção e distribuição de alimentos são controlados pelos ricos e poderosos. A fome no mundo não é um problema técnico, mas político. Quando os executivos das empresas agroquímicas afirmam que a fome continuará a menos que a biotecnologia mais recente seja adotada, eles ignoram as realidades sociais e políticas. Diz-nos Miguel Altieri: "Se as causas radicais não forem sanadas, as pessoas continuarão com fome, independentemente da tecnologia adotada."[82]

É claro que a biotecnologia *poderia* ter um lugar na agricultura do futuro, se fosse usada judiciosamente, acompanhada de medidas sociais e políticas adequadas, e se de fato pudesse nos ajudar a produzir alimentos melhores sem efeitos colaterais nocivos. Infelizmente, as tecnologias genéticas que estão sendo desenvolvidas e vendidas atualmente não atendem a nenhum desses requisitos.

Experimentos recentes mostraram que o uso de sementes transgênicas não aumenta significativamente as safras.[83] Além disso, dispomos de inúmeros indícios de que o uso generalizado de sementes transgênicas não só não conseguirá resolver o problema da fome como também, pelo contrário, poderá perpetuá-lo e até agravá-lo. Se as sementes transgênicas continuarem sendo desenvolvidas e promovidas exclusivamente pelas grandes empresas privadas, os agricultores pobres não poderão comprá-las; e se as empresas de biotecnologia continuarem protegendo seus produtos através de patentes que impedem os lavradores de armazenar e trocar sementes, os pobres ficarão ainda mais dependentes e marginalizados. Segundo um relatório recente da organização Ajuda Cristã, "os cereais transgênicos estão... criando as pré-condições clássicas da fome em larga escala. A propriedade dos recursos concentrada em poucas mãos — dado intrínseco de uma agricultura baseada em produtos patenteados e protegidos por direitos de propriedade — e um fornecimento de alimentos baseado no plantio de poucas variedades de plantas alimentícias, cada qual distribuída por uma área extensa: são essas as piores opções para a nossa segurança alimentar".[84]

Uma alternativa ecológica

Se a tecnologia química e genética das empresas agroindustriais não vai aliviar a fome no mundo, mas, pelo contrário, vai continuar a esterilizar o solo, perpetuar a injustiça social e colocar em risco o equilíbrio ecológico do nosso ambiente natural, para onde podemos nos voltar em busca de uma solução para esses problemas? Felizmente, existe uma solução fartamente documentada e já mais do que comprovada — uma solução que resistiu à prova do tempo e ao mesmo tempo é nova, que vem lentamente tomando todo o mundo agrícola numa revolução silenciosa. Trata-se de uma alternativa ecológica, chamada de "agricultura orgânica", "agricultura sustentável" ou "agroecologia".[85]

Para aumentar o rendimento, controlar as pragas e fazer crescer a fertilidade do solo, o agricultor que faz uma plantação "orgânica" usa uma tecnologia baseada no conhecimento ecológico, não na química nem na engenharia genética. Planta várias espécies de vegetais num esquema rotativo, de modo que os insetos atraídos por uma espécie desapareçam com a próxima. Sabe que não convém erradicar completamente as pragas, pois assim seriam eliminados também os predadores naturais que mantêm as pragas em equilíbrio num ecossistema saudável. Em vez de fertilizantes químicos, ele aduba os campos com esterco e com resíduos vegetais, devolvendo assim a matéria orgânica ao solo para que entre de novo no ciclo biológico.

A agricultura orgânica é sustentável porque incorpora princípios ecológicos testados e comprovados pela evolução no decorrer de bilhões de anos.[86] O agricultor orgânico sabe que um solo fértil é um solo vivo, que contém bilhões de organismos vivos por centímetro cúbico. É um ecossistema complexo no qual as substâncias essenciais para a vida transitam em ciclos, passando das plantas para os animais e destes para o esterco, para as bactérias do solo e de volta às plantas. A energia solar é o combustível natural que põe em movimento esses ciclos ecológicos, e organismos vivos de todos os tamanhos são necessários para sustentar o sistema todo e mantê-lo em equilíbrio. As bactérias do solo realizam várias transformações químicas, como o processo de fixação do nitrogênio, que torna o nitrogênio atmosférico acessível aos vegetais. Ervas aparentemente daninhas, de raízes compridas, trazem minerais para a superfície do solo, onde as plantas cultivadas podem aproveitá-los. As minhocas revolvem o solo e deixam-no mais solto; e todas essas atividades são interdependentes, combinando-se para proporcionar o alimento que sustenta a vida na Terra.

A agricultura orgânica preserva e mantém os grandes ciclos ecológicos, integrando seus processos biológicos aos processos de produção de alimentos. Quando o solo é cultivado organicamente, o seu conteúdo de carbono aumenta, e assim a agricultura orgânica contribui para a redução do aquecimento do planeta. O físico Amory Lovins estima que o aumento do conteúdo de carbono dos solos esgotados do mundo inteiro, num ritmo plausível, faria com que todo o carbono emitido pelas atividades humanas fosse reabsorvido.[87]

Nas fazendas e sítios onde se pratica a agricultura orgânica, os animais são criados para dar apoio aos ecossistemas acima e abaixo do solo; todas as atividades baseiam-se mais no trabalho humano do que no uso de energia elétrica e química e são voltadas para a comunidade. Em geral, as fazendas ou sítios são pequenos e trabalhados pelo proprietário. Os produtos não são vendidos para supermercados, mas em mercados de venda direta ao consumidor, o que diminui a distância "do campo à mesa", economizando energia e embalagens e conservando o frescor dos alimentos.[88]

O atual renascimento da agricultura orgânica é um fenômeno de proporções mundiais. Em mais de 130 países há agricultores que cultivam produtos orgânicos para vender. A área total cultivada por métodos sustentáveis é estimada em mais de 7 milhões de hectares, e o mercado de alimentos orgânicos cresceu e já movimenta cerca de 22 bilhões de dólares por ano.[89]

Os cientistas reunidos numa recente conferência internacional sobre agricultura sustentável, realizada em Bellagio, na Itália, relataram que uma série de projetos agroecológicos experimentais de grande escala, realizados em vários países do mundo e com o uso de diversas técnicas — rotação de plantio, plantio de duas ou mais variedades de plantas juntas, uso de palha para proteger as raízes das plantas novas, compostagem, plantio em terraços ou na água, etc. —, deram resultados espetaculares.[90] Muitos foram feitos em regiões dotadas de poucos recursos naturais, anteriormente consideradas incapazes de produzir um excedente alimentar. Projetos agroecológicos realizados em cerca de 730.000 domicílios rurais na África, por exemplo, resultaram num aumento de 50 a 100 por cento do rendimento do plantio, ao mesmo tempo que fizeram diminuir os custos de produção, aumentando a entrada líqüida de dinheiro nas casas — às vezes, decuplicando o valor anterior. Demonstrou-se assim, reiteradamente, que a agricultura orgânica não só faz aumentar a produção e oferece uma larga gama de benefícios ecológicos como também fortalece os agricultores. Como disse um agricultor de Zâmbia: "A agrossilvicultura devolveu-me a dignidade. Minha família já não passa fome; agora, posso até ajudar meus vizinhos."[91]

No sul do Brasil, o uso de cultivos protetores para aumentar a atividade do solo e a retenção de água possibilitou que 400.000 agricultores aumentassem em 60 por cento o rendimento de suas safras de milho e soja. Na região dos Andes, o aumento da variedade de espécies plantadas resultou num rendimento pelo menos vinte vezes maior. Em Bangladesh, um programa integrado de cultivo de arroz e criação de peixes aumentou o rendimento do arroz em 8 por cento e as rendas dos trabalhadores em 50 por cento. No Sri Lanka, o manejo integrado de pragas e cultivos aumentou o rendimento das safras de arroz numa taxa que vai de 11 a 44 por cento, ao mesmo tempo que aumentou a renda líqüida dos agricultores de 38 para 178 por cento.

O Relatório de Bellagio deixa bem claro que as práticas inovadoras nele documentadas envolveram comunidades inteiras e foram programadas não só com base no conhecimento científico, mas também no conhecimento e nos recursos já existentes nos próprios locais. Por isso, "os novos métodos divulgaram-se rapidamente entre os agricultores, o que mostra o potencial de divulgação de tecnologias complexas por parte da população rural quando os usuários dedicam-se ativamente a compreendê-las e adaptá-las, em vez de ser simplesmente treinados para aplicá-las mecanicamente".[92]

Os males da engenharia genética na agricultura

Dispomos agora de provas abundantes de que a agricultura e a pecuária orgânicas são alternativas ecológicas sólidas à tecnologia química e genética da agricultura e da pecuária industriais. Na conclusão de Miguel Altieri, a agricultura orgânica "aumenta a produtividade agrícola de maneira viável para a economia, benigna para o ambiente e edificante para a sociedade".[93] Infelizmente, nada disso se pode dizer das atuais aplicações da engenharia genética à agricultura.

Os riscos da biotecnologia atualmente usada na agricultura são uma conseqüência direta do nosso desconhecimento do funcionamento dos genes. Faz pouquíssimo tempo que ficamos sabendo que todos os processos biológicos associados aos genes são regulados pelas redes celulares nas quais inserem-se os genomas, e que os padrões de atividade genética mudam continuamente de acordo com as mudanças que ocorrem no ambiente celular. Os biólogos estão apenas começando a mudar seu foco de atenção das estruturas genéticas para as redes metabólicas, e ainda é muito pouco o que sabem acerca da dinâmica complexa dessas redes.

Estamos cientes também de que todos os vegetais fazem parte de ecossistemas complexos, tanto acima quanto abaixo do solo, nos quais a matéria orgânica e inorgânica se movimenta continuamente em ciclos. Mais uma vez, é muito pouco o que sabemos acerca desses ciclos e redes ecológicas — em parte porque, por várias décadas, o determinismo genético dominante provocou uma grave distorção das pesquisas em biologia: a maior parte do dinheiro foi para a biologia molecular, e sobrou pouco para a ecologia.

Uma vez que as células e as redes reguladoras dos vegetais são relativamente simples em comparação com as dos animais, é mais fácil para os geneticistas inserir genes estranhos em vegetais. O problema é que, quando o gene estranho passa a fazer parte do DNA do vegetal e esse vegetal é plantado, o gene na verdade passa a fazer parte do ecossistema como um todo. Os cientistas que trabalham para as empresas de biotecnologia não sabem quase nada sobre os processos biológicos que se seguem ao plantio, e ainda menos sobre as conseqüências ecológicas de suas ações.

A biotecnologia vegetal tem sido usada, sobretudo, para o desenvolvimento de espécies cultiváveis "tolerantes aos herbicidas", com a finalidade única de aumentar as vendas de determinados herbicidas. É muito provável que venha a ocorrer uma interpolinização entre os vegetais transgênicos e os vegetais selvagens dos arredores, criando-se assim "superervas daninhas" resistentes aos herbicidas. Há indícios de que esse fluxo de genes entre os transgênicos e outras plantas já esteja ocorrendo.[94] Outro problema sério é o risco de interpolinização entre plantas transgênicas e plantas lavradas organicamente em campos vizinhos, que compromete a importante necessidade dos agricultores orgânicos de ter certeza de que seu produto é orgânico.

Para defender essas práticas, os paladinos da biotecnologia costumam afirmar que a engenharia genética é semelhante aos processos convencionais de criação e seleção — mera continuação da antiqüíssima tradição de trabalhar com a hereditariedade a fim de obter-se melhores animais de criação e plantas alimentícias. Chegam a dizer, às vezes, que a biotecnologia moderna representa o último estágio da aventura de evolução da natureza. Nada poderia estar mais longe da verdade. Para começar, o ritmo de alteração genética através da biotecnologia é mais rápido do que o da natureza, em várias ordens de magnitude. Nenhum cultivador comum seria capaz de alterar o genoma de metade da soja plantada no mundo em meros três anos. A modificação genética de plantas cultiváveis é feita com uma pressa incrível, e as plantas transgênicas são cultivadas em larguíssima escala sem que se façam pesquisas adequadas acerca dos seus efeitos a curto e a longo prazo sobre os ecossistemas e a saúde humana. Essas plantas transgênicas, desconhecidas e potencialmente perigosas, estão se espalhando agora pelo mundo inteiro e criando riscos irreversíveis.

Outra diferença entre a engenharia genética e a criação convencional é que os criadores convencionais transferem genes entre subespécies que naturalmente se cruzam, ao passo que a engenharia genética permite que os biólogos introduzam no genoma de uma planta, por exemplo, um gene completamente novo e exótico, tirado de uma outra planta ou mesmo de um animal, com os quais a planta jamais seria capaz de cruzar naturalmente. Os cientistas transpõem as barreiras naturais entre as espécies com a ajuda de agressivos "vetores de transferência de genes", os quais são derivados de vírus patogênicos que podem recombinar-se com os vírus já existentes para criar novos agentes causadores de doenças.[95] Numa conferência recente, um bioquímico afirmou: "A engenharia genética assemelha-se mais a uma infecção por vírus do que às técnicas tradicionais de cruzamento e seleção."[96]

A batalha global pela conquista do mercado determina não só o ritmo de produção e uso dos vegetais transgênicos, mas também o direcionamento das pesquisas básicas. Talvez seja essa a diferença mais perturbadora entre a engenharia genética e todas as anteriores permutas de genes feitas através da evolução e dos conhecimentos tradicionais de cruzamento e seleção. Nas palavras da falecida biofísica Donella Meadows: "A natureza opera sua seleção de acordo com a capacidade de crescer e reproduzir-se no ambiente. Há 10.000 anos que os agricultores fazem sua seleção baseados no que melhor alimenta as pessoas. Hoje em dia, o critério é: tudo aquilo que pode ser patenteado e vendido."[97]

Uma vez que, até agora, um dos principais objetivos da biotecnologia vegetal tem sido o de aumentar as vendas de certos produtos químicos, muitos dos danos ecológicos por ela provocados são semelhantes aos danos criados pela agricultura química.[98] A tendência de criação de grandes mercados internacionais para um único produto gera grandes áreas de monocultura que reduzem a biodiversidade e assim põem em risco a própria produção de alimentos, uma vez que as plantas ficam mais vulneráveis a doenças, pragas e ervas daninhas. Esses problemas tornam-se ainda piores nos países em desenvolvimento, cujos sistemas tradicionais de diversidade de lavras e alimentos estão sendo substituídos por monoculturas que determinam a extinção de inúmeras espécies de seres vivos e criam novos problemas de saúde para a população rural.[99]

A história do "arroz de ouro", produzido por engenharia genética, é um exemplo que vem bem ao caso. Há alguns anos, uma equipe de geneticistas idealistas, sem apoio nenhum da indústria, criou um arroz amarelo com alta quantidade de beta-caroteno, que se transforma em vitamina A dentro do corpo humano. Esse arroz foi saudado como uma cura para a cegueira e para os problemas oculares provocados pela deficiência de vitamina A. Segundo as Nações Unidas, a deficiência de vitamina A afeta, atualmente, mais de dois milhões de crianças.

As notícias dessa nova "cura milagrosa" foram recebidas com entusiasmo pela imprensa; mas um exame atento nos mostra que, em vez de ajudar as crianças ameaçadas, o projeto provavelmente vai reproduzir os erros da Revolução Verde e, ao mesmo tempo, causar novos danos aos ecossistemas e à saúde humana.[100] Reduzindo a biodiversidade, o cultivo do arroz com vitamina A vai eclipsar as fontes alternativas de vitamina A que estão disponíveis em todos os sistemas agrícolas tradicionais. O agroecologista Vandana Shiva mostra que as agricultoras de Bengala, por exemplo, usam numerosas variedades de verduras que constituem uma excelente fonte de beta-caroteno. Os que mais sofrem de deficiência de vitamina A são os pobres, que sofrem, aliás, de desnutrição generalizada e teriam muito mais a ganhar com o desenvolvimento de uma agricultura sustentável e comunitária do que com cereais transgênicos que jamais terão dinheiro para comprar.

Na Ásia, a vitamina A que vem das verduras e frutas nativas é muitas vezes produzida sem irrigação, ao passo que o cultivo do arroz transgênico usa muita água e exige a perfuração de poços ou a construção de grandes barragens, com todos os problemas ambientais que disso decorrem. Além disso, como no caso de outros vegetais transgênicos, nós ainda não sabemos quase nada sobre os efeitos do arroz com vitamina A sobre os organismos que vivem no solo e outras espécies que dependem do arroz na cadeia alimentar. Shiva conclui: "A promoção desse arroz como arma contra a cegueira, ao mesmo tempo que se ignoram as alternativas mais seguras, mais baratas e de mais fácil obtenção proporcionadas por nossa rica biodiversidade, é uma maneira bastante cega de tentar controlar a cegueira."

A maioria dos danos ecológicos ligados às plantas resistentes a herbicidas, como a soja "Roundup Ready" da Monsanto, advém exatamente do uso indiscriminado e cada vez maior do herbicida associado à planta. Uma vez que a resistência a um determinado herbicida é o único benefício daquela planta — um benefício, aliás, largamente propagandeado —, os agricultores são naturalmente levados a usar uma quantidade enorme do veneno. É fato bem documentado que o uso maciço de uma única substância química aumenta enormemente a resistência das ervas daninhas aos herbicidas, e assim se desencadeia um círculo vicioso de pulverização cada vez mais intensiva.

Esse uso de produtos químicos tóxicos na agricultura é especialmente danoso para os consumidores. Quando as plantas são reiteradamente pulverizadas com um herbicida, elas retêm resíduos químicos que acabam indo para os nossos alimentos. Além disso, as plantas que crescem na presença de uma quantidade muito grande de herbicida podem sofrer de *stress* e, em geral, reagem a essa situação produzindo certas substâncias em quantidades maiores ou menores do que as usuais. Sabe-se que os membros da família dos feijões que resistem a herbicidas produzem uma grande quantidade de estrógenos vegetais, que podem causar disfunções graves no sistema reprodutor do ser humano, especialmente em meninos.[101]

Quase 80 por cento da área atualmente cultivada com transgênicos é usada para a produção de variedades resistentes a herbicidas. Os outros 20 por cento contêm as chamadas plantas "resistentes a insetos". Trata-se de plantas que, pela engenharia genética, produzem pesticidas em cada uma de suas células no decorrer de todo o seu ciclo de vida. O exemplo mais conhecido é o de um inseticida natural, uma bactéria chamada *Bacillus thuringiensis* e apelidada de Bt, cujos genes produtores de toxinas foram introduzidos no algodão, no milho, na batata, na maçã e em diversas outras plantas.

Os vegetais transgênicos resultantes são imunes a alguns insetos. Porém, uma vez que a maioria das culturas é sujeita a uma diversidade de pragas, ainda é necessária a aplicação de inseticidas. Num estudo recente feito nos Estados Unidos, constatou-se que, num total de doze locais estudados, em sete deles não havia diferença significativa no uso de pesticidas em culturas com Bt e sem Bt. Num determinado local, o uso de pesticidas no algodão com Bt era até maior do que no algodão sem Bt.[102]

Os danos ecológicos das plantas com Bt decorrem de certas diferenças importantes entre a bactéria Bt que ocorre naturalmente e as plantas geneticamente modificadas. Já há mais de 50 anos que os agricultores orgânicos usam a bactéria Bt como um pesticida natural para controlar lagartas, besouros e mariposas que devoram as folhas de suas lavouras. Usam-na judiciosamente, pulverizando as plantações só de vez em quando para que os insetos não possam desenvolver resistência. Mas, quando o Bt é produzido continuamente dentro de culturas que cobrem centenas de milhares de hectares, as pragas ficam constantemente expostas à toxina e inevitavelmente acabam tornando-se resistentes a ela.

Por isso, o Bt rapidamente se tornará inútil, tanto nas plantas transgênicas quanto em sua aplicação como inseticida natural. A biotecnologia vegetal terá destruído um dos mais importantes instrumentos biológicos para o manejo integrado de pragas da lavoura. Até mesmo cientistas que pertencem ao setor de biotecnologia reconhecem que o Bt será inútil daqui a dez anos, mas as empresas biotecnológicas, numa atitude fria e calculista, parecem saber que, nessa época, já terão perdido seus direitos de patente sobre a tecnologia do Bt, e apostam na possibilidade de já terem criado, então, outros tipos de plantas que produzem inseticidas.

Outra diferença entre o Bt natural e as plantas que produzem Bt é que estas últimas parecem atacar uma gama maior de insetos, inclusive alguns que são benéficos para o ecossistema como um todo. Em 1999, um estudo publicado pela revista *Nature*, sobre lagartas da borboleta monarca que estavam sendo mortas pelo pólen do milho com Bt, conseguiu chamar a atenção do público.[103] De lá para cá, já se constatou que as toxinas do Bt transgênico também afetam joaninhas, abelhas e outros insetos úteis.

As toxinas do Bt presentes nas plantas transgênicas também fazem mal aos ecossistemas do solo. Quando os agricultores incorporam ao solo os resíduos da colheita passada, as toxinas se acumulam na terra, onde podem causar sérios danos às miríades de microorganismos que compõem um ecossistema de solo sadio.[104]

Além dos efeitos nocivos das plantas com Bt para os ecossistemas acima e abaixo do nível do solo, os danos diretos à saúde humana são, sem dúvida, motivo de grande preocupação. Atualmente, é bem pouco o que sabemos a respeito dos potenciais efeitos dessas toxinas sobre os microorganismos sem os quais nosso sistema digestivo não pode funcionar. Entretanto, como numerosos efeitos colaterais sobre os micróbios do solo já foram observados, temos de tomar cuidado com a presença generalizada das toxinas do Bt no milho, na batata e em outras plantas usadas para nossa alimentação.

Os riscos ambientais da biotecnologia vegetal atual são evidentes para qualquer agroecologista, muito embora os efeitos detalhados dos vegetais transgênicos sobre os ecossistemas agrícolas ainda não sejam perfeitamente compreendidos. Além dos riscos esperados, numerosos efeitos colaterais inesperados foram observados em espécies modificadas de plantas e animais.[105]

A Monsanto está respondendo agora a um número cada vez maior de ações judiciais movidas por agricultores que tiveram de sofrer esses efeitos colaterais inesperados. Em milhares de hectares do delta do Mississípi, por exemplo, os frutos do algodão transgênico da Monsanto nasceram deformados e caíram; suas sementes de canola transgênica tiveram de ser retiradas do mercado canadense por terem sido contaminadas com um gene nocivo. Do mesmo modo, o tomate "Flavr-

Savr", da Calgene, desenvolvido para durar mais nas prateleiras, foi um verdadeiro desastre comercial e logo desapareceu. Batatas transgênicas, desenvolvidas para consumo humano, causaram uma série de problemas sérios de saúde nos ratos que as consumiram: crescimento de tumores, atrofia do fígado e diminuição do volume do cérebro, entre outras coisas.[106]

No reino animal, onde a complexidade é muito maior, os efeitos colaterais que ocorrem nas espécies geneticamente modificadas são muito piores. O "supersalmão", por exemplo, "programado" para crescer o mais rápido possível, desenvolve uma cabeça monstruosa e morre por não ser capaz de respirar nem de se alimentar. Do mesmo modo, um "superporco", dotado de um gene humano que produz um hormônio de crescimento, fica cego, impotente e com feridas pelo corpo.

A história mais horripilante, e a esta altura também a mais conhecida, talvez seja a do hormônio geneticamente alterado chamado "hormônio recombinante de crescimento bovino", usado para estimular a produção de leite das vacas apesar do fato de os pecuaristas norte-americanos já estarem há cinqüenta anos produzindo muito mais leite do que as pessoas são capazes de consumir. Os efeitos dessa loucura da engenharia genética sobre a saúde das vacas são bastante graves: timpanite, diarréia, doenças dos joelhos e dos cascos, cistos no ovário e muitas outras coisas. Além disso, o leite dessas vacas pode conter uma substância relacionada à ocorrência de câncer de mama e do estômago nos seres humanos.

Como essas vacas geneticamente modificadas precisam de mais proteína em sua dieta, a ração passou a ser suplementada, em alguns países, por farinha de carne de gado. Essa prática absolutamente antinatural, que transforma as vacas de vegetarianas em canibais, foi associada à recente epidemia da "doença da vaca louca" e à maior incidência da doença análoga no ser humano, o mal de Creutzfeldt-Jakob. Trata-se de um dos casos mais extremos do uso descontrolado da biotecnologia. Como diz o biólogo David Ehrenfeld, "Não há motivo para aumentar o risco de ocorrência dessa doença terrível por causa de uma biotecnologia de que não precisamos. Se as vacas não tomarem hormônios e comerem somente grama, será melhor para todos nós."[107]

À medida que os alimentos transgênicos começam a inundar o mercado, os riscos para a saúde humana são agravados pelo fato de as empresas de biotecnologia, apoiadas pelas agências reguladoras do governo, recusarem-se a rotular adequadamente seus produtos; assim, os consumidores não podem discriminar entre alimentos transgênicos e não-transgênicos. Nos Estados Unidos, as empresas de biotecnologia persuadiram a Administração de Alimentos e Medicamentos (FDA) a considerar os alimentos transgênicos como "substancialmente equivalentes" aos alimentos tradicionais, o que exime os produtores de alimentos de submeter seus produtos aos testes normais da FDA e da Agência de Proteção Ambiental (EPA) e deixa a critério das próprias empresas rotular ou não os seus produtos como transgênicos. Assim, o público não é informado sobre a rápida disseminação de alimentos transgênicos e os cientistas têm muito mais dificuldade para identificar os possíveis efeitos nocivos. Com efeito, atualmente [nos EUA], o único jeito de fugir dos transgênicos é comprar exclusivamente produtos orgânicos.

Numa ação trabalhista, vieram a público certos documentos confidenciais que mostram que nem mesmo os cientistas dentro da própria FDA concordam com o conceito de "equivalência substancial".[108] Além disso, a posição das empresas de biotecnologia padece de uma contradição intrínseca. Por um lado, as empresas afirmam que suas plantas são substancialmente equivalentes às plantas tradicionais e por isso não precisam de rótulos especiais ou ser submetidas a testes; por outro, fazem questão de afirmar que são plantas novas e podem, portanto, ser patenteadas. Vandana Shiva resume a situação: "O mito da 'equivalência substancial' foi criado para negar aos cidadãos o direito à segurança, e aos cientistas o direito de praticar uma ciência sã e honesta."[109]

A vida: a mercadoria suprema

Na tentativa de patentear, explorar e monopolizar todos os aspectos da biotecnologia, as grandes empresas agroquímicas compraram empresas biotecnológicas e produtoras de sementes e mudaram de nome, passando a chamar-se "empresas de ciências da vida" (*life sciences corporations*).[110] Os limites que tradicionalmente separam as indústrias farmacêuticas, agroquímicas e biotecnológicas estão desaparecendo rapidamente, à medida que as grandes empresas se fundem e formam conglomerados gigantescos, unidos sob a bandeira das ciências da vida. Assim, a Ciba-Geigy fundiu-se com a Sandoz e tornou-se a Novartis; a Hoechst e a Rhone Poulenc tornaram-se a Aventis; e a Monsanto agora é a proprietária ou acionista majoritária de muitas grandes empresas produtoras de sementes.

O que todas essas "empresas de ciências da vida" têm em comum é uma visão estreita da vida, baseada na crença equivocada de que a natureza pode ser submetida ao controle humano. Essa visão estreita ignora a dinâmica autogeradora e auto-organizadora que é a própria essência da vida e redefine os organismos vivos, ao contrário, como máquinas que podem ser controladas de fora, patenteadas e vendidas como recursos industriais. A própria vida tornou-se a suprema mercadoria.

Como nos lembra Vandana Shiva, a raiz latina da palavra *resource* ["recurso", em inglês] é *resurgere* ("renascer, ressuscitar"). No sentido antigo do termo, um recurso natural, como todas as formas de vida, é algo intrinsecamente dotado do poder de auto-renovação. Essa compreensão profunda da vida é negada pelas novas "empresas de ciências da vida", que impedem a auto-renovação da vida a fim de transformar os recursos naturais em matérias-primas lucrativas. Elas fazem isso combinando alterações genéticas (entre as quais as chamadas "tecnologias terminais")[111] com pedidos de patentes, as quais violam antiqüíssimas práticas agrícolas que respeitam os ciclos da vida.

Como a patente sempre foi compreendida como o direito exclusivo de uso e venda de uma invenção, parece estranho que as empresas biotecnológicas possam hoje patentear organismos vivos, desde bactérias até células humanas. A história dessa "conquista" é uma impressionante coletânea de truques de prestidigitação científicos e jurídicos.[112] O patenteamento de formas de vida tornou-se comum na década de 1960, quando se concederam direitos de propriedade a cultivadores de flores pelas novas variedades de flores obtidas através da intervenção e do trabalho humanos. Os advogados levaram menos de vinte anos para passar desse registro de flores, aparentemente inocente, à monopolização total da vida.

Em seguida, plantas comestíveis especialmente selecionadas foram patenteadas e logo depois os legisladores e órgãos de regulamentação chegaram à conclusão de que não havia base teórica para impedir o registro industrial não só de plantas, mas também de microorganismos e animais. Com efeito, em 1980, a Corte Suprema dos EUA tomou a decisão histórica de permitir a patente de microorganismos geneticamente modificados.

Em todos esses argumentos jurídicos, ignorou-se convenientemente o fato de que as patentes originalmente concedidas para variedades de flores *melhoradas* não se aplicavam ao material original, considerado "herança comum da humanidade".[113] Já as patentes atualmente concedidas às empresas de biotecnologia aplicam-se não só aos métodos pelos quais as seqüências de DNA são isoladas, identificadas e transferidas, mas também ao próprio material genético sobre o qual se fazem essas operações. Além disso, as leis nacionais e convenções internacionais que proíbem especificamente o registro de recursos naturais essenciais, como alimentos e medicamentos derivados de plantas, estão sendo modificadas para se adequar à visão empresarial da vida como uma mercadoria lucrativa.

Nestes últimos anos, o registro de patentes de formas de vida deu origem a uma nova espécie de "biopirataria". Caçadores de genes partem em expedições pelos países do Hemisfério Sul em busca de recursos genéticos valiosos, como as sementes de determinadas plantas comestíveis ou medicinais, contando muitas vezes com a ajuda de comunidades indígenas que, confiantes, entregam-lhes todo o material e todas as informações a respeito dele. Esses recursos são levados então para laboratórios no Hemisfério Norte, onde são isolados e têm seus genes identificados e patenteados.[114]

Essa prática de exploração é legalizada pela estreita definição de "direitos de propriedade intelectual" da OMC, que só considera passível de patente o conhecimento expresso segundo os cânones da ciência ocidental. Como evidencia Vandana Shiva, "Isso exclui todos os tipos de conhecimento, de idéias e de inovações que ocorrem dentro das comunidades intelectuais — nos povoados, entre os agricultores; nas florestas, entre os povos tribais; e até mesmo nas universidades, entre os cientistas."[115] Assim, a exploração da vida não abarca somente os organismos vivos, mas até mesmo o conhecimento e as inovações coletivas das comunidades indígenas. "Desconsiderando e desrespeitando as outras espécies e culturas", conclui Shiva, "os direitos de propriedade intelectual são um escândalo moral, cultural e ecológico."

A virada da maré

Nos últimos anos, os problemas de saúde causados pela engenharia genética, associados aos seus problemas sociais, ecológicos e éticos mais profundos, saltaram aos olhos de todos, e agora um movimento global de repúdio a essa forma de tecnologia está crescendo rapidamente.[116] Várias organizações ambientalistas e de proteção à saúde já pediram uma moratória da liberação comercial de organismos geneticamente modificados, até que se complete uma grande investigação pública sobre os usos seguros e legítimos da engenharia genética.[117] Incluem-se nessas propostas o apelo para que não se concedam patentes de organismos vivos ou partes desses organismos, e para que a base da nossa atitude em relação à biotecnologia seja o princípio preventivo que tem sido incluído em acordos internacionais desde a Cúpula da Terra de 1992.

Conhecido tecnicamente como Princípio nº 15 da Declaração do Rio de Janeiro, ele reza que: "Onde quer que possam ocorrer danos sérios ou irreversíveis, a falta de plena certeza científica não será usada como motivo para que se adie a implementação de medidas de prevenção da degradação ambiental (medidas cujo benefício seja proporcional ao preço [*cost-effective*])."

A mudança de enfoque, na biologia molecular, da estrutura das seqüências genéticas para a organização das redes genéticas e epigenéticas; da programação genética para as propriedades emergentes, também demonstra que os apelos para que a biotecnologia seja encarada de uma forma totalmente nova estão partindo não só dos ecologistas, dos profissionais de saúde e de cidadãos preocupados, mas, cada vez mais, de geneticistas importantes, como documentei ao longo deste capítulo. Com as curiosas descobertas do Projeto Genoma Humano, a discussão da atual mudança de paradigma na biologia chegou até à imprensa científica popular. A meu ver, é significativo que um caderno especial de ciências do *New York Times* sobre os resultados do Projeto Genoma Humano tenha representado o genoma, pela primeira vez, como uma rede funcional complexa (ver ilustração a seguir).

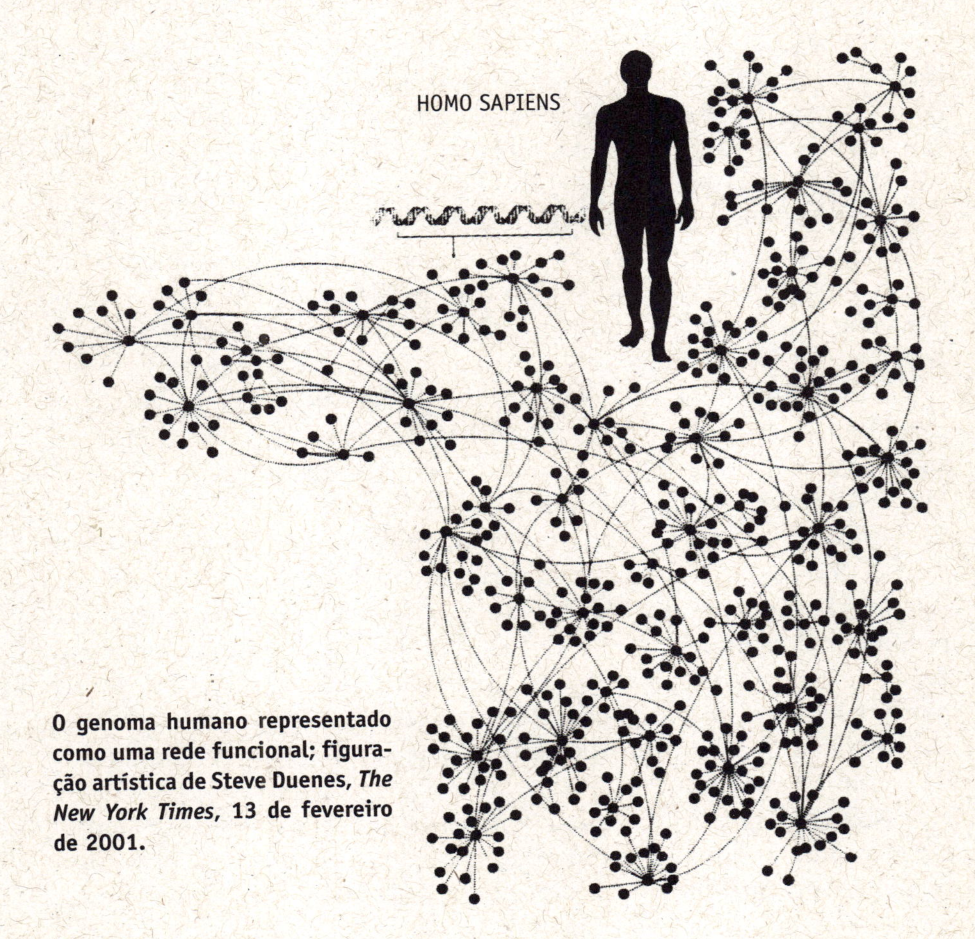

O genoma humano representado como uma rede funcional; figuração artística de Steve Duenes, *The New York Times*, 13 de fevereiro de 2001.

Temos o direito de supor que, quando a visão sistêmica da vida for adotada pelos cientistas, pelos técnicos e pelos líderes políticos e empresariais, a biotecnologia será radicalmente diferente. Não partiria do desejo de controlar a natureza, mas de aprender com ela, de tê-la como mentora e não como mera fonte de matéria-prima. Em vez de tratar a teia da vida como uma mercadoria, respeitá-la-íamos como o próprio contexto em que se desenrola a nossa existência.

Esse novo tipo de biotecnologia não envolveria a modificação genética de organismos vivos, mas, ao contrário, faria uso das técnicas da engenharia genética para aumentar a nossa compreensão dos "projetos" sutis da natureza e tomá-los como modelos de novas tecnologias humanas. Poderíamos integrar o conhecimento ecológico ao projeto de materiais e processos tecnológicos, aprendendo das plantas, dos animais e dos microorganismos a fabricar fibras, plásticos e substâncias químicas não-tóxicas, completamente biodegradáveis e passíveis de uma reciclagem contínua.

Tratar-se-ia de uma *bio*tecnologia num sentido novo, pois as estruturas materiais da vida baseiam-se em proteínas que só poderíamos fabricar com a ajuda de enzimas fornecidas por organismos vivos. O desenvolvimento dessa nova biotecnologia será um tremendo desafio intelectual, pois ainda não conseguimos compreender de que modo a natureza, no decorrer de bilhões de anos de evolução, desenvolveu "tecnologias" infinitamente superiores aos nossos projetos humanos. Como os mexilhões produzem uma cola que gruda qualquer coisa, mesmo dentro d'água? Como as aranhas elaboram um fio de seda que, peso por peso, é cinco vezes mais forte que o aço? Como o haliote fabrica uma concha (madrepérola) duas vezes mais resistente que as nossas cerâmicas de alta tecnologia? Como é possível que essas criaturas fabriquem seus "materiais milagrosos" dentro d'água, à temperatura ambiente, silenciosamente e sem nenhum subproduto tóxico?

Encontrar as respostas a essas perguntas e usá-las para desenvolver tecnologias inspiradas pela natureza seria, por décadas e décadas, um fascinante programa de pesquisa para cientistas e técnicos. Aliás, essas pesquisas já estão sendo feitas. Fazem parte de um ramo novo e instigante da engenharia, chamado de "biomimese" (*biomimicry*) e, de maneira mais geral, de "projeto ecológico" (*ecodesign*), que gerou recentemente uma onda de otimismo quanto às possibilidades de a humanidade caminhar para um futuro sustentável.[118]

No livro *Biomimicry*, Janine Benyus, escritora de divulgação científica, nos conduz numa viagem fascinante pelos numerosos laboratórios e estações de campo em que equipes interdisciplinares de cientistas e técnicos analisam detalhadamente a química e as estruturas moleculares dos materiais mais complexos da natureza, a fim de tomá-los como modelos de novas biotecnologias.[119] Esses cientistas e técnicos estão descobrindo que boa parte dos nossos maiores problemas tecnológicos já foram resolvidos pela natureza de maneira precisa, eficiente e ecologicamente sustentável, e estão procurando adaptar essas soluções ao uso humano.

Cientistas da Universidade de Washington estudaram a estrutura molecular e o processo de formação do revestimento interno da concha do molusco haliote — a madrepérola —, de aspecto furta-cor e dura como uma unha. Foram capazes de reproduzir o processo de formação em temperatura ambiente e criar um material duro e transparente, que pode ser um revestimento ideal para o pára-brisa dos carros elétricos ultraleves. Pesquisadores alemães reproduziram a micro-superfície rugosa e autolimpante da folha de lótus para produzir uma tinta para edificações que não acumule sujeira. Certos biólogos marinhos e bioquímicos passaram muitos anos analisando a química singular utilizada pelo mexilhão azul para produzir um adesivo que cola dentro d'água. Estão agora explorando possíveis aplicações desse conhecimento à medicina, permitindo que os cirurgiões colem ligamentos e tecidos num ambiente líquido. Físicos e bioquímicos têm se reunido em vários laboratórios para investigar as estruturas e os processos complexos da fotossíntese, na esperança de conseguir por fim reproduzi-los em novos tipos de células solares.

Porém, ao mesmo tempo que ocorrem esses interessantíssimos avanços, a afirmação central do determinismo genético — a de que os genes determinam o comportamento — ainda é perpetuada por muitos geneticistas, tanto nas empresas de biotecnologia quanto no mundo acadêmico. Temos de nos perguntar se esses cientistas realmente crêem que nosso comportamento é determinado por nossos genes, ou, se não crêem, por que fingem que crêem.

Depois de conversar sobre esse assunto com vários biólogos moleculares, concluí que existem várias razões pelas quais os cientistas acham que têm de perpetuar o dogma do determinismo genético mesmo em face de provas cada vez mais fortes em contrário. Os cientistas da indústria muitas vezes são contratados para realizar projetos específicos, definidos de maneira muito estreita; trabalham submetidos a uma supervisão rigorosa e não têm permissão para falar sobre as conseqüências mais amplas das suas pesquisas. São obrigados a assinar as chamadas cláusulas de segredo para garantir que isso não aconteça. Especialmente nas empresas de biotecnologia, a pressão para que se aceite a doutrina oficial do determinismo genético é enorme.

No mundo acadêmico, as pressões são diferentes, mas, infelizmente, igualmente fortes. Em virtude do alto custo das pesquisas em genética, os departamentos de biologia estão cada vez mais entrando em parcerias com empresas de biotecnologia para receber doações polpudas que, no entanto, determinam a natureza e a direção de suas pesquisas. Como observa Richard Strohman, "Não há mais distinção alguma entre os biólogos universitários e os pesquisadores das empresas, e agora se concedem prêmios especiais para as colaborações entre esses dois setores, prêmios que são entregues em função de um comportamento que, antes, era considerado manifestação de um conflito de interesses."[120]

Os biólogos estão acostumados a formular suas propostas de pesquisa segundo a terminologia do determinismo genético, pois sabem que são essas as pesquisas que recebem financiamento. Prometem a seus financiadores que obterão certos resultados a partir do conhecimento futuro da estrutura genética, muito embora saibam perfeitamente que os progressos da ciência são sempre inesperados e imprevisíveis. Aprendem a adotar esses dois pesos e duas medidas durante os anos de pós-graduação, e conservam esse duplo padrão no decorrer de toda a sua carreira acadêmica.

Além dessas pressões evidentes, existem obstáculos cognitivos e psicológicos mais sutis que impedem os biólogos de adotar a visão sistêmica da vida. O reducionismo ainda é o paradigma dominante na educação deles, que, por isso, muitas vezes não estão familiarizados com conceitos como os de auto-organização, redes ou propriedades emergentes. Além disso, a pesquisa em genética, mesmo realizada segundo o paradigma reducionista, pode ser extremamente empolgante: o mapeamento de genomas é uma conquista admirável que não era sequer imaginada pelos cientistas da geração passada. É compreensível que muitos geneticistas, levados pela empolgação, queiram prosseguir em suas pesquisas — bem financiadas, é claro — sem pensar nas conseqüências de seus atos.

Temos de nos lembrar, por fim, que a ciência é antes de mais nada um empreendimento coletivo. Os cientistas sentem grande necessidade de ser aceitos pela comunidade intelectual a que pertencem e não se dispõem facilmente a levantar a voz contra essa comunidade. Até mesmo cientistas catedráticos, que tiveram uma carreira brilhante e receberam prêmios prestigiados, relutam muitas vezes em formular suas críticas.

Entretanto, apesar desses obstáculos, a generalizada oposição ao registro, ao comércio e ao uso indiscriminado de organismos geneticamente modificados, associada à recente descoberta das limitações das bases conceituais da engenharia genética, mostram que o edifício do determinismo genético está caindo em ruínas. Para citar mais uma vez

Evelyn Fox Keller: "Parece evidente que a primazia do gene como conceito explicativo básico das formas e funções biológicas é mais uma característica do século XX do que será do século XXI."[121] Conclusão: vai ficando cada vez mais claro que, sob os pontos de vista científico, filosófico e político, a biotecnologia está agora chegando a um ponto de mutação.

Sete

Virando o jogo

À medida que entramos neste novo século, vai ficando cada vez mais evidente que o neoliberal "acordo de Washington" e as políticas e regras econômicas estabelecidas pelo Grupo dos Sete e suas instituições financeiras — o Banco Mundial, o FMI e a OMC — estão desencaminhadas. As análises de estudiosos e líderes comunitários citadas no decorrer deste livro deixam claro que a "nova economia" está gerando um sem-número de conseqüências danosas e relacionadas entre si — um aumento da desigualdade e da exclusão social, um colapso da democracia, uma deterioração mais rápida e extensa do ambiente natural e uma pobreza e alienação cada vez maiores. O novo capitalismo global criou também uma economia criminosa de amplitude internacional que afeta profundamente a economia e a política nacional e internacional dos diversos países. O mesmo capitalismo põe em risco e destrói inúmeras comunidades locais pelo mundo inteiro; e, no exercício de uma biotecnologia mal-pensada, violou o caráter sagrado da vida e procurou transformar a diversidade em monocultura, a ecologia em engenharia e a própria vida numa mercadoria.

O estado do mundo

Apesar das novas leis ambientais, da crescente disponibilidade de produtos "amigos do meio ambiente" e de muitos outros avanços encorajadores realizados pelo movimento ambiental, a perda descomunal de áreas florestadas e a maior extinção de espécies ocorrida desde há milhões de anos não foram revertidas.[1] Esgotando nossos recursos naturais e reduzindo a biodiversidade do planeta, rompemos a própria teia da vida da qual depende o nosso bem-estar; prejudicamos, entre outras coisas, os preciosos "serviços ecossistêmicos" que a natureza nos fornece de graça — o processamento de resíduos, a regulação do clima, a regeneração da atmosfera, etc.[2] Esses processos essenciais são propriedades emergentes de sistemas vivos não-lineares que só agora estamos começando a compreender, e agora mesmo estão sendo seriamente postos em risco pela nossa busca linear de crescimento econômico e consumo material.

Esses perigos são exacerbados pela mudança de clima em escala mundial gerada por nossos sistemas industriais. O elo causal entre o aquecimento global e a atividade humana já não é uma simples hipótese. No fim do ano 2000, o Painel Intergovernamental de Mudança Climática (PIMC)— organização de grande autoridade em seu campo de atividades — publicou a sua mais clara afirmação consensual de que a liberação de dióxido de carbono e outros gases do "efeito estufa" na atmosfera por parte do ser humano "contribuiu significativamente para o aquecimento observado nos últimos cinqüenta anos".[3] Segundo a previsão do PIMC, ao final do século a temperatura poderá aumentar, em média, quase 6 °C, o que representaria um aumento maior do que a mudança de temperatura ocorrida entre a última era glacial e os nossos dias. Em virtude desse fato, praticamente todos os sistemas naturais terrestres e todos os sistemas econômicos humanos seriam ameaçados pela elevação do nível das águas, por tempestades mais violentas e secas mais intensas.[4]

Embora a emissão de carbono tenha, nos últimos tempos, diminuído um pouco, esse declínio não bastou para diminuir o ritmo da mudança climática global. Muito pelo contrário, os indícios mais recentes mostram que ela está se acelerando. Esses indícios nos são dados por duas observações distintas, mas igualmente preocupantes — o rápido descongelamento das geleiras e da capa de gelo do Mar Ártico, por um lado, e a derrocada dos recifes de coral, por outro.

O descongelamento de geleiras num ritmo extraordinário pelo mundo inteiro é um dos sinais mais nefastos do aquecimento causado pela queima contínua e irresponsável de combustíveis fósseis. Além disso, em julho de 2000, os cientistas que chegaram ao Pólo Norte a bordo do quebra-gelo russo *Yamal* depararam-se com uma cena lúgubre e inesperada — um trecho de mar aberto, de cerca de um quilômetro e meio de largura, em lugar da grossa camada de gelo que há inumeráveis séculos cobre o Oceano Ártico.[5]

Se o gelo continuar derretendo nessa proporção, esse descongelamento terá efeitos dramáticos sobre o mundo inteiro. O gelo do Ártico é um elemento importante da dinâmica da Corrente do Golfo, como constataram recentemente os cientistas. A eliminação dele do sistema de circulação do Atlântico Norte mudaria drasticamente o clima da Europa e afetaria o de outras partes do mundo.[6] Além disso, uma capa de gelo menor refletiria menos a luz do Sol e aceleraria, assim, ainda mais o aquecimento da Terra, desencadeando um círculo vicioso. Na pior das hipóteses previstas pelos cientistas do PIMC, as neves do Kilimanjaro, imortalizadas no famoso conto de Hemingway, desapareceriam em 15 anos; o mesmo ocorreria com as neves dos Alpes.

Menos visíveis do que o descongelamento das geleiras nas montanhas, mas igualmente significativos, são os indícios de aquecimento global dados pelos oceanos tropicais. Em muitas partes dos trópicos, águas rasas abrigam gigantescos recifes de coral construídos por pólipos minúsculos no decorrer de um longo período geológico. Essas estruturas enormes — de longe as maiores já criadas por organismos vivos sobre a Terra — dão sustentação à vida de inúmeras plantas, animais e microorganismos. Ao lado das florestas tropicais, os recifes de coral são os ecossistemas mais complexos da Terra, verdadeiras maravilhas de biodiversidade.[7]

Nos anos recentes, recifes de coral do mundo inteiro, do Caribe à Grande Barreira da Austrália, passando pelo Oceano Índico, têm sofrido de um *stress* ambiental que põe em risco a vida que existe neles, e esse *stress* é parcialmente devido ao aumento de temperatura. Os pólipos de coral são extremamente sensíveis às mudanças de temperatura e podem empalidecer e morrer com um mínimo aumento de calor no oceano. Em 1998, biólogos marinhos estimavam que mais de um quarto dos recifes de coral do mundo inteiro estavam doentes ou moribundos; e, dois anos depois, cientistas relataram que metade dos grandes recifes de coral que rodeiam o arquipélago da Indonésia foram destruídos pelos efeitos da poluição marinha, do desmatamento e do aumento de temperatura.[8] A derrocada mundial dos recifes de coral é um dos sinais mais claros e preocupantes de que nosso planeta está se aquecendo.

Enquanto os cientistas registram indícios claros do aquecimento global no Ártico e nos trópicos, aumenta a freqüência de ocorrência de desastres "naturais" devastadores causados, em parte, pelas mudanças climáticas induzidas pelo homem e por outras práticas ecologicamente destrutivas. Só em 1998, três desastres desse tipo abateram-se sobre diversas partes do mundo; cada um deles resultou na perda de milhares de vidas humanas e em prejuízos financeiros catastróficos.[9]

O furacão Mitch, a mais mortífera tempestade atlântica ocorrida nos últimos 200 anos, ceifou 10.000 vidas e devastou grandes áreas da América Central, atrasando em décadas o desenvolvimento da região.

As conseqüências da tempestade foram agravadas pela interação de vários fatores: mudança climática, desmatamento devido ao crescimento populacional e erosão do solo. Na China, a catastrófica enchente do Rio Yangtzé, que provocou mais de 4.000 mortes e a inundação de 25 milhões de hectares de terras cultivadas, foi devida em grande medida ao desmatamento que deixou nuas muitas encostas de colinas. Nesse mesmo ano, Bangladesh sofreu sua enchente mais devastadora do século, que matou 1.400 pessoas e deixou inundados dois terços do país por vários meses. A enchente foi piorada pelas chuvas que caíram em áreas intensamente desmatadas e pelas águas escoadas de áreas modernizadas mais próximas às cabeceiras dos rios da região, cujos leitos não puderam, assim, conter o volume de líqüido.

O nível do mar está subindo lenta e gradualmente em virtude do aquecimento global. Subiu cerca de 20 centímetros no decorrer do século XX e, se as tendências atuais se confirmarem, terá subido mais 50 centímetros em 2100. Os meteorologistas prevêem que essa elevação colocará em risco os principais deltas do mundo — o de Bangladesh, o do Amazonas e o do Mississípi — e poderá causar inclusive a inundação do sistema de metrô de Nova York.[10]

A (literal) maré montante de catástrofes naturais na década passada é um indício claro de que a instabilidade climática causada pela ação humana está aumentando, ao mesmo tempo que prejudicamos ecossistemas saudáveis que nos oferecem proteção contra esses desastres. Como observa Janet Abramovitz, do Worldwatch Institute,

> Muitos ecossistemas foram fragilizados a um ponto em que já não têm resistência e não são capazes de suportar perturbações naturais, o que facilita a ocorrência de "desastres artificiais" — calamidades que se tornam mais freqüentes ou mais severas em virtude das ações humanas. Destruindo florestas, construindo barragens em rios, aterrando mangues e desestabilizando o clima, estamos cortando os fios de uma complexa rede de segurança ecológica.[11]

A análise cuidadosa da dinâmica que está por trás dos recentes desastres naturais também mostra que as tensões ambientais e sociais estão intimamente ligadas em todos eles.[12] A pobreza, a escassez de recursos e a expansão populacional combinam-se para criar círculos viciosos de degradação e colapso dos ecossistemas e das comunidades locais.

A lição principal que temos a tirar dessas análises é a de que a maioria dos nossos atuais problemas ambientais e sociais têm suas raízes profundas em nosso sistema econômico. Como fiz questão de frisar anteriormente, a forma atual de capitalismo global é insustentável dos pontos de vista social e ecológico, e por isso é politicamente inviável a longo prazo.[13] Uma legislação ambiental mais rigorosa, uma atividade empresarial mais ética, uma tecnologia mais eficiente — tudo isso é necessário, mas não é suficiente. Precisamos de uma mudança sistêmica mais profunda.

Essa mudança sistêmica profunda já está acontecendo. Acadêmicos, líderes comunitários e ativistas do mundo inteiro já estão formando coalizões eficientes e levantando a voz não só para exigir que "viremos o jogo", mas também para propor maneiras concretas de fazer isso.

A globalização projetada

Qualquer discussão realista sobre essa virada tem de partir do fato de que, embora a globalização seja um fenômeno emergente, a forma atual de globalização econômica foi projetada conscientemente e *pode* ser modificada. Como já vimos, a economia global de hoje em dia é estruturada em torno de redes de fluxos financeiros nas quais o capital se movimenta num ritmo aceleradíssimo, passando rapidamente de uma opção a outra na busca frenética de oportunidades de investimento.[14] O "mercado global" é, na realidade, uma rede de máquinas — um autômato que impõe a sua lógica a todos os participantes humanos. Entretanto, para funcionar sem solavancos, esse autômato tem de ser programado por pessoas e instituições humanas. Os programas que dão origem à "nova economia" consistem em dois componentes essenciais — valores e regras operacionais.

As redes financeiras globais processam sinais que atribuem um valor financeiro específico a cada componente do ativo de cada economia. Esse processo não é tão simples quanto possa parecer. Envolve cálculos econômicos baseados em modelos matemáticos avançados; informações e opiniões proporcionadas por firmas de avaliação de mercado, gurus do mundo financeiro, presidentes de bancos centrais e outros "analistas" influentes; e por último, mas não menos importantes, turbulências de informação que, em grande medida, escapam a qualquer controle.[15]

Em outras palavras, o valor financeiro negociável de um bem qualquer (valor esse que é submetido a um ajuste contínuo) é uma propriedade emergente da dinâmica altamente não-linear de um autômato. Porém, por trás de todas as avaliações está o princípio básico do capitalismo selvagem: que o ganhar dinheiro vale mais do que a democracia, os direitos humanos, a proteção ambiental ou qualquer outro valor. Virar o jogo implica, antes de mais nada, mudar esse princípio básico.

Além do processo complexo de avaliação dos valores negociáveis, os programas das redes financeiras globais determinam regras operacionais que devem ser obedecidas pelos mercados do mundo inteiro. São as regras de "livre comércio" que a Organização Mundial do Comércio (OMC) impõe a seus Estados-membros. Para assegurar as máximas margens de lucro no cassino global, o capital deve ter o direito de fluir livremente pelas redes financeiras, a fim de que possa ser investido em qualquer ponto do planeta de um momento para o outro. Essas regras de livre comércio, associadas à desregulamentação cada vez maior das atividades empresariais, são feitas para garantir a livre movimentação do capital. Os impedimentos ao comércio que essa nova estrutura legislativa se ocupa de eliminar ou diminuir são, em geral, a legislação ambiental, as leis de saúde pública, as leis de segurança alimentar, os direitos trabalhistas e as leis que dão às nações o controle sobre os investimentos feitos em seu próprio território e sobre a sua cultura local.[16]

A resultante integração das atividades econômicas vai além dos aspectos puramente econômicos; alcança também o domínio cultural. No mundo inteiro, países de tradições culturais totalmente diversas ficam cada vez mais homogeneizados pela proliferação incessante das mesmas franquias de restaurantes e cadeias de hotéis, da mesma arquitetura de arranha-céus, das mesmas lojas de departamentos e *shopping centers*. Na adequada expressão de Vandana Shiva, o resultado de tudo isso é uma crescente "monocultura da mente".

As regras econômicas do capitalismo global são promovidas e fiscalizadas por três instituições financeiras globais — o Banco Mundial, o Fundo Monetário Internacional e a OMC. São conhecidas coletivamente como instituições de Bretton Woods porque foram criadas numa convenção das Nações Unidas em Bretton Woods, New Hampshire, em 1944, a fim de proporcionar uma estrutura institucional para uma economia mundial coerente no pós-guerra.

O Banco Mundial foi originalmente criado para financiar a reconstrução da Europa no pós-guerra, e o FMI, para garantir a estabilidade do sistema financeiro internacional. Entretanto, ambas as instituições logo tomaram a peito a tarefa de promover e impor ao Terceiro Mundo um modelo tacanho de desenvolvimento econômico, que acarretou, muitas vezes, conseqüências sociais e ambientais desastrosas.[17] O papel declarado da OMC é o de regulamentar o comércio, impedir as guerras comerciais e proteger os interesses das nações pobres. Na realidade, porém, a OMC implementa e impõe no mundo inteiro os mesmos princípios que o Banco Mundial e o FMI impuseram à maior parte dos países em desenvolvimento. Em vez de proteger a saúde, a segurança, os meios de vida e a cultura dos povos, as regras de livre comércio da OMC solapam esses direitos humanos básicos a fim de consolidar o poder e a riqueza de uma pequena elite empresarial.

As regras de livre comércio são o resultado de muitos anos de negociações a portas fechadas, que envolveram sobretudo empresas e grupos econômicos, mas excluíram as organizações não-governamentais (ONGs) que representam os interesses do meio ambiente, da justiça social, dos direitos humanos e da democracia. Não é de admirar que o movimento mundial contra a OMC esteja agora exigindo uma transparência maior na formulação das regras de mercado e pedindo que se façam avaliações independentes das conseqüências sociais e ambientais resultantes. Uma poderosa coalizão de centenas de ONGs está agora propondo todo um novo conjunto de políticas de comércio que poderia mudar profundamente o jogo financeiro global.

Líderes comunitários e movimentos populares do mundo inteiro, cientistas sociais e até alguns dos mais bem-sucedidos especuladores financeiros estão começando a perceber que o capitalismo global precisa ser regulamentado e contido, que os seus fluxos financeiros precisam ser organizados de acordo com valores diferentes.[18] No encontro de 2001 do Fórum Econômico Mundial em Davos — o clube exclusivo dos representantes dos grandes grupos econômicos —, alguns dos principais participantes admitiram pela primeira vez que a globalização não terá futuro se não for projetada para incluir a todos, para ser ecologicamente sustentável e para respeitar os direitos e valores humanos.[19]

Existe uma diferença enorme entre fazer declarações "politicamente corretas" e a mudança real do modo de agir das empresas, mas a concordância quanto aos valores básicos necessários para a remodelação da globalização seria um primeiro passo, e um passo importantíssimo. *Quais* são esses valores básicos? Para reiterar a pergunta de Václav Havel, quais são as dimensões éticas da globalização?[20]

A ética diz respeito a um padrão de conduta humana que deriva da inserção num grupo. Quando pertencemos a uma comunidade, comportamo-nos de acordo com ela.[21] No contexto da globalização, há duas grandes comunidades às quais todos nós pertencemos: todos nós somos membros da raça humana e todos fazemos parte da biosfera global. Somos moradores do *oikos*, da "casa Terra", que é a raiz grega da palavra "ecologia", e devemos nos comportar como se comportam os outros moradores dessa casa — as plantas, os animais e os microorganismos que constituem a vasta rede de relações que chamamos de teia da vida.

Essa rede viva global desenvolveu-se, evoluiu e diversificou-se no decorrer dos últimos três bilhões de anos sem jamais se romper. A característica marcante da "casa Terra" é a sua capacidade intrínseca de sustentar a vida. Na qualidade de membros da comunidade global de seres vivos, temos a obrigação de nos comportar de maneira a não prejudicar essa capacidade intrínseca. Esse é o sentido essencial da sustentabilidade ecológica. O que é sustentado numa comunidade sustentável não é o crescimento econômico nem o desenvolvimento, mas toda a teia da vida da qual depende, a longo prazo, a nossa própria sobrevivência. A comunidade sustentável é feita de tal forma que seus modos de vida, seus negócios, sua economia, suas estruturas físicas e suas tecnologias não se oponham à capacidade intrínseca da natureza de sustentar a vida.

Na qualidade de membros da comunidade humana, nosso comportamento deve manifestar um respeito pela dignidade humana e pelos direitos humanos básicos. Uma vez que a vida humana engloba necessidades biológicas, cognitivas e sociais, os direitos humanos devem ser respeitados nessas três dimensões. A dimensão biológica inclui o direito a um ambiente sadio e a alimentos seguros e saudáveis; o respeito à integridade da vida acarreta necessariamente a rejeição do registro de patentes de formas de vida. Os direitos humanos na dimensão cognitiva são, entre outros, o direito de acesso à educação e ao conhecimento e a liberdade de opinião e de expressão. Na dimensão social, por fim, o primeiro direito humano — nas palavras da Declaração de Direitos Humanos da ONU — é "o direito à vida, à liberdade e à segurança da pessoa". Há muitos direitos humanos na dimensão social — da justiça social ao direito de reunir-se pacificamente, passando pelos direitos à integridade cultural e à autodeterminação.

Para integrar o respeito aos direitos humanos com a ética da sustentabilidade ecológica, precisamos perceber que a sustentabilidade — tanto nos ecossistemas quanto na sociedade humana — não é uma propriedade individual, mas uma propriedade de toda uma teia de relacionamentos; ela envolve toda uma comunidade. Uma comunidade humana sustentável interage com outros sistemas vivos — humanos e não-humanos — de maneira a permitir que esses sistemas vivam e se desenvolvam cada qual de acordo com a sua natureza. No domínio humano a sustentabilidade é perfeitamente compatível com o respeito à integridade cultural, à diversidade cultural e ao direito básico das comunidades à autodeterminação e à auto-organização.

A coalizão de Seattle

Os valores da dignidade humana e da sustentabilidade ecológica, acima delineados, constituem a base ética da remodelação da globalização, e uma notável coalizão global de ONGs formou-se em torno desses valores. O número de organizações não-governamentais internacionais aumentou de modo admirável nas últimas décadas, de algumas centenas na década de 1960 a mais de 20.000 no fim do século.[22] No decorrer da década de 1990, uma elite perita em informática nasceu e cresceu dentro dessas ONGs internacionais. Essas ONGs começaram a usar com muita habilidade as novas tecnologias de comunicação, especialmente a Internet, para organizar-se em redes, trocar informações e mobilizar seus membros.

Essa atividade de organização em rede (*networking*) tornou-se especialmente intensa com a preparação de ações conjuntas de protesto contra a reunião da OMC em Seattle, em novembro de 1999. Por vários meses, centenas de ONGs interligaram-se eletronicamente para coordenar seus planos e publicar uma enxurrada de panfletos, declarações de princípios, livros e comunicados à imprensa nos quais formulavam claramente sua oposição às políticas e ao regime antidemocrático da OMC.[23] Esses escritos foram praticamente ignorados pela OMC, mas exerceram uma influência significativa sobre a opinião pública. A campanha educacional das ONGs culminou num seminário de dois dias, realizado em Seattle pouco antes da reunião da OMC, organizado pelo Fórum Internacional sobre a Globalização e acompanhado por mais de 2.500 pessoas vindas de diversas partes do mundo.[24]

Em 30 de novembro de 1999, cerca de 50.000 pessoas pertencentes a mais de 700 organizações fizeram um protesto apaixonado, magistralmente coordenado e quase totalmente não-violento, que mudou permanentemente o panorama político da globalização. Foi assim que o viu o ambientalista e escritor Paul Hawken, que participou do protesto:

> Nenhum líder carismático comandou; nenhum chefe religioso agiu diretamente; nenhuma estrela do cinema estrelou; não havia grupo alfa ou círculo interno. A Ruckus Society, a Rainforest Action Network, a Global Exchange e centenas de outras [ONGs] estavam lá, coordenadas sobretudo por telefones celulares, e-mails e pela Rede de Ação Direta...
>
> Eram organizados, educados e determinados. Eram defensores dos direitos humanos, defensores dos direitos do trabalho, membros de povos indígenas, religiosos, metalúrgicos e agricultores; eram defensores das florestas, ambientalistas, defensores da justiça social, estudantes e profes-

sores; e queriam que a Organização Mundial do Comércio os escutasse. Falavam em nome de um mundo que não foi melhorado pela globalização.[25]

A polícia de Seattle pôs todo o seu pessoal nas ruas para manter os manifestantes afastados do Centro de Convenções onde a reunião ia acontecer, mas não estava preparada para as ações de rua de uma rede gigantesca, perfeitamente organizada e totalmente dedicada à idéia de fechar a OMC. Sobreveio o caos; centenas de delegados ficaram ilhados nas ruas ou fechados em seus hotéis; e a cerimônia de abertura teve de ser cancelada.

A frustração dos delegados e dos políticos cresceu no decorrer do dia. No fim da tarde, o prefeito e o chefe de polícia declararam estado de emergência civil; e no segundo dia a polícia aparentemente perdeu todo o controle e atacou brutalmente não só os manifestantes como também simples moradores da cidade que estavam só passando ou assistindo aos acontecimentos. Michael Meacher, Ministro do Meio Ambiente do Reino Unido, afirmou: "Nós não contávamos com a Polícia de Seattle, que sozinha conseguiu transformar num tumulto um protesto totalmente pacífico."[26]

Entre os 50.000 manifestantes, havia talvez uns 100 anarquistas que haviam comparecido para quebrar vitrines e destruir a propriedade alheia. Esses anarquistas poderiam ter sido presos, mas a polícia de Seattle não o fez; e os meios de comunicação preferiram voltar toda a sua atenção para as ações destrutivas desse pequeno grupo de baderneiros — não mais do que um por cento do total de manifestantes — em vez de enfocar a mensagem construtiva da imensa maioria de ativistas pacíficos.

No fim, a reunião da OMC não deu certo não só por causa dessas grandes manifestações, mas também — e talvez principalmente — por causa do modo pelo qual os grandes poderes dentro da Organização oprimiram os delegados dos países do Hemisfério Sul.[27] Depois de ignorar dezenas de propostas dos países em desenvolvimento, os líderes da OMC excluíram os delegados desses países das importantíssimas reuniões realizadas por trás do pano na "Sala Verde" e ainda procuraram pressioná-los para assinar um acordo negociado secretamente. Furiosos, muitos delegados recusaram-se a fazê-lo, solidarizando-se assim com os grandes atos de oposição ao regime antidemocrático da OMC que estavam sendo realizados fora do Centro de Convenções.

Defrontados com uma possível rejeição do acordo por parte dos países em desenvolvimento na sessão final, as potências econômicas preferiram deixar que a reunião de Seattle acabasse sem sequer fazer um esforço para formular uma declaração final. Foi assim que Seattle, projetada para ser uma comemoração da solidificação da OMC, tornou-se, ao contrário, o próprio símbolo da resistência mundial.

Depois de Seattle, manifestações menores mas igualmente eficazes ocorreram em outras reuniões internacionais realizadas em Washington, em Praga e na Cidade de Quebec, mas Seattle marcou a formação de uma coalizão global de ONGs. Ao fim do ano 2000, mais de 700 organizações de 79 países já haviam se unido ao que agora se chama oficialmente de Coalizão Internacional de Seattle, e começaram a lançar uma "campanha para mudar a OMC".[28] Naturalmente, há uma grande diversidade de interesses em todas essas ONGs, que vão de organizações de trabalhadores a organizações de defesa dos povos indígenas, passando por outras dedicadas à defesa e à promoção dos direitos humanos, dos direitos das mulheres, das religiões e do meio ambiente. Entretanto, notavelmente, todas elas concordam entre si quanto aos valores fundamentais da dignidade humana e da sustentabilidade ecológica.

Em janeiro de 2001, a Coalizão de Seattle realizou o primeiro Fórum Social Mundial em Porto Alegre, no Brasil. Concebido como uma espécie de contraponto ao Fórum Econômico Mundial realizado em Davos, na Suíça, foi realizado intencionalmente na mesma época, mas num país do Hemisfério Sul. Formou-se uma nítida contraposição entre os dois eventos simultâneos. Na Suíça, uma pequena elite de líderes empresariais, a maioria dos quais homens e brancos, reuniu-se secretamente, protegida dos manifestantes por batalhões e mais batalhões do exército suíço. No Brasil, doze mil homens e mulheres de todas as raças reuniram-se abertamente em grandes anfiteatros e foram calorosamente recebidos pela cidade de Porto Alegre e por todo o Estado do Rio Grande do Sul.

Pela primeira vez, a Coalizão de Seattle convocou uma reunião de seus membros não para protestar, mas para dar um passo adiante e começar a discutir outras possibilidades, seguindo aí o lema oficial do Fórum, "Um Outro Mundo É Possível". Como relatou o jornal britânico *Guardian*, "Sentia-se claramente no ar que um novo movimento global estava surgindo, marcado por uma notável diversidade de idade, de tradições políticas, de experiências práticas e de passado cultural."[29]

A sociedade civil global

A Coalizão de Seattle é um exemplo de um novo tipo de movimento político típico da Era da Informação. Em virtude de um uso hábil da interatividade da Internet e do seu alcance global, as ONGs que formam a coalizão podem unir-se em rede umas com as outras, trocar informações e mobilizar seus membros com uma rapidez antes inconcebível. Por causa disso, as novas ONGs globais firmaram-se como novos e eficazes agentes políticos, independentes de quaisquer instituições tradicionais nacionais ou internacionais.

Como vimos, a ascensão da sociedade em rede vem sendo acompanhada pelo declínio da soberania, da autoridade e da legitimidade do Estado nacional.[30] Ao mesmo tempo, as principais religiões não desenvolveram uma ética adequada à era da globalização, e a legitimidade da tradicional família patriarcal está sendo posta em dúvida por profundas redefinições das relações entre os sexos, da família e da sexualidade — as principais instituições da sociedade civil tradicional também estão ruindo.

Define-se tradicionalmente a sociedade civil como um conjunto de organizações e instituições — igrejas, partidos políticos, sindicatos, cooperativas e diversas associações de voluntários — que constituem uma espécie de intermediário entre o Estado e seus cidadãos. As instituições da sociedade civil representam os interesses do povo e constituem os canais políticos pelos quais este se liga ao Estado. Segundo o sociólogo Manuel Castells, na sociedade em rede, as mudanças sociais não se originam dentro das instituições tradicionais da sociedade civil, mas desenvolvem-se a partir de identidades baseadas na rejeição dos valores predominantes na sociedade — o patriarcado, o domínio e o controle da natureza, o crescimento econômico e o consumo material ilimitados, etc.[31] A resistência contra esses valores começou com os poderosos movimentos sociais que tomaram conta do mundo industrializado na década de 1960.[32] Por fim, nasceu desses movimentos uma visão alternativa, baseada no respeito à dignidade humana, na ética da sustentabilidade e numa concepção ecológica do universo. Essa nova visão constitui a base da coalizão mundial de movimentos populares.

Uma nova espécie de sociedade civil, organizada em torno da redefinição da globalização, está aos poucos surgindo. Ela não se define em função de um Estado particular, mas é global em seu âmbito e em sua organização. Incorpora-se em poderosas ONGs internacionais — como a Oxfam, o Greenpeace, o Third World Network e o Rainforest Action Network — e em coalizões de centenas de organizações menores, todas as quais tornaram-se socialmente ativas neste novo ambiente político.

Como salientam os cientistas políticos Craig Warkentin e Karen Mingst, a nova sociedade civil caracteriza-se por uma mudança do foco de atenção, que passa das instituições formais para as relações sociais e políticas entre as entidades socialmente ativas.[33] Essas relações estruturam-se em torno de dois tipos de redes. Por um lado, as ONGs baseiam-se em organizações populares locais (ou seja, em redes humanas vivas); por outro, são capazes de usar habilmente as novas tecnologias globais de comunicação (ou seja, as redes eletrônicas). A Internet, em específico, tornou-se o mais importante instrumento político das ONGs. Criando esse elo inédito entre as redes humanas e as redes eletrônicas, a sociedade civil global mudou a paisagem da realidade política. Para exemplificar esse fenômeno, Warkentin e Mingst contam a história da bem-sucedida campanha da Coalizão de Seattle contra o AMI.

O Acordo Multilateral sobre os Investimentos (AMI), negociado pela Organização de Cooperação e Desenvolvimento Econômico (OCDE), devia ser um instrumento jurídico para a criação de padrões "atualizados" de proteção aos investimentos estrangeiros, especificamente nos países em desenvolvimento. Suas cláusulas coibiriam o poder dos governos locais de regulamentar as atividades dos investidores estrangeiros; os governos não poderiam mais, por exemplo, impor restrições à posse de bens imóveis por parte de grupos estrangeiros, nem mesmo à posse de indústrias e setores econômicos estratégicos para o país. Em suma, a soberania das nações cederia seu lugar aos direitos dos grandes grupos empresariais e econômicos.

As negociações começaram em 1995 e por quase dois anos foram conduzidas pela OCDE a portas fechadas, bem longe do conhecimento do público. Mas, em 1997, um rascunho do documento caiu nas mãos do Public Citizen, um grupo de defesa dos interesses públicos fundado por Ralph Nader, que o publicou imediatamente na Internet. Assim que esse rascunho tornou-se conhecido (dois anos antes de Seattle), mais de 600 organizações de 70 países expressaram com veemência sua oposição ao tratado. A Oxfam, em específico, criticou a falta de transparência do processo de negociação, a exclusão dos países em desenvolvimento das negociações (muito embora fossem eles os mais afetados pelo AMI) e a falta de avaliações independentes quanto às conseqüências sociais e ambientais do acordo.

Depois, as ONGs participantes da campanha foram publicando em seus *websites* as sucessivas redações do AMI junto com suas próprias análises, listas e tabelas de fatos e convocações à ação (em campanhas de protesto por carta e passeatas, por exemplo). Essas informações apareceram em numerosos *sites*, todos eles extensamente interligados. Por fim, a OCDE foi obrigada a abrir o seu próprio *site* sobre o AMI, num esforço — aliás, inútil — para conter a vigorosa campanha anti-AMI feita *online*.

Os delegados que participavam das negociações tinham a intenção de completar o acordo em maio de 1997. Entretanto, em vista dessa oposição organizada em escala mundial, a OCDE instituiu um "período de avaliação" de seis meses e adiou em um ano a data de vigência do acordo. Quando as negociações foram retomadas, em outubro de 1997, as possibilidades de efetiva promulgação do acordo haviam diminuído drasticamente; e, dois meses depois, a OCDE anunciou a suspensão permanente das negociações. A delegação francesa, que foi uma das primeiras a retirar o seu apoio, reconheceu explicitamente o papel decisivo que a nova sociedade civil desempenhara em todo esse processo: "O AMI... marca uma etapa [importante] para as negociações... internacionais. Pela primeira vez, estamos assistindo ao surgimento de uma 'sociedade civil global' representada pelas organizações não-governamentais, que muitas vezes são ativas em diversos países e cujas comunicações ultrapassam as fronteiras nacionais. Não há dúvida de que se trata de uma mudança irreversível."[34]

Warkentin e Mingst, em sua análise, fazem questão de salientar que uma das principais conquistas das ONGs foi a de dar uma forma definida ao discurso público sobre o AMI. Enquanto o tratado era discutido em linguagem econômica e financeira pelos delegados da OCDE, as ONGs usaram uma linguagem que esclarecia os valores subjacentes. Ao fazer isso, elas introduziram no debate uma perspectiva ampla e sistêmica e, ao mesmo tempo, adotaram um discurso mais direto, mais franco e de maior carga emocional.[35] Trata-se de um ato típico da nova sociedade civil, que não só faz uso das redes globais de comunicação como também tem suas raízes nas comunidades locais, cuja identidade é derivada dos valores comuns a todos os seus membros.

Essa análise é compatível com a afirmação de Manuel Castells de que o poder político na sociedade em rede provém da capacidade de fazer-se um uso eficaz dos símbolos e códigos culturais para a constituição do discurso político.[36] É exatamente essa a força das ONGs na sociedade civil global. Elas são capazes de falar sobre assuntos importantíssimos numa linguagem que faz sentido para as pessoas e atinge-as nas emoções, tudo isso para promover "uma política mais 'centrada nas pessoas' e processos políticos [mais] democráticos e participativos".[37] Como concluiu Castells, a nova política "será uma política cultural, que... acontece predominantemente no espaço [virtual] dos meios de comunicação e tem como armas os símbolos, mas, não obstante, permanece ligada aos valores e questões que nascem das experiências de vida das pessoas".[38]

Para situar o discurso político dentro de uma perspectiva sistêmica e ecológica, a sociedade civil global conta com uma rede de estudiosos, institutos de pesquisa, grupos de criação e discussão de novas idéias e centros de ensino que funcionam, em sua maior parte, fora das nossas principais universidades, empresas e órgãos de governo. A característica que une todos os elementos dessa rede é a de levar a cabo a pesquisa e o ensino dentro de uma estrutura explícita de valores fundamentais comuns.

Atualmente, pelo mundo inteiro, existem dezenas dessas instituições de ensino e pesquisa. As mais conhecidas são, nos Estados Unidos, o Instituto Worldwatch, o Instituto Rocky Mountain, o Instituto de Estudos Políticos, o Fórum Internacional sobre a Globalização, o Global Trade Watch, a Fundação de Tendências Econômicas, o Instituto de Política Alimentar e de Desenvolvimento, o Instituto da Terra e o Centro de Eco-Alfabetização; no Reino Unido, o Schumacher College; na Alemanha, o Instituto Wuppertal de Clima, Energia e Meio Ambiente; no Japão, na África e na América Latina, a instituição Pesquisa e Iniciativas em Prol da Emissão Zero; e, na Índia, a Fundação de Pesquisas em Ciência, Tecnologia e Ecologia. Todas essas instituições têm seus próprios *websites* e estão interligadas umas com as outras e com as ONGs de caráter mais ativista, para quem fornecem os recursos intelectuais necessários.

A maior parte desses institutos de pesquisa são comunidades de estudiosos e ativistas que se dedicam a uma larga variedade de projetos e campanhas — à reforma eleitoral, à defesa da mulher, ao Protocolo de Kyoto sobre o Aquecimentro Global, ao estudo da biotecnologia ou das fontes renováveis de energia, à luta contra a patente de medicamentos e outros. Dentre todos esses temas, há três conjuntos que parecem ser os focos de atenção das maiores e mais ativas coligações de movimentos populares. O primeiro é o desafio de remodelar as instituições e as regras da globalização; o segundo é a oposição aos alimentos transgênicos e a promoção da agricultura sustentável; e o terceiro é o projeto ecológico (*ecodesign*) — um esforço conjunto de redefinição das nossas estruturas físicas, cidades, tecnologias e indústrias de modo a torná-las ecologicamente sustentáveis.

Esses três grupos de temas são conceitualmente interligados. A proibição da patente de formas de vida, a rejeição dos alimentos transgênicos e a promoção da agricultura sustentável, por exemplo, são importantes na reformulação das regras da globalização. São estratégias essenciais para a caminhada rumo à sustentabilidade ecológica e, por isso, ligam-se de perto ao campo mais amplo do projeto ecológico. Esses elos conceituais mostram que há muitas ações coordenadas entre as ONGs que têm por objeto diversos aspectos dos três conjuntos de temas ou que os incluem em seus projetos.

Remodelar a globalização

Antes mesmo do seminário realizado em Seattle em novembro de 1999, as principais ONGs da Coalizão de Seattle já haviam constituído uma "Força-Tarefa de Alternativas", sob o comando do Fórum Internacional sobre a Globalização (FIG), para sintetizar as principais idéias sobre as alternativas à forma atual de globalização econômica. Essa Força-Tarefa incluía, além do FIG, o Instituto de Estudos Políticos (EUA), o Global Trade Watch (EUA), o Conselho de Canadenses (Canadá), o Focus on Global South (Tailândia e Filipinas), a Third World Network (Malásia) e a Fundação de Pesquisas em Ciência, Tecnologia e Ecologia (Índia).

Depois de deliberar por mais de dois anos, a Força-Tarefa preparou um relatório preliminar chamado "Alternativas à Globalização Econômica", o qual, especialmente depois do Fórum Social Mundial de Porto Alegre, foi enriquecido e complementado por comentários e sugestões de ativistas do mundo inteiro. A Força-Tarefa de Alternativas pretende lançar seu relatório preliminar em janeiro de 2002; depois, dará início a um processo de dois anos no decorrer dos quais o relatório será elaborado e desenvolvido através de diálogos e debates com ativistas de movimentos populares do mundo inteiro. O relatório final sairá em 2003.[39]

A síntese de alternativas à globalização econômica, elaborada pelo FIG, contrapõe os valores e os princípios organizadores que estão por trás do neoliberal Acordo de Washington a um conjunto de princípios e valores alternativos. Entre estes, podemos mencionar a idéia de que os governos deixem de servir às grandes empresas e grupos econômicos e passem a servir às pessoas e às comunidades; a criação de novas regras e subsídios que favoreçam as localidades e sigam o princípio da subsidiariedade ("Sempre que o poder puder ter a sua sede no nível local, é aí que deve ter a sua sede"); o respeito à integridade e à diversidade cultural; uma forte ênfase na garantia de produção de alimentos (auto-suficiência local) e na segurança dos alimentos (o direito a alimentos saudáveis e seguros); e o respeito aos direitos trabalhistas, sociais e outros direitos humanos básicos.

O Relatório de Alternativas deixa claro que a Coalizão de Seattle não se opõe ao comércio e aos investimentos globais, desde que estes colaborem para a construção de comunidades saudáveis, respeitadas e sustentáveis. Entretanto, o mesmo relatório insiste em que as práticas recentes do capitalismo global mostraram que precisamos de um conjunto de regras que determinem explicitamente que certos bens e serviços não devem ser transformados em mercadorias, nem comercializados, nem patenteados, nem sujeitos a acordos de comércio.

Ao lado das regras já existentes sobre esse assunto, que dizem respeito às espécies ameaçadas de extinção e a bens que prejudicam o ambiente ou a saúde pública — lixo tóxico, tecnologia nuclear, armas, etc. —, as novas regras diriam respeito a bens que pertencem ao "domínio público global", ou seja, bens que constituem os fatores elementares da vida ou a herança comum de toda a humanidade. Esses bens são, por exemplo, a água doce, que não deve ser comercializada, mas fornecida de graça aos que dela necessitam; sementes, plantas e animais que são comercializados nas comunidades agrícolas tradicionais, mas não devem ser patenteados em vista do lucro; e seqüências de DNA, que não devem ser nem patenteadas nem comercializadas.

Os autores do relatório reconhecem que essas questões constituem a parte mais difícil, mas também a mais importante, do debate sobre a globalização. A principal preocupação deles é a de pôr limites a um sistema global de comércio onde tudo está à venda, até mesmo a hereditariedade biológica ou o acesso a sementes, ao alimento, ao ar e à água — elementos da vida que, no passado, eram considerados sagrados.

Além de discutir valores e princípios organizadores alternativos, a síntese do FIG inclui propostas concretas para a reestruturação das instituições de Bretton Woods. Trata-se de propostas radicais. Na opinião da maioria das ONGs da Coalizão de Seattle, a reforma da OMC, do Banco Mundial e do FMI não é uma estratégia viável, pois as estruturas, as funções, os objetivos e os processos de funcionamento dessas instituições são fundamentalmente contrários aos valores fundamentais da dignidade humana e da sustentabilidade ecológica. O que as ONGs propõem é um processo de restruturação em quatro etapas: a extinção das instituições de Bretton Woods; a unificação do governo mundial sob um sistema reformado de Nações Unidas; o fortalecimento de certas organizações da ONU já existentes; e a criação de diversas novas organizações dentro da ONU que preenchessem a lacuna deixada pelas instituições de Bretton Woods.

O relatório observa que, atualmente, nós dispomos de dois conjuntos muito diferentes de instituições de governo mundial: a tríade de Bretton Woods e a Organização das Nações Unidas. As instituições de Bretton Woods foram mais eficazes para a implementação de projetos bem definidos, mas esses projetos foram quase todos destrutivos e foram impostos à humanidade de maneira coercitiva e antidemocrática. A Organização das Nações Unidas, por outro lado, tem sido menos eficiente, mas seus objetivos são muito mais amplos; seus processos de tomada de decisões são mais abertos e democráticos; e seus projetos dão muito mais importância às prioridades sociais e ambientais. As ONGs afirmam que, se os poderes e funções do FMI, do Banco Mundial e da OMC forem limitados, criar-se-á o espaço necessário para que uma Organização das Nações Unidas reformada cumpra as funções que lhe cabem.

A Coalizão de Seattle propõe uma firme rejeição a qualquer nova rodada de negociações da OMC ou a qualquer expansão das suas funções ou do seu número de membros. Muito pelo contrário, o poder da OMC deve ser eliminado ou pelo menos radicalmente reduzido, para que ela passe a ser simplesmente mais uma dentre muitas organizações internacionais num mundo pluralista e dotado de muitos sistemas "espontâneos" de coibição e compensação de excessos. Como diz o lema da campanha lançada pelo Global Trade Watch: "*WTO: Shrink it or Sink it.*" ["OMC: Encolha-a ou Afunde-a."]

Quanto ao Banco Mundial e ao FMI, a Coalizão de Seattle imputa a essas instituições uma grande responsabilidade pela imposição de dívidas externas insaldáveis aos países do Terceiro Mundo e pela implementação de um conceito equivocado de desenvolvimento que teve conseqüências sociais e ecológicas desastrosas. Fazendo uso de uma gíria aplicada normalmente a usinas nucleares antigas, o relatório sugere que o Banco Mundial e o FMI sejam "descomissionados", ou seja, desativados.

Para cumprir as funções originais das instituições de Bretton Woods, o Relatório de Alternativas propõe um fortalecimento dos mandatos e dos recursos de organizações da ONU já existentes, como a Organização Mundial de Saúde, a Organização Internacional do Trabalho e o Programa Ambiental da ONU. Seus autores pensam que a saúde, o trabalho e os padrões ambientais não devem ser submetidos à jurisdição da OMC, mas sim sujeitos à autoridade dos órgãos da ONU; e devem ter prioridade sobre a expansão do comércio. Na opinião da Coalizão de Seattle, a saúde pública, os direitos dos trabalhadores e a proteção ambiental são fins em si mesmos, ao passo que o comércio e os investimentos internacionais não passam de meios.

Além disso, o Relatório de Alternativas apóia a criação de um pequeno número de novas instituições que operem submetidas à autoridade e à supervisão da ONU. Seriam elas um Tribunal Internacional de Inadimplência (TII) para supervisionar o alívio de dívidas, que passaria a funcionar com a desativação do Banco Mundial e dos bancos regionais de desenvolvimento; uma Organização Internacional de Finanças (OIF), que substituiria o FMI e trabalharia com os países-membros da ONU para alcançar e conservar um equilíbrio e uma estabilidade nas relações financeiras internacionais; e uma Organização pela Responsabilidade Empresarial (ORE), sob o controle direto da Organização das Nações Unidas. A função principal da ORE seria a de fornecer aos governos e ao público em geral informações abrangentes e definitivas acerca das práticas empresariais, dando apoio à negociação de acordos bilaterais e multilaterais pertinentes e a boicotes de investidores e consumidores.

O objetivo principal de todas essas propostas é a descentralização do poder das instituições globais em favor de um sistema pluralista de organizações regionais e internacionais, cada uma das quais teria os seus poderes limitados por outras organizações, outros acordos e outros agrupamentos regionais. Parece que esse sistema de governo mundial, menos estruturado e mais fluido, é muito mais adequado ao mundo atual, no qual as empresas cada vez mais organizam-se na forma de redes descentralizadas e a autoridade política vai passando para os níveis regionais e locais, com a transformação dos Estados nacionais numa "rede de Estados".[40]

Para concluir, o Relatório de Alternativas observa que suas propostas pareceriam pouco realistas há poucos anos, mas que o panorama político mudou drasticamente depois de Seattle. As instituições de Bretton Woods vêem-se às voltas com uma profunda crise de legitimidade e uma aliança dos países do Hemisfério Sul (os países do "Grupo dos 77") com políticos sensíveis do Hemisfério Norte e organizações pertencentes à nova sociedade civil global pode chegar a ter poder suficiente para determinar uma reforma institucional generalizada e remodelar a globalização.

A revolução dos alimentos

Ao contrário dos protestos contra a globalização econômica, a resistência contra os alimentos transgênicos ou geneticamente modificados não começou com uma campanha de educação do público. Começou em princípios da década de 1990 com manifestações generalizadas de agricultores tradicionais na Índia, seguidas pelo boicote dos consumidores na Europa e por uma espetacular ressurreição da agricultura orgânica. Nas palavras de John Robbins, ativista pela saúde ambiental e escritor, 'No mundo inteiro, as pessoas estavam pedindo que seus governos protegessem o bem-estar do ser humano e do ambiente, dando preferência à saúde pública sobre os lucros empresariais. Em toda parte, as pessoas estavam clamando por uma sociedade que cuidasse da Terra, e não que a destruísse.'[41]

Os boicotes e manifestações públicas dirigidos contra diversas empresas biotecnológicas e agroquímicas foram logo seguidos pela publicação generalizada de documentos escritos sobre as práticas dessas indústrias, publicação feita pelas principais ONGs do movimento ecológico e ambientalista.[42]

Em seu livro *The Food Revolution*, fartamente documentado, John Robbins nos faz um relato vívido da revolta dos cidadãos contra os alimentos transgênicos, revolta essa que rapidamente se espalhou da Europa para o resto do mundo.[43] Em 1998, plantas geneticamente modificadas foram destruídas por cidadãos e agricultores irritados na Grã-Bretanha, na Irlanda, na França, na Alemanha, na Holanda e na Grécia, bem como nos Estados Unidos, na Índia, no Brasil, na Austrália e na Nova Zelândia. Ao mesmo tempo, movimentos populares do mundo inteiro endereçaram, cada qual a seu governo, um grande número de petições. Na Áustria, por exemplo, mais de um milhão de cidadãos — cerca de 20 por cento do eleitorado — endossaram um abaixo-assinado em favor da proibição de alimentos transgênicos. Nos Estados Unidos, uma petição em favor da rotulação obrigatória dos alimentos transgênicos foi assinada por meio milhão de pessoas e apresentada ao congresso; e no mundo inteiro, inúmeras organizações — entre as quais a Associação Médica da Grã-Bretanha — pediram uma moratória no plantio de todas as espécies vegetais que continham organismos geneticamente modificados.

Os governos logo acataram essas manifestações enérgicas da opinião pública. O governador do Rio Grande do Sul, um dos Estados que mais produzem soja no Brasil e sede do Fórum Social Mundial realizado em Porto Alegre, transformou o Estado inteiro numa zona livre de transgênicos. Os governos da França, da Itália, da Grécia e da Dinamarca anunciaram que vetariam a aprovação de novas espécies vegetais transgênicas na União Européia. A Comissão Européia tornou compulsória a rotulação de alimentos transgênicos, e o mesmo fizeram os governos do Japão, da Coréia do Sul, da Austrália e do México. Em janeiro de 2000, em face da veemente oposição dos norte-americanos, 130 países assinaram em Montreal o pioneiro Protocolo de Cartagena de Biossegurança, que dá às nações o direito de proibir que formas de vida geneticamente modificadas entrem em seu território.

A resposta da comunidade empresarial à revolta dos cidadãos contra a biotecnologia alimentar não foi menos decisiva. No mundo inteiro, empresas produtoras de alimentos e bebidas e redes de restaurantes comprometeram-se rapidamente a eliminar os transgênicos de seus produtos. Em 1999, as sete maiores redes de supermercados de seis países europeus assumiram publicamente o compromisso de "livrar-se dos transgênicos"; o mesmo compromisso foi assumido poucos dias depois pelas gigantescas empresas alimentícias Unilever (que, antes, era uma das mais ferozes defensoras dos transgênicos), Nestlé e Cadbury-Schweppes.

Ao mesmo tempo, as duas maiores cervejarias do Japão, a Kirin e a Sapporo, anunciaram que não usariam mais cevada transgênica em suas cervejas. As redes de *fast food* McDonald's e Burger King informaram a seus fornecedores que não comprariam mais batatas transgênicas. As mesmas batatas transgênicas foram rejeitadas por grandes fabricantes de salgadinhos, e a Frito-Lay pediu a seus fornecedores que não plantassem mais milho transgênico.

Quando as indústrias de alimentos começaram a rejeitar os produtos transgênicos e a área cultivada com transgênicos começou a diminuir, pondo-se um fim ao crescimento explosivo do final da década de 1990, os analistas naturalmente começaram a alertar os investidores quanto aos riscos financeiros da biotecnologia alimentar. Em 1999, o Deutsche Bank — o maior banco da Europa — declarou categoricamente que "os transgênicos estão mortos" e recomendou que seus clientes vendessem todas as suas ações de empresas de biotecnologia.[44] Um ano depois, o *Wall Street Journal* chegou à mesma conclusão: "Uma vez que a controvérsia quanto aos alimentos transgênicos está se espalhando pelo mundo e determinando uma forte redução do valor das ações de empresas envolvidas com a biotecnologia agrícola, é difícil considerar essas empresas como um bom investimento, mesmo a longo prazo."[45] Esses acontecimentos recentes mostram com evidência que os movimentos populares de hoje, com seu alcance global, têm o poder e a capacidade necessários para mudar não somente o clima político internacional, mas também as regras do jogo do mercado global, mediante a reorientação dos seus fluxos financeiros de acordo com outros valores.

Alfabetização ecológica e projeto ecológico

A sustentabilidade ecológica é um elemento essencial dos valores básicos que fundamentam a mudança da globalização. Por isso, várias ONGs, institutos de pesquisa e centros de ensino pertencentes à nova sociedade civil global escolheram a sustentabilidade como o tema específico de seus esforços. Com efeito, a criação de comunidades sustentáveis é o maior desafio dos nossos tempos.

O conceito de sustentabilidade foi criado no começo da década de 1980 por Lester Brown, fundador do Instituto Worldwatch, que definiu a sociedade sustentável como aquela que é capaz de satisfazer suas necessidades sem comprometer as chances de sobrevivência das gerações futuras.[46] Alguns anos depois, o relatório da Comissão Mundial de Meio Ambiente e Desenvolvimento (o famoso "Relatório Brundtland") usou a mesma definição para apresentar a noção de "desenvolvimento sustentável": "A humanidade tem a capacidade de alcançar o desenvolvimento sustentável — de atender às necessidades do presente sem comprometer a capacidade das gerações futuras de atenderem às suas próprias necessidades."[47]

Essas definições de sustentabilidade são admoestações morais de grande importância. Lembram-nos da nossa responsabilidade de deixar para nossos filhos e netos um mundo dotado de tantas oportunidades quantas havia no mundo que nós mesmos herdamos. Entretanto, essa definição nada tem a nos dizer sobre como construir uma sociedade sustentável. É por isso que, mesmo dentro do movimento ambientalista, tem havido muita confusão sobre o sentido dessa "sustentabilidade".

A chave de uma definição operativa de sustentabilidade ecológica é a percepção de que nós não precisamos inventar comunidades humanas sustentáveis a partir do nada; podemos moldá-las segundo os ecossistemas naturais, que *são* comunidades sustentáveis de vegetais, animais e microorganismos. Como a característica mais marcante da "casa-Terra" é a sua capacidade intrínseca de sustentar a vida,[48] uma comunidade humana sustentável tem de ser feita de tal maneira que seus modos de vida, negócios, economia, estruturas físicas e tecnologia não prejudiquem a capacidade intrínseca da natureza de sustentar a vida. As comunidades sustentáveis desenvolvem seus modos de vida no decorrer do tempo, mediante uma interação contínua com outros sistemas vivos, tanto humanos quanto não-humanos. A sustentabilidade não implica uma imutabilidade das coisas. Não é um estado estático, mas um processo dinâmico de coevolução.

A definição operativa de sustentabilidade exige que o primeiro passo do nosso esforço de construção de comunidades sustentáveis seja a alfabetização ecológica (*ecoliteracy*), ou seja, a compreensão dos princípios de organização, comuns a todos sistemas vivos, que os ecossistemas desenvolveram para sustentar a teia da vida.[49] Como vimos no decorrer de todo este livro, os sistemas vivos são redes autogeradoras, fechadas dentro de certos limites no que diz respeito à sua organização, mas abertas a um fluxo contínuo de energia e matéria. Essa compreensão sistêmica da vida nos permite formular um conjunto de princípios de organização que podem ser chamados de princípios básicos da ecologia e usados como diretrizes para a construção de comunidades humanas sustentáveis. Em específico, há seis princípios da ecologia que dizem respeito diretamente à sustentação da vida: redes, ciclos, energia solar, alianças (parcerias), diversidade e equilíbrio dinâmico (ver tabela a seguir).

Princípios da Ecologia

Redes

Em todas as escalas da natureza, encontramos sistemas vivos alojados dentro de outros sistemas vivos — redes dentro de redes. Os limites entre esses sistemas não são limites de separação, mas limites de identidade. Todos os sistemas vivos comunicam-se uns com os outros e partilham seus recursos, transpondo seus limites.

Ciclos

Todos os organismos vivos, para permanecer vivos, têm de alimentar-se de fluxos contínuos de matéria e energia tiradas do ambiente em que vivem; e todos os organismos vivos produzem resíduos continuamente. Entretanto, um ecossistema, considerado em seu todo, não gera resíduo nenhum, pois os resíduos de uma espécie são os alimentos de outra. Assim, a matéria circula continuamente dentro da teia da vida.

Energia Solar

É a energia solar, transformada em energia química pela fotossíntese das plantas verdes, que move todos os ciclos ecológicos.

Alianças (Parcerias)

As trocas de energia e de recursos materiais num ecossistema são sustentadas por uma cooperação generalizada. A vida não tomou conta do planeta pela violência, mas pela cooperação, pela formação de parcerias e pela organização em redes.

Diversidade

Os ecossistemas alcançam a estabilidade e a capacidade de recuperar-se dos desequilíbrios por meio da riqueza e da complexidade de suas teias ecológicas. Quanto maior a biodiversidade de um ecossistema, maior a sua resistência e capacidade de recuperação.

Equilíbrio Dinâmico

Um ecossistema é uma rede flexível, em permanente flutuação. Sua flexibilidade é uma conseqüência dos múltiplos elos e anéis de realimentação que mantêm o sistema num estado de equilíbrio dinâmico. Nenhuma variável chega sozinha a um valor máximo; todas as variáveis flutuam em torno do seu valor ótimo.

Esses princípios têm uma relação direta com a nossa saúde e bem-estar. Em virtude das necessidades essenciais de respirar, comer e beber, estamos sempre inseridos nos processos cíclicos da natureza. Nossa saúde depende da pureza do ar que respiramos e da água que bebemos, e depende da saúde do solo a partir do qual são produzidos os nossos alimentos. Nas décadas seguintes, a sobrevivência da humanidade vai depender da nossa alfabetização ecológica — da nossa capacidade de compreender os princípios básicos da ecologia e viver de acordo com eles. Assim, a alfabetização ecológica, ou "eco-alfabetização", precisa tornar-se uma qualificação *sine qua non* dos políticos, líderes empresariais e profissionais de todas as esferas, e deve ser, em todos os níveis, a parte mais importante da educação — desde as escolas de primeiro e segundo grau até as faculdades, universidades e centros de extensão educacional de profissionais.

No Centro de Eco-Alfabetização (*Center for Ecoliteracy*), em Berkeley (www.ecoliteracy.org), meus colegas e eu estamos desenvolvendo um sistema de educação para a vida sustentável, baseado na alfabetização ecológica, dirigido às escolas de primeiro e segundo grau.[50] Esse sistema envolve uma pedagogia cujo centro mesmo é a compreensão de o que é a vida; uma experiência de aprendizado no mundo real (plantar uma horta, explorar um divisor de águas, restaurar um mangue), que supera a nossa separação em relação à natureza e cria de novo em nós uma noção de qual é o lugar a que pertencemos; e um currículo no qual as crianças aprendem os fatos fundamentais da vida — que os resíduos de uma espécie são os alimentos de outra; que a matéria circula continuamente pela teia da vida; que a energia que move os ciclos ecológicos vem do Sol; que a diversidade é a garantia da sobrevivência; que a vida, desde os seus primórdios há mais de três bilhões de anos, não tomou conta do planeta pela violência, mas pela organização em redes.

Esses novos conhecimentos, que também são uma antiga sabedoria, estão agora sendo ensinados numa rede cada vez maior de escolas na Califórnia e começam já a se espalhar para outras partes do mundo. Esforço semelhante, mas dirigido ao ensino superior, está sendo realizado de forma pioneira pela Second Nature (www.secondnature.org), uma organização educacional de Boston que mantém parcerias com diversas faculdades e universidades para tornar a educação para a sustentabilidade um elemento essencial da vida universitária.

Além disso, a alfabetização ecológica está sendo transmitida e continuamente melhorada em seminários informais e novas instituições de ensino que pertencem à nascente sociedade civil global. O Schumacher College, na Inglaterra, é um exemplo extraordinário do que são essas novas instituições. Trata-se de um centro de estudos ecológicos que tem por base filosófica e espiritual a ecologia profunda, e onde estudantes dos quatro cantos do mundo reúnem-se para aprender, viver e trabalhar juntos sob a orientação de um corpo docente internacional.

A alfabetização ecológica — a compreensão dos princípios de organização que os ecossistemas desenvolveram para sustentar a vida — é o primeiro passo no caminho para a sustentabilidade. O segundo passo é o projeto ecológico. Precisamos aplicar nossos conhecimentos ecológicos a uma reformulação fundamental de nossas tecnologias e instituições sociais, de modo a transpor o abismo que atualmente separa as criações do ser humano dos sistemas ecologicamente sustentáveis da natureza.

Felizmente, isso já está acontecendo. Nos últimos anos, houve um aumento considerável das práticas e projetos baseados na ecologia. O livro *Natural Capitalism**, de Paul Hawken e Amory e Hunter Lovins, recém-publicado, expõe esse tema de forma documentada; o próprio Instituto Rocky Mountain (www.rmi.org), dos Lovins, reúne um grande número de informações atualizadas sobre os mais diversos projetos de base ecológica.

O que chamamos de "projeto" (*design*), em seu sentido mais amplo, é a moldagem dos fluxos de energia e de materiais feita em vista dos fins humanos. O projeto ecológico é um processo no qual nossos objetivos humanos são cuidadosamente inseridos na grande rede de padrões e fluxos do mundo natural. Os princípios do projeto ecológico refletem os princípios de organização que a natureza desenvolveu para sustentar a teia da vida. A prática do desenho industrial nesse contexto exige uma mudança fundamental da nossa atitude em relação à natureza. Nas palavras de Janine Benyus, escritora de divulgação científica, o projeto ecológico "dá início a uma era baseada não no que podemos *extrair* da natureza, mas no que podemos *aprender* com ela".[51]

Quando falamos da "sabedoria da natureza", ou da maravilhosa "concepção" de uma asa de borboleta ou da teia de uma aranha, temos de nos lembrar que estamos usando uma linguagem metafórica.[52] Não obstante, isso não altera o fato de que, do ponto de vista da sustentabilidade, os "projetos" e "tecnologias" da natureza são infinitamente superiores aos da ciência humana. Foram criados e continuamente elaborados no decorrer de bilhões de anos de evolução, durante os quais os habitantes da "casa-Terra" floresceram e diversificaram-se sem jamais esgotar o seu "capital natural" — os recursos e serviços ecossistêmicos do planeta, dos quais depende o bem-estar de todas as criaturas vivas.

**Capitalismo Natural*, publicado pela Editora Cultrix, São Paulo, 2000.

O agrupamento ecológico de indústrias

O primeiro princípio do projeto ecológico é que "os resíduos são alimentos". Hoje em dia, um dos fatos que mais opõem a economia à ecologia é que os ecossistemas da natureza são cíclicos, ao passo que nossos sistemas industriais são lineares. Na natureza, a matéria circula continuamente, e por isso o saldo total de resíduos gerados pelos ecossistemas naturais é zero. As empresas humanas, por outro lado, usam recursos naturais, transformam-nos em produtos e resíduos e vendem esses produtos aos consumidores, que jogam fora mais resíduos depois de usar os produtos.

O princípio de que "os resíduos são alimentos" significa que todos os produtos e materiais fabricados pela indústria, bem como os subprodutos gerados no processo de manufatura, devem, em algum momento, servir para nutrir alguma outra coisa.[53] Uma empresa sustentável estaria inserida numa "ecologia das empresas", na qual os subprodutos de uma empresa seriam os recursos de outra. Num tal sistema industrial sustentável, a produção total de uma empresa — seus produtos *e resíduos* — seria considerada como um conjunto de recursos que circulam dentro do sistema.

Esses agrupamentos ecológicos de indústrias já foram estabelecidos em diversas partes do mundo por uma organização chamada "Zero Emissions Research and Initiatives (ZERI)" (Pesquisas e Iniciativas de Emissão Zero), fundada pelo empresário Gunter Pauli no começo da década de 1990. Pauli introduziu a noção de agrupamento de indústrias pela promoção do princípio da emissão zero, que constitui o próprio núcleo do conceito da ZERI. Emissão zero significa zero de resíduos, zero de desperdício. Tomando a natureza por modelo e mentora, a ZERI esforça-se para eliminar a própria idéia de desperdício.

Para termos uma idéia do quanto essa estratégia é radical, precisamos saber que as empresas atuais simplesmente jogam fora a imensa maior parte dos recursos que extraem da natureza. Quando extraímos celulose da madeira para fazer papel, por exemplo, derrubamos florestas inteiras mas só usamos de 20 a 25 por cento das árvores, descartando os 75 a 80 por cento restantes. As cervejarias só usam 8 por cento dos nutrientes da cevada ou do arroz para a fermentação; o óleo de babaçu só corresponde a 4 por cento da biomassa da palmeira de babaçu; e os grãos de café não somam mais do que 3,7 por cento do pé de café.[54]

O ponto de partida de Pauli foi o reconhecimento de que os resíduos orgânicos jogados fora ou queimados por uma indústria contêm uma abundância de recursos preciosos para outras indústrias. A ZERI ajuda as indústrias a se organizar em agrupamentos ecológicos, de modo que os resíduos ou subprodutos de uma possam ser vendidos como recursos para outra, para o benefício de ambas.[55]

O princípio de emissão zero implica também, em última análise, um consumo material zero. À semelhança dos ecossistemas da natureza, uma comunidade humana sustentável usaria a energia que vem do Sol, mas não consumiria nenhum bem material sem depois reciclá-lo. Em outras palavras, não usaria nenhum material "novo". Além disso, emissão zero significa poluição zero. Os agrupamentos ecológicos da ZERI são projetados para funcionar num ambiente livre de poluição e resíduos tóxicos. Assim, "os resíduos são alimentos", o primeiro princípio do projeto ecológico, já aponta o caminho da solução definitiva de alguns dos nossos mais prementes problemas ecológicos.

Do ponto de vista econômico, o conceito da ZERI equivale a um grande aumento da produtividade dos recursos. Segundo a teoria econômica clássica, a produtividade resulta da combinação eficaz de três fontes de riqueza: recursos naturais, capital e trabalho. Na economia atual, os economistas e líderes empresariais concentram-se principalmente no capital e no trabalho para aumentar a produtividade, criando economias de escala com desastrosas conseqüências sociais e ambientais.[56] O conceito ZERI implica uma mudança da produtividade do trabalho para a produtividade dos recursos, uma vez que os resíduos são transformados em novos recursos. O agrupamento ecológico aumenta extraordinariamente a produtividade e melhora a qualidade dos produtos, ao mesmo tempo que gera empregos e diminui a poluição.

A organização ZERI é uma rede internacional de estudiosos, empresários, membros de governos e educadores.[57] Os estudiosos desempenham papel fundamental, pois a organização dos agrupamentos ecológicos baseia-se no conhecimento detalhado da biodiversidade e dos processos biológicos nos ecossistemas locais. No começo, Pauli criou a ZERI originalmente como um projeto de pesquisa na Universidade das Nações Unidas, em Tóquio. Para tanto, constituiu uma rede de cientistas na Internet, usando as redes já existentes da Real Academia de Ciências da Suécia, da Academia de Ciências da China e da Academia de Ciências do Terceiro Mundo. Tendo sido um dos primeiros a estimular a troca de conhecimentos científicos e a realização de conferências científicas pela Internet, Pauli atraiu a atenção dos cientistas e, propondo-lhes continuamente questões difíceis sobre bioquímica, ecologia, climatologia e outras disciplinas, acabou gerando não só soluções para os negócios como também numerosas novas idéias para pesquisas científicas. Para salientar a natureza socrática do seu método, chamou a primeira rede acadêmica da ZERI de "Sócrates Online". Depois disso, a rede de pesquisadores da ZERI cresceu e conta agora com 3.000 estudiosos do mundo inteiro.

A esta altura, a ZERI já deu início a uns 50 projetos pelo mundo inteiro e conta com 25 centros de projeto nos cinco continentes, em climas e contextos culturais bastante diversos. Os agrupamentos desenvolvidos em torno de fazendas de café na Colômbia são bons exemplos do método básico da ZERI. As fazendas de café colombianas estão em crise em virtude da grande queda do preço do café no mercado mundial. Não obstante, os agricultores só aproveitam 3,7 por cento do pé de café, e a maior parte do que sobra volta para o ambiente sob a forma de lixo depositado em aterros sanitários e poluição — fumaça, águas servidas e adubo composto contaminado de cafeína. A ZERI encontrou utilidade para todos esses resíduos. As pesquisas mostraram que a biomassa do café pode ser usada para o cultivo de cogumelos tropicais, para alimentar o gado, produzir um fertilizante orgânico e gerar energia. O agrupamento resultante está representado a seguir.

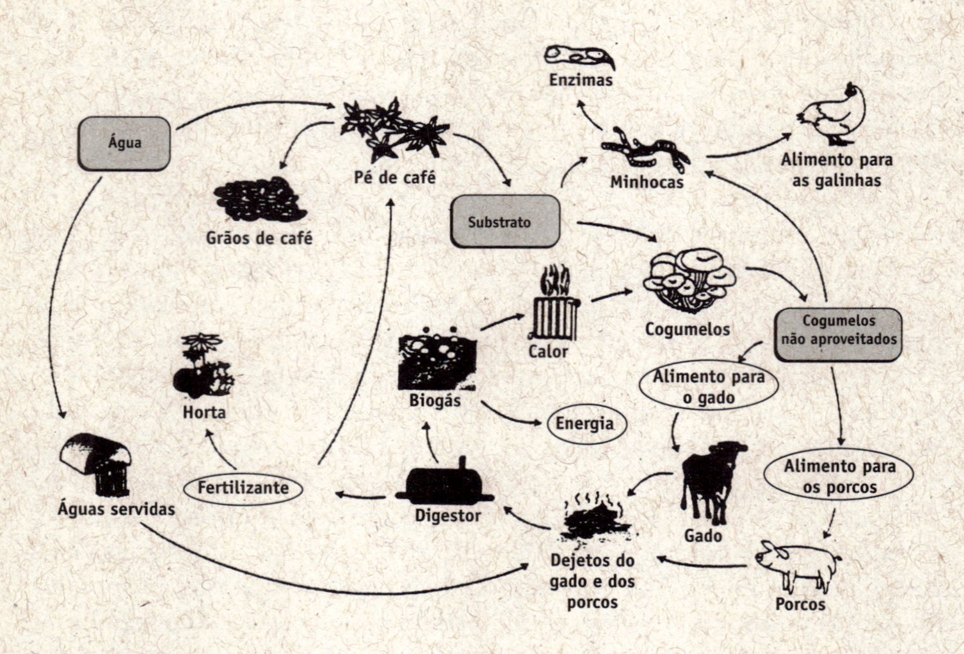

Agrupamento ecológico em torno de uma fazenda de café colombiana (do www.zeri.org)

Os resíduos ou dejetos produzidos pelos componentes do sistema proporcionam recursos para outros componentes. De maneira simplificada, podemos dizer que, quando os grãos de café são colhidos, as folhas e galhos que se desprenderam são usados no cultivo de cogumelos shiitake (uma iguaria de alto preço); os restos dos cogumelos (ricos em proteínas) são usados para alimentar minhocas, porcos e gado bovino; as minhocas alimentam as galinhas; os dejetos do gado e dos porcos são usados para a produção de biogás e lodo; esse lodo fertiliza a plantação de café e as hortas que a circundam, enquanto a energia do biogás é usada no processo de cultivo dos cogumelos.

O agrupamento desses sistemas produtivos gera, a baixo custo, várias fontes de renda alternativas à produção de café — dos cogumelos, das verduras e legumes e da carne das aves, bovina e suína —, ao mesmo tempo que oferece mais empregos à comunidade local. Os resultados são benéficos para o meio ambiente e para a comunidade; os investimentos são baixos; e os plantadores de café não são obrigados a abandonar o seu meio de vida tradicional.

Nos agrupamentos típicos da ZERI, as tecnologias são locais e em pequena escala. Em geral, os locais de produção são próximos aos de consumo, o que elimina ou reduz radicalmente os custos de transporte. Nenhuma das unidades de produção procura aumentar ao máximo a sua produção, pois isso provocaria um desequilíbrio no sistema. Ao contrário, a meta é a de otimizar os processos de produção de cada um dos componentes, elevando ao máximo a produtividade e a sustentabilidade ecológica do todo.

Agrupamentos agrícolas semelhantes, formados em torno de cervejarias e não fazendas de café, estão funcionando na África, na Europa, no Japão e em outras partes do mundo. Outros agrupamentos têm componentes aquáticos; no sul do Brasil, por exemplo, há um agrupamento baseado no cultivo da alga espirulina, altamente nutritiva, nos canais de irrigação dos arrozais (os quais, do contrário, só seriam usados uma vez por ano). A espirulina é usada como ingrediente de uma espécie de biscoito distribuído nas escolas rurais para evitar a desnutrição. Assim, ao mesmo tempo que se atende a uma premente necessidade social, aumenta-se a renda dos plantadores de arroz.

Uma das mais impressionantes realizações da ZERI em grande escala é o programa de reflorestamento do centro de pesquisa ambiental de Las Gaviotas, no leste da Colômbia, fundado e dirigido pelo projetista ecológico Paolo Lugari. Em meio à crise social profunda em que vive a Colômbia, Las Gaviotas criou um ambiente marcado pela inovação e pela esperança.

Quando a ZERI chegou em Las Gaviotas, este centro de pesquisas já era largamente conhecido pelo desenvolvimento de muitas tecnologias engenhosas baseadas em fontes renováveis de energia, como, por exemplo, um sistema de aquecimento solar da água empregado em milhares de residências na capital do país, Bogotá. Criou também um hospital rural que produz a sua própria energia solar, destila a sua própria água e só trabalha com alimentos produzidos na região.

Depois de obter êxito nesses empreendimentos, Lugari deu início ao mais extenso programa de reflorestamento que a Colômbia já conheceu. É extremamente difícil plantar árvores nos cerrados do leste (os "Llanos"). A alta acidez do solo e as temperaturas elevadas impõem severos limites ao número de espécies de árvores capazes de sobreviver aos verões quentes e secos. Porém, depois de uma cuidadosa análise, os cientistas de Las Gaviotas concluíram que uma espécie chamada de pinheiro do Caribe seria capaz de adaptar-se a essas condições extremas.

Dois anos depois do primeiro plantio, essa análise mostrou-se correta e, de lá para cá, o centro reflorestou milhares de hectares com o auxílio de máquinas de plantio desenvolvidas especialmente para a tarefa. No começo, havia o medo de que uma tão vasta monocultura de pinheiros tivesse conseqüências ecológicas adversas, mas o que aconteceu foi exatamente o contrário. As folhas secas de pinheiro que caem continuamente no chão criaram uma rica cobertura de húmus, que possibilitou o nascimento e o crescimento de novas espécies vegetais. Hoje, encontram-se nesse microclima mais de duzentas novas espécies que não nascem em nenhum outro lugar do cerrado. Com as novas plantas, prosperaram também as bactérias, os insetos, os pássaros e até alguns mamíferos. A biodiversidade aumentou extraordinariamente.

Além de consumir o CO_2 do ar (colaborando assim para a redução do aquecimento global) e recuperar a biodiversidade perdida, os pinheiros da floresta também produzem uma resina (terebintina) que, extraída e processada, é usada como ingrediente para a produção de tintas naturais e papel brilhante de alta qualidade. Com isso, criam-se mais empregos e multiplicam-se as fontes de renda. Por fim, as bactérias geradas na floresta recém-plantada constituíram um excelente sistema de filtração que purifica a água do subsolo, a qual também é rica em minerais. O centro extrai e engarrafa essa água mineral a um custo baixíssimo. Com isso, obtém-se um excelente meio de prevenção de doenças, uma vez que a maior parte dos problemas de saúde na região derivam da má qualidade da água. O sucesso de Las Gaviotas é uma excelente prova em favor do conceito da ZERI. Centrado em torno do programa de reflorestamento, o agrupamento ecológico de atividades — projetado por uma equipe conjunta da ZERI e de Las Gaviotas — ajuda a reduzir o aquecimento global, aumenta a biodiversidade, cria empregos para a população indígena local, gera novas fontes de renda e contribui significativamente para a melhora da saúde pública na região.

Ao criar a organização ZERI, Gunter Pauli fez uso das mais avançadas tecnologias para organizar redes de comunicação e conferências eletrônicas. A ZERI é formada por três tipos de redes conectadas entre si. A primeira é o agrupamento ecológico de indústrias, que segue o modelo das teias alimentares dos ecossistemas naturais. Intimamente ligada a ela, há a rede humana da comunidade onde o agrupamento se localiza. A terceira, por fim, é a rede internacional de cientistas que proporcionam o conhecimento detalhado necessário para o projeto de agrupamentos de indústrias compatíveis com os ecossistemas, condições climáticas e contextos culturais locais. Em virtude da natureza não-linear dessas redes interconectadas, as soluções que elas geram são sempre soluções múltiplas, ou "sistêmicas". O valor global gerado pelo todo é sempre maior do que a soma dos valores que seriam gerados por elementos que funcionassem isoladamente.

Em virtude do acentuado aumento da produtividade de recursos, essas indústrias agrupadas podem almejar a um nível de qualidade em seus produtos que não pode ser igualado pelas empresas isoladas correspondentes. Em conseqüência disso, as empresas ZERI são competitivas no mercado global — não no sentido de que pretendem vender seus produtos pelo mundo inteiro, mas no sentido de que ninguém é capaz de competir com elas no local onde estão instaladas. Como nos ecossistemas, a diversidade aumenta a resistência aos desequilíbrios. Quanto mais diversificados tornam-se os agrupamentos ZERI, tanto mais tornam-se fortes e competitivos. A economia deles não é uma economia de escala, mas, nas palavras de Pauli, uma "economia de amplitude".

Não é difícil perceber que os princípios de organização que embasam o conceito da ZERI — a estrutura em rede não-linear, a utilização (*cycling*) da matéria, a multiplicidade de alianças e parcerias, a diversidade de empresas, a produção e o consumo locais e o objetivo de otimizar em vez de maximizar — são os princípios básicos da ecologia. É claro que isso não é coincidência. Os agrupamentos ZERI são exemplos extraordinários de uma alfabetização ecológica que se consubstancia num projeto ecológico.

Uma economia de serviço e fluxo

A maior parte dos agrupamentos ZERI lida com recursos e resíduos orgânicos. Para a construção de sociedades industriais sustentáveis, porém, o princípio de projeto ecológico "resíduos são alimentos" e a resultante utilização (*cycling*) da matéria não podem restringir-se aos produtos orgânicos. Essa idéia foi formulada da melhor maneira pelos projetistas ecológicos Michael Braungart, na Alemanha, e William McDonough, nos Estados Unidos.[58]

Braungart e McDonough conceituam duas espécies de metabolismo — um metabolismo biológico e um "metabolismo técnico". A matéria utilizada no metabolismo biológico é biodegradável e serve de alimento para outros organismos vivos. Os materiais não biodegradáveis são considerados "nutrientes técnicos" e são empregados continuamente dentro dos ciclos industriais que constituem o metabolismo técnico. Para que esses dois metabolismos permaneçam saudáveis, é preciso tomar um grande cuidado para mantê-los distintos e separados um do outro, de modo que não contaminem um ao outro. As coisas que fazem parte do metabolismo biológico — produtos agrícolas, roupas, cosméticos, etc. — não devem conter substâncias tóxicas de difícil decomposição. As coisas que entram no metabolismo técnico — máquinas, estruturas físicas, etc. — devem ficar bem separadas e distantes do metabolismo biológico.

Numa sociedade industrial sustentável, todos os produtos, materiais e resíduos serão nutrientes biológicos ou técnicos. Os nutrientes biológicos serão projetados para entrar de novo nos ciclos ecológicos e ser consumidos por microorganismos ou outras criaturas do solo. Além dos dejetos orgânicos provenientes dos alimentos, a maior parte das embalagens (que constituem cerca de metade do volume da nossa atual produção de lixo sólido) deverão ser compostas de nutrientes biológicos. Com as tecnologias atuais, é perfeitamente possível produzir embalagens que possam ser jogadas na lata de compostagem para biodegradar-se. Como mostram McDonough e Braungart, "Não há motivo algum para que os frascos de xampu, os tubos de creme dental, os potes de iogurte, as caixinhas de suco e outras embalagens durem dezenas (ou, às vezes, centenas) de anos a mais do que o que havia dentro delas."[59]

Os nutrientes técnicos serão feitos de modo a entrar de novo nos ciclos técnicos. Braungart e McDonough afirmam insistentemente que a reutilização de nutrientes técnicos nos ciclos industriais é diferente da reciclagem convencional, uma vez que mantém a alta qualidade dos materiais em vez de "deciclá-los" em matéria-prima de potes de flores ou bancos de praça. Ainda não se estabeleceram metabolismos técnicos semelhantes aos agrupamentos da ZERI, mas a tendência definitivamente existe. Nos Estados Unidos, que não estão entre os maiores adeptos da reciclagem, mais da metade do aço é atualmente produzida a partir de sucata. Do mesmo modo, só no Estado de Nova Jérsey, há mais de doze fábricas de papel que só utilizam papel usado como matéria-prima.[60] As novas minissiderúrgicas não precisam ser situadas perto de minas, nem as fábricas de papel perto de florestas. Podem ser localizadas perto das cidades que lhes fornecerão a matéria-prima e consumirão os seus produtos, o que tem como resultado uma economia considerável nos custos de transporte.

Já temos em vista muitas outras tecnologias de projeto ecológico para garantir a continuidade do uso de nutrientes técnicos. Já é possível, por exemplo, fabricar-se um tipo especial de tinta que pode ser removida do papel num banho de água quente sem provocar danos às fibras do papel. Essa inovação química permite a completa separação do papel e da tinta, de modo que ambos possam ser reutilizados. O papel duraria de dez a treze vezes mais do que as fibras recicladas pelo método convencional. Se a técnica fosse adotada em regime universal, poderia reduzir em 90 por cento o uso de polpa de celulose virgem, além de reduzir a quantidade de resíduos tóxicos de tinta que vão para os aterros sanitários.[61]

Se o conceito dos ciclos técnicos fosse plenamente implementado, provocaria uma reestruturação fundamental das relações econômicas. Afinal de contas, o que nós queremos dos produtos técnicos não é a sensação de possuí-los, mas os serviços que eles nos proporcionam. Queremos diversão do nosso videocassete, mobilidade do nosso automóvel, bebidas geladas da nossa geladeira, etc. Como Paul Hawken gosta de repetir, nós não compramos um televisor para ser donos de uma caixa que contém 4.000 substâncias tóxicas; compramo-lo porque queremos assistir à televisão.[62]

Do ponto de vista do projeto ecológico, não há sentido algum em adquirir esses produtos para jogá-los fora ao término de sua vida útil. É muito mais coerente adquirir os serviços desses produtos, ou seja, alugá-los ou arrendá-los. O produto continuaria sendo propriedade da fábrica; quando não quiséssemos mais um produto ou quiséssemos uma versão mais nova, o fabricante tomaria de volta o produto velho, reduzi-lo-ia a seus componentes básicos — os "nutrientes técnicos" — e usá-los-ia para a fabricação de produtos novos ou para vender a outras empresas.[63] A economia resultante não seria mais baseada na propriedade dos bens, mas seria uma economia de serviço e fluxo. As matérias-primas e componentes técnicos industriais circulariam continuamente entre os fabricantes e os usuários, bem como entre as diversas indústrias.

Essa transição de uma economia centrada nos produtos para uma economia de "serviço e fluxo" já não é uma simples teoria. Uma das maiores fabricantes de carpetes do mundo, por exemplo, uma empresa chamada Interface, sediada em Atlanta, está parando de vender carpetes e começando a arrendar serviços de carpetes.[64] A idéia básica é a de que as pessoas querem caminhar sobre os carpetes e olhar para eles, não possuí-los. Podem obter esses serviços a um custo muito mais baixo se a empresa continuar dona dos carpetes e for responsável por mantê-los em bom estado, em troca de uma taxa mensal. Os carpetes da Interface são instalados sob a forma de módulos, e só os módulos gastos são substituídos quando das inspeções mensais. Com isso, diminui-se não só a quantidade de material necessário para as substituições como também os transtornos da vida doméstica, pois os módulos que ficam debaixo dos móveis praticamente não se desgastam. Quando o consumidor quer substituir o carpete inteiro, a empresa o toma de volta, extrai os seus nutrientes técnicos e fornece ao consumidor um carpete novo, na cor, no modelo e na textura desejados.

Essa política, aliada a diversas inovações no projeto de materiais, fez da Interface uma das pioneiras da nova economia de serviço e fluxo. Inovações semelhantes foram feitas, no ramo das máquinas de fotocópia, pela Canon japonesa, e, na indústria automobilística, pela Fiat italiana. A Canon revolucionou o setor de fotocópias quando mudou o projeto de suas máquinas de modo que mais de 90 por cento dos seus componentes possam ser reutilizados ou reciclados.[65] No sistema de Auto-Reciclagem da Fiat, o aço, os plásticos, os vidros, os estofamentos e muitos outros componentes de automóveis Fiat usados são recuperados em mais de 300 desmanches para ser usados em carros novos ou vendidos como recursos para outras empresas. A companhia estabeleceu a meta de 85 por cento para a reciclagem de materiais em 2002, e de 95 por cento em 2010. O programa da Fiat já está sendo aplicado não só na Itália, mas também em outros países europeus e na América Latina.[66]

Numa economia de serviço e fluxo, os fabricantes precisam ser capazes de desmontar facilmente os seus produtos a fim de redistribuir a matéria-prima. Esse fato terá efeitos notáveis sobre o projeto dos produtos. Os produtos de maior sucesso serão os que contiverem um número pequeno de materiais e cujos componentes possam ser facilmente desmontados, separados, recondicionados e reutilizados. Todas as empresas acima mencionadas reprojetaram seus produtos para deixá-los fáceis de desmontar. Quando isso acontecer, a oferta de trabalho (para a desmontagem, a separação e a reciclagem) vai aumentar e a quantidade de resíduos vai diminuir. Assim, a economia de serviço e fluxo se apóia menos sobre o uso de recursos naturais, que são escassos, e mais sobre o uso de recursos humanos, que são abundantes.

Outro efeito dessa nova concepção de projeto será a harmonização dos interesses dos consumidores e dos fabricantes no que diz respeito à durabilidade dos produtos. Numa economia baseada na venda de bens, a obsolescência e a substituição freqüente dos bens atende aos interesses financeiros dos fabricantes, muito embora prejudique o meio ambiente e saia caro para os consumidores. Numa economia de serviço e fluxo, por outro lado, interessa tanto aos fabricantes quanto aos consumidores que se criem produtos duráveis, com um uso mínimo de energia e materiais.

Fazer mais com menos

Muito embora a utilização completa dos materiais em agrupamentos técnicos ainda não tenha sido implementada, os agrupamentos parciais e elos materiais existentes já geraram um aumento extraordinário da eficiência energética e de recursos. Hoje em dia, os projetistas ecológicos acreditam que os países desenvolvidos podem alcançar uma impressionante *redução de 90 por cento* no uso de energia e materiais — chamada de "Fator Dez", pois corresponde a um aumento de dez vezes na eficiência de recursos — com o uso das tecnologias já existentes e sem comprometer em nada o padrão de vida das pessoas.[67] Com efeito, os Ministros do Meio Ambiente de vários países europeus e o próprio Programa Ambiental da ONU já propuseram a adoção de objetivos ligados ao Fator Dez.[68]

Esse aumento extraordinário da produtividade de recursos só é possível em virtude da ineficiência e do desperdício absurdos que caracterizam a maior parte do desenho industrial contemporâneo. Como acontecia com os recursos biológicos, os princípios do projeto ecológico — redes, reciclagem, otimização em vez de maximização, etc. — não faziam parte da teoria nem da prática do desenho industrial, e o termo "produtividade de recursos" nem fazia parte do vocabulário dos desenhistas industriais até há pouquíssimo tempo.

Capitalismo Natural, de Paul Hawken, Amory Lovins e Hunter Lovins, é repleto de exemplos impressionantes de como a eficiência do uso de recursos pode aumentar. Os autores calculam que, se buscássemos esse grau de eficiência, poderíamos praticamente pôr termo à degradação da biosfera; e deixam claro que a ineficiência de hoje em dia quase sempre sai mais cara do que as medidas que seriam necessárias para revertê-la.[69] Em outras palavras, o projeto ecológico é um bom negócio. Como no caso dos agrupamentos da ZERI, o aumento da produtividade de recursos na esfera técnica teria múltiplos efeitos benéficos: adiaria o esgotamento dos recursos naturais, diminuiria a poluição e aumentaria o número de empregos. A produtividade de recursos por si não basta para solucionar nossa crise ambiental, mas pode nos garantir um tempo precioso para que se realize a transição para uma sociedade sustentável.

Um dos setores em que o projeto ecológico deu origem a uma grande quantidade de inovações admiráveis é o projeto de edifícios.[70] A forma e a orientação de uma estrutura comercial bem projetada serão concebidas de modo a tirar o melhor proveito possível do sol e do vento, otimizando o aquecimento solar passivo e o resfriamento pela ventilação. Só esse fato já garantirá uma economia de um terço do uso total de energia do edifício. A orientação correta, associada a outros elementos de projeto solar, garante também uma iluminação natural adequada em toda a estrutura, sem ofuscamento, durante todo o período diurno. Os modernos sistemas de iluminação artificial podem proporcionar uma resposta cromática agradável e precisa, sem zumbidos, tremulações na luz ou ofuscamento. Um tal sistema de iluminação pode, num caso típico, economizar de 80 a 90 por cento da energia que seria usada para esses fins; o retorno do investimento se dá, normalmente, no prazo de um ano.

Os avanços no isolamento térmico e no controle da temperatura criados pelas "superjanelas" talvez sejam ainda mais impressionantes. Essas superjanelas mantêm as pessoas aquecidas no inverno e refrescadas no verão sem nenhum gasto suplementar de aquecimento ou ar condicionado. São cobertas por diversas camadas de um revestimento invisível que deixa passar a luz mas reflete o calor; além disso, os vidros são duplos, e o espaço entre eles é preenchido por um gás pesado que bloqueia o fluxo de calor e ruído. Em edifícios experimentais equipados com superjanelas, constatou-se que elas proporcionam um conforto ambiental perfeito sem nenhum equipamento de calefação ou ar condicionado, em condições ambientais exteriores que vão do frio ao calor extremos.

Por fim, os edifícios projetados segundo os princípios ecológicos não só *economizam* energia, na medida em que deixam entrar a luz mas não as variações de temperatura, como podem até *produzir* energia. É possível, agora, gerar eletricidade fotovoltaica a partir de paredes, telhas e outros elementos de construção que têm a aparência de materiais comuns de construção mas produzem eletricidade em contato com a luz do Sol, mesmo filtrada pelas nuvens. Um edifício feito com telhados e janelas fotovoltaicas pode produzir, durante o período diurno, mais eletricidade do que utiliza. Com efeito, é isso mesmo que acontece com as mais de quinhentas mil residências que produzem energia solar no mundo inteiro hoje em dia.

Essas são apenas algumas das inovações mais importantes ocorridas no projeto ecológico de edifícios. Sua aplicação não se restringe aos edifícios novos; elas podem ser implementadas também em estruturas antigas. A economia de energia e de materiais gerada por essas inovações arquitetônicas é muito grande, e os edifícios são mais confortáveis e mais saudáveis para se viver e se trabalhar. À medida que as inovações da arquitetura ecológica forem surgindo, os edifícios vão se aproximar cada vez mais da visão proposta por William McDonough e Michael Braungart: "Imagine... um edifício como uma espécie de árvore. Ele purifica o ar, aproveita a energia solar, produz mais energia do que consome, dá sombra, é um lugar para se morar, enriquece o solo e muda com as estações."[71] Hoje já existem vários exemplos de edifícios que incorporam algumas dessas características revolucionárias.[72]

Também no setor de transportes é possível alcançar uma economia inestimável de energia. Como já vimos, as regras de livre comércio da OMC foram concebidas para sufocar a produção local e substituí-la pela importação e exportação, que aumentam extraordinariamente a distância que os produtos têm de percorrer e impõem um fardo pesadíssimo ao meio ambiente.[73] A reversão dessa tendência, que é um dos elementos mais importantes do programa de remodelação da globalização do Grupo de Seattle, provocará uma economia gigantesca de energia. Tal economia já se faz sentir nos diversos exemplos pioneiros de projeto ecológico mencionados nas páginas anteriores — os agrupamentos ecológicos de indústrias locais e de pequena escala, as novas minissiderúrgicas e fábricas de papel que trabalham com material jogado fora, e os alimentos produzidos pela agricultura orgânica, que são consumidos perto do local de produção.

Considerações semelhantes aplicam-se ao planejamento urbano. A grande extensão que caracteriza tanto o centro quanto a periferia das cidades modernas, especialmente nos Estados Unidos, gerou uma enorme dependência em relação ao automóvel e restringiu o papel que pode ser desempenhado pelo transporte público, pela bicicleta e pelo ato de caminhar. As conseqüências: um consumo altíssimo de combustível, poluição do ar, o *stress* dos congestionamentos de trânsito, a impossibilidade de se ficar na rua, o esfacelamento das comunidades e os problemas de segurança pública.

Nos últimos trinta anos, assistimos ao surgimento de um movimento internacional pela "ecocidade", que prega o fim do crescimento das cidades pela aplicação dos princípios do projeto ecológico ao planejamento urbano, de modo a tornar as cidades ecologicamente saudáveis.[74] Mediante uma análise cuidadosa dos padrões de transporte e uso do solo, os urbanistas Peter Newman e Jeff Kenworthy constataram que o uso de energia depende antes de mais nada da densidade das cidades.[75] Quanto mais densa a cidade, maior o uso do transporte coletivo, das bicicletas e do hábito de caminhar, e menor o uso de automóveis. Na maioria das cidades européias, os centros históricos de uso de solo misto e alta densidade urbana foram retransformados nos ambientes sem automóveis que eram originalmente. Outras cidades criaram modernos ambientes em que o uso de automóveis é proibido e o ato de caminhar e de andar de bicicleta são encorajados. Esses bairros recém-projetados, chamados de "vilas urbanas", consistem em estruturas de alta densidade associadas a amplas áreas verdes comuns.

Na cidade alemã de Friburgo, por exemplo, há uma vila urbana chamada Seepark, construída em torno de um grande lago e de uma linha de bonde. Não há automóveis na comunidade; todos só andam a pé ou de bicicleta; há muito espaço ao ar livre onde as crianças podem brincar sossegadas. Vilas urbanas semelhantes a essa, sem carros e integradas aos sistemas de transporte coletivo, foram criadas em diversas outras cidades, como Munique, Zurique e Vancouver. A aplicação dos princípios de projeto ecológico acarretou múltiplos benefícios — uma economia significativa de energia e um ambiente mais sadio e mais seguro, com uma redução drástica do nível de poluição.

Além dos avanços acima descritos, estamos caminhando rumo a uma grande economia de energia e materiais através de uma reformulação radical do projeto de automóveis. Muito embora os "hipercarros" — automóveis ultraleves, supereficientes e sem poluição — estejam para ser lançados no mercado,[76] isso não bastará para resolver os múltiplos problemas de saúde, sociais e ambientais causados pelo uso excessivo de automóveis. Uma tal solução só pode vir de uma mudança fundamental nos nossos hábitos de produção e consumo e no planejamento de nossas cidades. Enquanto isso, porém, os hipercarros, junto com os demais aumentos na produtividade de recursos, reduzirão significativamente a poluição e nos darão um tempo precioso para realizar a transição rumo a um futuro sustentável.

A energia do Sol

Antes de tratar do projeto ecológico de automóveis, temos de examinar de modo mais detalhado a questão do uso da energia. Numa sociedade sustentável, todas as atividades humanas e processos industriais têm de ser alimentados, em última análise, pela energia solar, à semelhança dos processos que ocorrem nos ecossistemas naturais. A energia solar é o único tipo de energia totalmente renovável e benigna para o meio ambiente. Por isso, a transição para uma sociedade sustentável implica uma transição do uso de combustíveis fósseis — as principais fontes de energia da Era Industrial — para o da energia solar.

O Sol forneceu energia ao planeta por bilhões de anos, e praticamente todas as nossas fontes de energia — lenha, carvão, petróleo, gás natural, vento, água corrente, etc. — têm sua origem na energia solar. Entretanto, nem todas essas formas de energia são renováveis. Nos debates atuais sobre a energia, o termo "energia solar" é usado para designar as formas de energia provindas de fontes inesgotáveis ou renováveis — a luz do Sol para o aquecimento solar e a eletricidade fotovoltaica, o vento, a energia hidroelétrica e a biomassa (matéria orgânica). As tecnologias solares mais eficientes são os aparelhos de pequena escala usados por comunidades locais, que geram uma grande variedade de empregos. Assim, o uso da energia solar, como todos os outros princípios do projeto ecológico, reduz a poluição e aumenta a taxa de emprego. Além disso, a transição para o uso da energia solar beneficiará especialmente os habitantes do Hemisfério Sul, onde a luz do Sol é mais abundante.

Nos últimos anos, ficou cada vez mais claro que a transição para a energia solar não é necessária somente porque os combustíveis fósseis — carvão, petróleo e gás natural — são limitados e não-renováveis, mas especialmente porque eles têm um efeito devastador sobre o meio ambiente. As descobertas do papel fundamental do dióxido de carbono (CO_2) na mudança climática global e da responsabilidade da humanidade pelo aumento da quantidade de CO_2 na atmosfera puseram em relevo o vínculo que liga a poluição ambiental ao conteúdo de carbono dos combustíveis fósseis, e a intensidade das emissões de carbono tornou-se um importante indicador do nosso movimento rumo à sustentabilidade. Como diz Seth Dunn, do Instituto Worldwatch, precisamos "descarbonizar" nossa economia energética.[77]

Felizmente, isso já está acontecendo! O ecologista industrial Jesse Ausubel, citado por Dunn, mostrou que os últimos 200 anos foram marcados por uma progressiva descarbonização das fontes de energia! Durante milênios, a principal fonte de energia da humanidade foi a lenha, que, quando é queimada, libera dez moléculas de carbono (na fuligem e no CO_2) para cada molécula de hidrogênio (no vapor d'água). Quando o carvão tornou-se a principal fonte de energia do mundo industrial no século XIX, essa relação reduziu-se a 2:1. Em meados do século XX, o petróleo suplantou o carvão como principal combustível. Continuou assim o processo de descarbonização, uma vez que a combustão do petróleo libera somente uma molécula de carbono para cada duas de hidrogênio. Com o gás natural (metano), que começou a ser largamente utilizado nas últimas décadas do século XX, a descarbonização avançou ainda mais, com a liberação de uma molécula de carbono para cada quatro de hidrogênio. Assim, cada uma das novas fontes de energia reduziu a razão de carbono para hidrogênio. A transição para a era solar será o último passo nesse processo de descarbonização, uma vez que as fontes renováveis de energia não liberam carbono nenhum na atmosfera.

Em décadas passadas, alimentou-se a esperança de que a energia nuclear pudesse ser o combustível "limpo" ideal para substituir o petróleo e o carvão, mas logo se viu que os custos e riscos associados à energia nuclear são tão grandes que ela não pode ser considerada uma solução viável.[78] Esses riscos começam com a contaminação das pessoas e do meio ambiente com substâncias radioativas cancerígenas em todos os estágios do "ciclo do combustível" — desde a mineração e o enriquecimento do urânio até o manuseio, o armazenamento ou o reprocessamento do lixo nuclear, passando pela operação e manutenção do reator. Além disso, existem os inevitáveis vazamentos de radiação nos acidentes nucleares e até mesmo durante a operação de rotina das usinas; o problema não resolvido de como desativar os reatores nucleares e armazenar o lixo radioativo; a ameaça do terrorismo nuclear e a conseqüente perda das liberdades civis mais básicas numa totalitária "economia do plutônio"; e as desastrosas conseqüências econômicas do uso da energia nuclear, que é uma fonte de energia altamente centralizada e exige um altíssimo investimento de capital.

Todos esses riscos associam-se ao problema intrínseco dos custos de construção e do combustível para elevar os custos de operação das usinas nucleares a um patamar elevadíssimo, que as torna pouco competitivas. Já em 1977, um grande consultor de investimentos fez uma pesquisa detalhada sobre o setor de energia nuclear e concluiu seu relatório com a devastadora afirmação: "Temos de concluir que, do ponto de vista puramente econômico, o uso da fissão nuclear como fonte primária de produção de energia estável seria uma loucura econômica sem paralelos na história."[79] Hoje em dia, a fissão nuclear é a fonte de energia cujo uso menos cresce no mundo. A taxa de crescimento caiu para mero um por cento em 1996, sem perspectivas de melhora. Segundo *The Economist*, "Do ponto de vista comercial, nenhuma [usina nuclear], em nenhum lugar do mundo, tem razão de existir."[80]

O setor de energia solar, por outro lado, é o setor energético que cresceu mais rápido nos últimos dez anos. O uso de células solares (ou seja, células fotovoltaicas que convertem a luz solar em eletricidade) aumentou cerca de 17 por cento ao ano na década de 1990, e o uso de energia eólica cresceu mais ainda, cerca de 24 por cento ao ano.[81] Calcula-se que, no mundo inteiro, cerca de quinhentas mil residências, a maioria situadas em locais distantes e não ligados à rede elétrica, obtêm sua energia a partir de células solares. A recente invenção de telhas solares, no Japão, promete desencadear mais um grande movimento rumo ao uso da eletricidade fotovoltaica. Como já dissemos, essas telhas solares são capazes de transformar os telhados em pequenas usinas e provavelmente provocarão uma revolução no setor de geração de eletricidade.

Esses progressos mostram que a transição para o uso da energia solar já está bem avançada. Em 1997, cinco laboratórios científicos norte-americanos fizeram um estudo aprofundado e chegaram à conclusão de que a energia solar poderia atender a 60 por cento das necessidades energéticas dos EUA a preços competitivos agora mesmo, desde que a concorrência fosse justa e os benefícios ambientais da energia solar fossem levados em conta. Um ano depois, em outro estudo, a Royal Dutch Shell considerava muitíssimo provável que, no decorrer dos próximos cinqüenta anos, as fontes energéticas renováveis se tornem competitivas o suficiente para atender a pelo menos metade das necessidades energéticas do mundo.[82]

Qualquer programa de longo prazo de transição para a energia solar terá de prever a utilização de algum tipo de combustível líqüido para fazer funcionar os aviões e pelo menos uma parte dos meios de transporte em terra. Até há pouco tempo, era esse o calcanhar-de-aquiles da transição para a era solar.[83] No passado, a fonte preferencial de combustível líqüido era a biomassa; em específico, o álcool destilado de frutas, cereais ou outras plantas fermentadas. O problema dessa idéia é que, embora a biomassa seja um recurso renovável, o solo sobre o qual ela cresce não é. É certo que podemos contar com uma produção significativa de álcool a partir de certas plantas, mas um programa de grande escala de produção de álcool combustível pode exaurir o solo na mesma velocidade em que estão sendo exauridos, atualmente, outros recursos naturais.

Nos últimos anos, porém, o problema do combustível líqüido foi espetacularmente solucionado com o desenvolvimento de células de hidrogênio eficientes, que acenam com a inauguração de uma nova era na produção de energia — a "economia do hidrogênio". O hidrogênio, o elemento mais leve e o mais abundante no universo, é comumente usado como combustível de foguetes. Uma célula de combustível é um aparelho eletroquímico que combina o hidrogênio com o oxigênio para produzir eletricidade e água — e mais nada! Com isso, o hidrogênio se torna o combustível "limpo" por excelência, o passo definitivo para nos levar ao fim do longo processo de descarbonização.

O processo que ocorre na célula de combustível é semelhante ao de uma bateria, mas faz uso de um fluxo contínuo de combustível. Moléculas de hidrogênio entram por um lado do aparelho, onde são separadas em prótons e elétrons por um catalisador. Essas partículas prosseguem em direção ao outro lado do aparelho, por caminhos diferentes. Os prótons passam por uma membrana, ao passo que os elétrons são forçados a contornar a membrana; com isso, cria-se uma corrente elétrica. Depois de ser utilizada, a corrente chega ao outro lado da célula de combustível, onde os elétrons se reúnem aos prótons e o hidrogênio resultante interage com o oxigênio do ar para formar água. A operação toda é silenciosa, confiável e não gera nenhuma poluição nem nenhum outro resíduo.[84]

As células de combustível foram inventadas no século XIX, mas até há pouco tempo não eram produzidas comercialmente (exceto para o programa espacial dos EUA), por serem volumosas e pouco econômicas. Faziam uso de uma grande quantidade de platina como catalisador, o que as tornava caras demais para ser produzidas em série. Além disso, o combustível delas é o hidrogênio, que existe em abundância mas tem de ser separado da água (H_2O) ou do gás natural (CH_4) para poder ser utilizado. Tecnicamente, o processo não é difícil, mas exige uma infraestrutura especial que ninguém, em nossa economia movida a combustíveis fósseis, estava interessado em desenvolver.

A situação mudou radicalmente nos últimos dez anos. Grandes inovações tecnológicas diminuíram drasticamente a quantidade de platina necessária para catalisar o processo, e engenhosas técnicas de "empilhamento" possibilitaram a criação de unidades compactas e altamente eficientes que serão manufaturadas daqui a poucos anos para fornecer eletricidade para nossos lares, ônibus e automóveis.[85]

Ao mesmo tempo que diversas empresas pelo mundo afora estão concorrendo para ver qual será a primeira a produzir comercialmente um sistema residencial de célula de combustível, um empreendimento conjunto para a criação da primeira economia do hidrogênio no mundo foi inaugurado pelo governo da Islândia e diversas empresas islandesas.[86] A Islândia fará uso de suas abundantes fontes de energia geotérmica e hidrelétrica para produzir hidrogênio a partir da água do mar, a fim de utilizar esse gás em células de combustível instaladas primeiro em ônibus, depois em automóveis de passeio e, por fim, em barcos de pesca. A meta fixada pelo governo é completar a transição para o uso do hidrogênio entre 2030 e 2040.

Atualmente, o gás natural é a fonte mais comum de hidrogênio, mas a separação do hidrogênio a partir da água com a ajuda de fontes de energia renováveis (especialmente a eletricidade solar e a energia eólica) será, a longo prazo, o método mais econômico e o mais limpo. Quando isso acontecer, teremos criado um sistema realmente sustentável de geração de energia. Como nos ecossistemas naturais, toda a energia de que necessitarmos será fornecida pelo Sol, quer por meio de células solares de pequena escala, quer distribuída sob a forma de hidrogênio, o combustível limpo por excelência, o qual possibilitará a operação eficiente e confiável das células de combustível.

Os hipercarros

A recriação dos automóveis é provavelmente o ramo de projeto ecológico que terá as mais amplas conseqüências para a indústria como um todo. Como quase sempre acontece no projeto ecológico, essa recriação começou com uma análise da ineficiência dos automóveis atuais, prosseguiu através de uma longa busca de soluções sistêmicas de base ecológica e culminou em anteprojetos tão radicais que vão mudar por completo não só a indústria automobilística, mas também, possivelmente, as indústrias do petróleo, do aço e da geração de energia elétrica.

À semelhança de tantos outros produtos do desenho industrial contemporâneo, o automóvel atual é absurdamente ineficiente.[87] Só 20 por cento da energia do combustível é usada para fazer girar as rodas, ao passo que 80 por cento se perde no calor e nos gases produzidos pelo motor. Além disso, 95 por cento da energia *utilizada* serve para mover o carro, e só 5 por cento move o motorista. A eficiência global, ou seja, a proporção de energia do combustível usada para mover o motorista, é de 5 por cento de 20 por cento — não mais do que um por cento!

No começo da década de 1990, o físico e especialista em energia Amory Lovins, junto com seus colegas do Instituto Rocky Mountain, tomaram a peito o desafio de redesenhar completamente o ineficientíssimo automóvel de hoje em dia, sintetizando idéias novas e alternativas num projeto conceitual que chamaram de "hipercarro" (*hypercar*). Esse projeto associa três elementos fundamentais. Os hipercarros são ultraleves e pesam de duas a três vezes menos do que os carros de aço; têm uma alta eficiência aerodinâmica e vencem a resistência do ar com muito mais facilidade que os carros convencionais; e são impulsionados por um motor "elétrico híbrido", que combina um motor elétrico com um motor a combustível líquido que proporciona a energia para o elétrico.

Quando esses três elementos se integram num único projeto, resultam numa economia de pelo menos 70 a 80 por cento do combustível usado pelo automóvel convencional, e ao mesmo tempo deixam o veículo mais seguro e mais confortável. Além disso, o conceito do hipercarro tem vários efeitos surpreendentes que prometem revolucionar não só a indústria automobilística, mas o desenho industrial como um todo.[88]

O ponto de partida do conceito do hipercarro é o de reduzir a energia necessária para mover o veículo. Como só 20 por cento da energia do combustível é usada para girar as rodas num automóvel convencional, qualquer economia de energia nas rodas resulta numa economia de combustível cinco vezes maior. Num hipercarro, economiza-se energia nas rodas fazendo-se o carro mais leve e mais aerodinâmico. A carroceria de metal convencional é substituída por uma feita de fortes fibras de carbono inseridas num plástico especial. As combinações de várias fibras permitem uma grande flexibilidade de projeto, e a carroceria ultraleve resultante diminui pela metade o peso do carro. Além disso, detalhes simples de aerodinâmica podem cortar a resistência do ar em 40 a 60 por cento sem restringir a flexibilidade estilística. Juntas, essas inovações podem reduzir em 50 por cento ou mais a energia necessária para mover o carro e seus passageiros.

A idéia do carro ultraleve gera toda uma série de efeitos secundários, muitos dos quais resultam numa diminuição de peso ainda maior. Um carro mais leve pode funcionar com uma suspensão mais leve, um motor menor, freios menores e menos combustível no tanque. Além disso, há certos componentes que, mais do que se tornarem menores, são completamente eliminados. Um carro ultraleve não precisa de direção e freios hidráulicos. A propulsão elétrica híbrida elimina outros componentes ainda — embreagem, transmissão, eixo-cardã, etc. —, o que reduz ainda mais o peso do carro.

Os novos compostos de fibra não são somente ultraleves, mas também extraordinariamente fortes. São capazes de absorver cinco vezes mais energia por unidade de peso do que o aço. Evidentemente, tratase de um importante fator de segurança. Os hipercarros são projetados para dissipar eficientemente a energia das colisões com a ajuda de tecnologias copiadas dos carros de corrida, que também são ultraleves e extremamente seguros. Além de proteger seus próprios ocupantes, os veículos ultraleves são menos perigosos para os passageiros dos automóveis com os quais colidem.

As diferenças entre as propriedades físicas do aço e dos compostos de fibra afetam profundamente não só o projeto e o funcionamento dos hipercarros, mas também sua fabricação, distribuição e manutenção. Embora as fibras de carbono sejam mais caras do que o aço, o processo de produção das carrocerias compostas é muito mais econômico. O aço tem de ser prensado, soldado e acabado; as carrocerias compostas saem do molde numa peça única e não precisam de acabamento. Com isso, reduzem-se em 90 por cento os custos de maquinário. Também a montagem do automóvel é muito mais simples, uma vez que as peças são leves e fáceis de manusear, e podem ser levantadas sem guindastes. A pintura, que é a etapa mais cara e mais poluente da fabricação de automóveis, pode ser eliminada por completo, uma vez que a cor pode ser introduzida no processo de moldagem.

As múltiplas vantagens dos compostos de fibra são compatíveis com equipes de projeto pequenas, um retorno rápido do investimento e fábricas dirigidas para a produção local — todas características do projeto ecológico em geral. A manutenção dos hipercarros também é muitíssimo mais simples que a dos automóveis de aço, uma vez que muitas das peças responsáveis por problemas mecânicos não existem nesses novos veículos. As carrocerias não enferrujam, não sofrem de fadiga e são quase impossíveis de amassar; podem durar décadas até ter de ser recicladas.

Outra inovação fundamental é a propulsão elétrica híbrida. Como os outros carros elétricos, os hipercarros são dotados de um motor elétrico eficiente que faz girar as rodas e têm a capacidade de transformar a energia de frenagem em mais eletricidade, economizando energia. Ao contrário dos carros elétricos, porém, os hipercarros não têm baterias. As baterias continuam sendo pesadas e sua energia dura pouco; a eletricidade dos hipercarros é gerada por um pequeno motor a explosão, turbina ou célula de combustível. Esses motores podem ser pequenos e, como não são diretamente ligados às rodas, funcionam quase o tempo todo em condições ideais, reduzindo ainda mais o consumo de combustível.

Os carros híbridos podem ser movidos a gasolina ou a diversos outros combustíveis mais limpos, como os feitos de biomassa. O combustível mais limpo, mais eficiente e de qualidade superior que um hipercarro pode ter é o hidrogênio numa célula de combustível. Um tal automóvel não só funciona em silêncio e sem poluição como também pode se tornar uma pequena usina de produção de eletricidade sobre rodas. Talvez seja esse o aspecto mais surpreendente e de mais amplas conseqüências do conceito do hipercarro. Quando o carro está estacionado na casa ou no local de trabalho do seu proprietário — ou seja, a maior parte do tempo —, a energia produzida por sua célula de combustível pode ser enviada para a rede elétrica e o proprietário pode receber, em troca, um crédito automático na conta de luz. Pelos cálculos de Amory Lovins, a produção de eletricidade numa tal escala pode logo tirar do mercado todas as usinas termoelétricas e nucleares; e, se toda a frota de automóveis norte-americana fosse constituída de hipercarros, ela teria uma capacidade de geração de energia de cinco a dez vezes superior à de todas as usinas elétricas norte-americanas atuais, economizaria anualmente todo o petróleo vendido pela OPEP e reduziria em cerca de dois terços a emissão de CO_2 nos Estados Unidos.[89]

Quando Lovins criou o conceito do hipercarro, no começo da década de 1990, reuniu uma equipe de técnicos em seu Rocky Mountain Institute para desenvolver a idéia. No decorrer dos anos subseqüentes, a equipe publicou muitos artigos profissionais e, em 1996, um volumoso relatório intitulado *Hypercars: Materials, Manufacturing, and Policy Implications.*[90] Para aumentar ao máximo a competição entre as indústrias automobilísticas, a equipe do hipercarro pôs todas as suas idéias no domínio público e fez questão de enviá-las com estardalhaço para mais de vinte grandes montadoras de automóveis.

Essa estratégia pouco convencional funcionou como se previa, desencadeando uma feroz concorrência em diversos países. A Toyota e a Honda foram as primeiras montadoras a oferecer automóveis híbridos, que funcionam à base de gasolina e eletricidade — o Toyota Prius, para cinco passageiros, e o Honda Insight, para dois. Carros híbridos semelhantes, capazes de rodar entre 30 e 34 km com um litro de combustível, foram testados pela General Motors, pela Ford e pela Daimler Chrysler, e estão agora começando a ser produzidos. Nesse meio-tempo, a Volkswagen já começou a vender, na Europa, um modelo que faz 33 km por litro, e planeja lançar no mercado norte-americano, em 2003, um modelo que chega a fazer 99 km por litro! Além disso, oito grandes montadoras já estão preparadas para começar a fabricar veículos movidos a células de combustível entre 2003 e 2005.[91]

Para aumentar ainda mais a concorrência, o Instituto Rocky Mountain criou uma empresa independente, a Hypercar Inc., para projetar o primeiro hipercarro dotado de todas as inovações previstas, supereficiente e perfeitamente fabricável.[92] O projeto desse carro-conceito foi concluído com sucesso em novembro de 2000 e apareceu num artigo de capa do *The Wall Street Journal* dois meses depois.[93] Será um utilitário esportivo de tamanho médio, capaz de fazer 42 km com um litro de combustível, projetado para rodar em silêncio sem emitir nenhum resíduo nocivo, com autonomia de 530 km, movido pela eletricidade gerada por uma célula de combustível a partir de 3,4 kg de hidrogênio comprimido num tanque ultra-seguro.[94] O projeto atende aos mais rigorosos padrões da indústria e é compatível com uma garantia de 320.000 km. Lovins e seus colegas esperam ter produzido numerosos protótipos até o final de 2002. Se conseguirem, terão provado que o hipercarro pode tornar-se uma realidade comercial.

Mesmo hoje em dia, a revolução do hipercarro já está bastante adiantada. Quando os modelos que estão começando a ser produzidos passarem a ser comercializados pelas principais montadoras, as pessoas os comprarão não só porque vão querer economizar energia e proteger o meio ambiente, mas simplesmente porque esses novos modelos ultraleves, ultra-seguros, não-poluentes, silenciosos e supereficientes serão melhores que os carros convencionais. As pessoas vão passar a comprá-los da mesma maneira que trocaram as máquinas de escrever pelo computador e os LPs pelos CDs. Depois de algum tempo, os únicos carros de aço impulsionados por motores de combustão interna ainda a rodar serão um pequeno número de Jaguares, Porsches, Alfa Romeos e outros automóveis esportivos clássicos.

Uma vez que o setor automobilístico é o maior setor industrial do mundo, seguido pelo setor petrolífero, a revolução do hipercarro terá um efeito profundo sobre a produção industrial como um todo. Os hipercarros são o meio ideal para que seja aplicada em grande escala a economia de serviço e fluxo proposta pelos projetistas ecológicos. Provavelmente, enquanto a infraestrutura do hidrogênio estiver sendo desenvolvida, esses veículos não serão vendidos, mas arrendados, e seus materiais recicláveis seguirão num ciclo fechado e terão sua toxicidade cuidadosamente controlada a progressivamente reduzida. A passagem do uso do aço para o da fibra de carbono, e da gasolina para o hidrogênio, fará com que os setores siderúrgico, petrolífero e outros existentes hoje em dia sejam substituídos por processos de produção radicalmente diferentes, sustentáveis e ambientalmente benignos.

A transição para uma economia do hidrogênio

A maioria dos automóveis híbridos produzidos atualmente não é ainda propelida por células de combustível, uma vez que essas células são caras e ainda não é fácil obter hidrogênio. O volume de produção necessário para fazer baixar os preços virá, provavelmente, do uso dessas células em edifícios. Como já dissemos, há atualmente uma forte concorrência em torno da produção de sistemas residenciais de células de combustível. Enquanto não for possível estabelecer-se um sistema de entrega residencial de hidrogênio, esses sistemas virão com um processador de combustível que extrairá o hidrogênio do gás natural. Com isso, as redes de gás já existentes estarão fornecendo não somente gás natural, mas também eletricidade. Segundo os cálculos de Amory Lovins, a eletricidade gerada por essas células de combustível concorrerá facilmente com a gerada pelas usinas de carvão e nucleares, pois não somente será mais barata como também economizará nos custos de longas linhas de transmissão.[95]

Paul Hawken, Amory Lovins e Hunter Lovins vislumbram um processo de transição para a economia do hidrogênio no qual os primeiros veículos movidos a células de combustível serão arrendados para pessoas que trabalhem perto de edifícios dotados de sistemas de células de combustível que extraem o hidrogênio do gás natural.[96] O excedente de hidrogênio produzido por esses sistemas fora das horas de pico será distribuído para os hipercarros em postos de combustível especiais. À medida que o mercado de hidrogênio for se expandindo, com o uso de células de combustível em edifícios, fábricas e veículos, a produção centralizada e a distribuição do hidrogênio através de novos gasodutos começarão a ser compensadoras.

No começo, esse hidrogênio também será produzido a partir do gás metano. O CO_2 resultante da extração será reinjetado, por uma técnica especial, nos depósitos subterrâneos de gás natural. Dessa maneira, o gás natural, que existe em abundância, poderá ser usado para produzir um combustível limpo — o hidrogênio — sem causar danos ao clima da Terra. A longo prazo, o hidrogênio será extraído da água com a ajuda da energia renovável de células solares e usinas eólicas.

Com o progresso da transição para uma economia do hidrogênio, a eficiência energética ultrapassará com tanta rapidez a produção de petróleo que até mesmo o petróleo mais barato tornar-se-á pouco competitivo e não poderá mais ser extraído. Como evidenciam Amory e Hunter Lovins, a Idade da Pedra não acabou porque as pedras se esgotaram da Terra.[97] A Era do Petróleo não acabará pelo esgotamento do petróleo, mas por termos desenvolvido uma tecnologia superior.

Políticas de projeto ecológico

Os numerosos projetos ecológicos de que falamos nas páginas precedentes deixam claro que a transição para um futuro sustentável já não é um problema técnico nem um problema conceitual, mas um problema de valores e de vontade política. Segundo o Instituto Worldwatch, as políticas necessárias para dar apoio aos projetos ecológicos e ao uso de fontes renováveis de energia resumem-se a "uma mistura de concorrência de mercado e regulamentação, com a instituição de impostos ambientais para corrigir as distorções do mercado; subsídios temporários para amparar a entrada das fontes renováveis no mercado; e a eliminação dos subsídios ocultos dados às fontes convencionais".[98]

A eliminação dos subsídios ocultos — ou "subsídios perversos", como os chama o conservacionista Norman Myers[99] — é de especial urgência. Hoje em dia, os governos do mundo industrializado usam uma quantidade imensa do dinheiro dos contribuintes para subsidiar indústrias e práticas empresariais nocivas e insustentáveis. Myers, em seu instigante livro *Perverse Subsidies*, lista numerosos exemplos desse fato, entre os quais os bilhões de dólares que o governo alemão paga para as usinas termoelétricas do Vale do Ruhr, que queimam carvão com efeitos gravíssimos para o meio ambiente; os gigantescos subsídios que os EUA oferecem às indústrias automobilísticas, que passaram a maior parte do século XX dependentes da previdência privada; os subsídios dados pela OCDE à agricultura, num total de 300 bilhões de dólares por ano, que são pagos a agricultores para *não* cultivar nada, apesar de milhões de pessoas passarem fome pelo mundo afora; e os milhões de dólares que os EUA oferecem aos plantadores de tabaco para a produção de uma planta que causa doenças e mortes.

Todos esses são, sem dúvida, subsídios perversos. Constituem um sistema poderoso de previdência privada que envia sinais distorcidos aos mercados. Os subsídios perversos não são oficialmente computados por nenhum governo no mundo inteiro. Ao mesmo tempo que eles dão força à desigualdade e à degradação ambiental, as empresas sustentáveis e favoráveis à vida que poderiam concorrer com as empresas subsidiadas são consideradas "antieconômicas" pelos mesmos governos. Já é mais do que tempo de pôr fim a essas formas imorais de amparo governamental.

Os governos também enviam certos sinais aos mercados por meio dos impostos que cobram. Atualmente, também esses sinais estão altamente distorcidos. Os sistemas de impostos existentes impõem um pesado fardo às coisas que são mais importantes — empregos, economias, investimentos — e não taxam as coisas que consideramos nocivas — a poluição, a degradação ambiental, o esgotamento de recursos, etc. À semelhança dos subsídios perversos, também esse fato dá aos investidores informações errôneas acerca dos custos das coisas. Precisamos inverter o sistema: em vez de taxar a renda e os salários, precisamos taxar os recursos não-renováveis, especialmente os energéticos, e a emissão de gás carbônico.[100]

Essa reforma fiscal — antes chamada de "reforma fiscal ecológica", mas hoje conhecida simplesmente como "remanejamento fiscal" — não alteraria em nada as receitas do governo. Isso significa que certos impostos seriam acrescentados a produtos, serviços, materiais e formas de energia já existentes de modo que o preço deles refletisse melhor o seu custo verdadeiro; e, ao mesmo tempo, uma quantidade equivalente de impostos seria eliminada das rendas e salários.

Para dar certo, o remanejamento fiscal precisa ser um processo lento, de longo prazo, a fim de que as pessoas se adaptem às novas tecnologias e hábitos de consumo; e precisa ser implementado de modo previsível a fim de encorajar a inovação industrial. Essa mudança gradual vai eliminar aos poucos do mercado as tecnologias e hábitos de consumo marcados pela nocividade e pelo desperdício.

Quando o preço da energia subir, acompanhado de uma redução correspondente do imposto de renda, as pessoas vão deixar de usar os automóveis convencionais e passar a usar os carros híbridos, a caminhar, a andar de bicicleta e a fazer rodízio de carona para ir para o trabalho. Quando subirem os impostos dos combustíveis e produtos petroquímicos, de novo com uma redução correspondente do imposto de renda, a agricultura orgânica não será somente o método mais saudável, mas também o método mais barato de produzir alimentos. O remanejamento fiscal dará às empresas poderosos incentivos para que adotem estratégias de projeto ecológico, pois os efeitos benéficos dessas estratégias — aumentar a produtividade de recursos, reduzir a poluição, eliminar o desperdício, gerar empregos — resultarão também em benefícios fiscais.

Várias formas de remanejamento fiscal já foram adotadas por diversos países europeus, entre os quais a Alemanha, a Itália, a Holanda e os países escandinavos; e outros países devem adotá-las em breve. Com efeito, Jacques Delors, ex-presidente da Comissão Européia, está incentivando todos os governos europeus a adotar o processo. Quando isso acontecer, os Estados Unidos terão de fazer o mesmo para que suas empresas continuem competitivas, pois o remanejamento fiscal vai diminuir os custos trabalhistas dos concorrentes europeus e, ao mesmo tempo, vai estimular a inovação.

Os impostos que as pessoas pagam numa determinada sociedade são, em última análise, um reflexo do sistema de valores dessa sociedade. Por isso, o remanejamento fiscal que estimula a criação de empregos, a revitalização das comunidades locais, a conservação dos recursos naturais e a eliminação da poluição reflete os valores fundamentais da dignidade humana e da sustentabilidade ecológica, valores esses que dão embasamento ao conceito de projeto ecológico e ao movimento generalizado pela remodelação da globalização. À medida que as ONGs da nova sociedade civil global continuarem a elaborar sua concepção das alternativas ao capitalismo global, e os projetistas ecológicos continuarem a incrementar seus princípios, processos e tecnologias, o remanejamento fiscal será uma política feita sob medida para interligar e amparar esses dois movimentos, pois reflete os valores fundamentais que os movem.

Epílogo

O sentido das coisas

Meu objetivo, neste livro, foi o de desenvolver uma estrutura conceitual que integre as dimensões biológica, cognitiva e social da vida; uma estrutura que nos habilite a resolver de maneira sistêmica alguns dos maiores problemas da nossa época. A análise dos sistemas vivos em função de quatro perspectivas interligadas —forma, matéria, processo e significado — faz com que nos seja possível aplicar uma compreensão unificada da vida não só aos fenômenos materiais, mas também aos que decorrem no campo dos significados. Vimos, por exemplo, que as redes metabólicas dos sistemas biológicos correspondem às redes de comunicações dos sistemas sociais; que os processos químicos que produzem estruturas materiais correspondem aos processos de pensamento que produzem estruturas semânticas; e que os fluxos de energia e matéria correspondem aos fluxos de informações e idéias.

A idéia central dessa concepção sistêmica e unificada da vida é a de que o seu padrão básico de organização é a rede. Em todos os níveis de vida — desde as redes metabólicas dentro da célula até as teias alimentares dos ecossistemas e as redes de comunicações da sociedade humana —, os componentes dos sistemas vivos se interligam sob a forma de rede. Vimos, em particular, que na Era da Informação — na qual vivemos — as funções e processos sociais organizam-se cada vez mais em torno de redes. Quer se trate das grandes empresas, do mercado financeiro, dos meios de comunicação ou das novas ONGs globais, constatamos que a organização em rede tornou-se um fenômeno social importante e uma fonte crítica de poder.

No decorrer deste novo século, dois fenômenos em específico terão efeitos significativos sobre o bem-estar e os modos de vida da humanidade. Ambos esses fenômenos têm por base as redes e ambos envolvem tecnologias radicalmente novas. O primeiro é a ascensão do capitalismo global; o outro é a criação de comunidades sustentáveis baseadas na alfabetização ecológica e na prática do projeto ecológico. Enquanto que o capitalismo global é feito de redes eletrônicas onde correm fluxos financeiros e de informações, o projeto ecológico trata das redes ecológicas de fluxos energéticos e materiais. O objetivo da economia global é o de elevar ao máximo a riqueza e o poder de suas elites; o objetivo do projeto ecológico é o de elevar ao máximo a sustentabilidade da teia da vida.

Essas duas propostas — cada uma das quais envolve uma rede complexa e uma tecnologia avançada e especial — encontram-se, atualmente, em rota de colisão. Já vimos que a forma atual do capitalismo global é insustentável dos pontos de vista social e ecológico. O chamado "mercado global" nada mais é do que uma rede de máquinas programadas para atender a um único princípio fundamental: o de que o ganhar dinheiro deve ter precedência sobre os direitos humanos, a democracia, a proteção ambiental e qualquer outro valor.

Entretanto, os valores humanos podem mudar; não são leis naturais. As mesmas redes eletrônicas nas quais correm os fluxos financeiros e de informação *podem* ser programadas de acordo com outros valores. A questão principal não é a tecnologia, mas a política. O grande desafio do século XXI é da mudança do sistema de valores que está por trás da economia global, de modo a torná-lo compatível com as exigências da dignidade humana e da sustentabilidade ecológica. Com efeito, vimos que esse processo de remodelação da globalização já começou.

Um dos maiores obstáculos à sustentabilidade é o aumento contínuo do consumo material. Apesar da importância que têm na nova economia o processamento de informações, a geração de conhecimento e outros artigos "intangíveis", o principal objetivo de todas essas inovações é o de aumentar a produtividade, o que faz aumentar, em última análise, o fluxo de bens materiais. Embora a Cisco Systems e outras empresas virtuais administrem informações e conhecimentos especializados sem fabricar nenhum produto material, seus fornecedores fabricam; e muitos deles, especialmente no Hemisfério Sul, operam com um impacto ambiental tremendo. Como observou ironicamente Vandana Shiva, "os recursos vão dos pobres para os ricos enquanto a poluição vai dos ricos para os pobres".[1]

Além disso, os projetistas de *software*, analistas financeiros, advogados, banqueiros de investimentos e outros profissionais que ficaram muito ricos com a economia "não-material" tendem a ostentar sua riqueza através de um consumo desenfreado. Suas residências gigantescas, localizadas em bairros elegantes, estão cheias das mais recentes invenções eletrônicas; suas garagens guardam de dois a três carros por pessoa. David Suzuki, biólogo e ambientalista, observa que nos últimos 40 anos o tamanho das famílias canadenses diminuiu em 50 por cento, mas o tamanho das residências dobrou. Explica ele: "Cada pessoa usa quatro vezes mais espaço porque nós compramos muitas coisas."[2]

Na sociedade capitalista contemporânea, o valor central — ganhar dinheiro — caminha de mãos dadas com a exaltação do consumo material. Uma corrente infinita de mensagens publicitárias reforça a ilusão das pessoas de que a acumulação de bens materiais é o caminho que leva à felicidade, o próprio objetivo da nossa vida.[3] Os Estados Unidos projetam pelo mundo o seu tremendo poder para conservar condições favoráveis à perpetuação e à expansão da produção. O objetivo central do seu gigantesco império — com um poderio militar impressionante, um extensíssimo serviço secreto e posições de predomínio na ciência, na tecnologia, nos meios de comunicação e no mundo artístico — não é de aumentar o território, nem o de promover a liberdade e a democracia, mas o de garantir que o país tenha livre acesso aos recursos naturais do mundo inteiro e que todos os mercados permaneçam abertos aos seus produtos.[4] É assim que a retórica política norte-americana passa rapidamente da noção de "liberdade" para a de "livre comércio" e "mercado livre". O livre fluxo de bens e de capital é identificado com o elevado ideal da liberdade humana, e o consumo material desenfreado é retratado como um direito humano básico — até mesmo, cada vez mais, como uma obrigação ou um dever.

Essa exaltação do consumo material tem raízes ideológicas profundas, que vão muito além da economia e da política. Parece que suas origens estão ligadas à associação universal da virilidade com os bens materiais nas culturas patriarcais. O antropólogo David Gilmore estudou as imagens da virilidade pelo mundo afora — as "ideologias masculinas", como ele as chama — e encontrou semelhanças marcantes em diversos contextos culturais.[5] É recorrente a noção de que a "virilidade verdadeira" é diferente da simples virilidade biológica, é algo que tem de ser conquistado. Segundo Gilmore, na maioria das culturas os meninos têm de "merecer o direito" de ser chamados de homens. Embora as mulheres também sejam julgadas segundo critérios sexuais freqüentemente rígidos, Gilmore observa que a sua feminilidade quase nunca é questionada.[6]

Além das imagens mais conhecidas da virilidade, como a força física, a dureza e a agressividade, Gilmore constatou que na grande maioria das culturas os homens "de verdade" são os que produzem mais do que consomem. O autor deixa claro que, nessa antiga associação da virilidade com a produção material, tratava-se de uma produção feita para a coletividade: "Reiteradamente constatamos que os homens 'de verdade' são os que dão mais do que recebem, os que servem aos outros. Os homens de verdade são generosos, às vezes até em excesso."[7]

No decorrer do tempo essa imagem mudou da produção para o bem dos outros para a posse de bens materiais para o bem de si próprio. A virilidade passou a ser medida pela posse de bens valiosos — terra, dinheiro ou gado — e pelo poder exercido sobre os outros, especialmente as mulheres e as crianças. Essa imagem foi reforçada pela associação universal da virilidade com a "grandeza" — medida pelo tamanho dos músculos, das realizações ou das posses. Na sociedade moderna, segundo Gilmore, a "grandeza" masculina é cada vez mais medida pela riqueza material: "O Grande Homem na sociedade industrial é também o mais rico, o mais bem-sucedido, o mais competente.... É o que tem mais daquilo que a sociedade quer ou necessita."[8]

A associação da virilidade com o acúmulo de bens materiais relaciona-se com outros valores favorecidos ou incentivados pela cultura patriarcal — a expansão, a competição e uma consciência "centrada nos objetos". Na cultura chinesa tradicional, esses valores eram chamados *yang* e eram associados ao lado masculino da natureza humana.[9] Não eram vistos como intrinsecamente bons ou maus. Entretanto, de acordo com a sabedoria chinesa, os valores *yang* têm de ser equilibrados pelos valores *yin*, ou femininos — a expansão pela conservação, a competição pela cooperação e a consciência centrada nos objetos por uma consciência centrada nas relações ou relacionamentos. Já faz tempo que digo que o movimento rumo a esse equilíbrio é muito compatível com a passagem do pensamento mecanicista para o pensamento sistêmico e ecológico que caracteriza a nossa época.[10]

Dentre os muitos movimentos populares que atualmente trabalham pela mudança social, o movimento feminista e o movimento ecológico são os que defendem as mais profundas transformações de valores — o primeiro pela redefinição das relações entre os sexos, o segundo pela redefinição das relações entre os seres humanos e a natureza. Ambos podem contribuir significativamente para a superação da nossa obsessão pelo consumo material.

Desafiando a ordem e o sistema de valores patriarcais, o movimento feminista chegou a uma nova compreensão da masculinidade e da "pessoalidade" que não depende da associação da virilidade com a posse de bens materiais. No seu nível mais profundo, a consciência feminista baseia-se no conhecimento existencial que as mulheres têm do fato de que todas as formas de vida são interligadas, de que a nossa existência está sempre inserida nos processos cíclicos da natureza.[11] Por isso, a consciência feminista tem por foco a busca de satisfação nos relacionamentos, e não na acumulação de bens materiais.

O movimento ecológico chega à mesma conclusão por um caminho diferente. A alfabetização ecológica estimula o pensamento sistêmico — o pensamento que se estrutura em torno de relações, contextos, padrões e processos —, e os projetistas ecológicos pregam a transição de uma economia baseada nos bens para uma economia de serviço e fluxo. Numa tal economia, a matéria circula continuamente, de modo que o consumo líqüido de materiais brutos se reduz drasticamente. Como vimos, a economia de "serviço e fluxo" ou de "emissão zero" também é excelente para os negócios. À medida que os resíduos se transformam em recursos, geram-se novas fontes de renda, criam-se novos produtos e aumenta-se a produtividade. Com efeito, ao passo que a extração de recursos e a acumulação de resíduos fatalmente chegarão, mais cedo ou mais tarde, aos seus limites ecológicos, a evolução da vida demonstrou por mais de três bilhões de anos que, nesta casa sustentável que é o planeta Terra, não existem limites para o desenvolvimento, a diversificação, a inovação e a criatividade.

Além de aumentar a produtividade de recursos e diminuir a poluição, a economia de emissão zero também cria novas oportunidades de emprego e revitaliza as comunidades locais. É assim que a ascensão da consciência feminista e o movimento pela sustentabilidade ecológica associam-se para provocar uma profunda mudança do pensamento e dos valores — dos sistemas lineares de extração de recursos e acumulação de produtos e resíduos para os fluxos cíclicos de matéria e energia; da fixação nos objetos e nos recursos naturais para a fixação nos serviços e nos recursos humanos; da busca da felicidade através dos bens materiais para o encontro da mesma felicidade nos relacionamentos calorosos. Nas palavras eloqüentes de David Suzuki:

> A família, os amigos, a comunidade — são essas as maiores fontes de amor e de alegria que temos enquanto seres humanos. Nós visitamos nossos familiares, mantemos contato com nossos professores prediletos, trocamos amabilidades com os amigos. Levamos a cabo projetos árduos para ajudar os outros, salvar uma espécie de rã ou proteger uma área de mata virgem, e nesse processo descobrimos uma extrema satisfação. Encontramos nossa realização espiritual na natureza ou ajudando aos outros. Nenhum desses prazeres nos obriga a consumir coisas tiradas da Terra, mas todos eles nos satisfazem profundamente. São prazeres complexos, e nos aproximam muito mais da felicidade verdadeira do que os prazeres simples, como o de tomar uma Coca-Cola ou comprar uma nova caminhonete.[12]

Levanta-se naturalmente a questão: será que haverá tempo para que essa profunda mudança de valores detenha e reverta o esgotamento de recursos naturais, a extinção de espécies, a poluição e a mudança climática global que caracterizam a nossa época? Os fatos mencionados nas páginas precedentes não nos fornecem uma resposta inequívoca. Se projetarmos para o futuro as atuais tendências ambientais, as perspectivas são alarmantes. Por outro lado, existem vários sinais de que um número significativo, talvez determinante, de pessoas e instituições pelo mundo afora já deram início à transição para a sustentabilidade ecológica. É essa também a opinião de vários colegas meus do movimento ecológico, como evidenciam as seguintes três vozes, que representam muitas outras:[13]

> Creio que existem, agora, alguns sinais claros de que o mundo de fato parece estar se aproximando de uma espécie de mudança de paradigma no que diz respeito à consciência ambiental. Em toda uma série de atividades, lugares e instituições, a atmosfera mudou de modo marcante nos últimos anos.
>
> *Lester Brown*

> Estou mais esperançoso agora do que há alguns anos. Acho que a rapidez e a importância das coisas que estão melhorando é maior que a rapidez e a importância das que estão piorando. Um dos fatos que mais me dão esperança é a cooperação entre o Norte e o Sul na sociedade civil global. Atualmente, temos acesso a um campo de especializações muito mais rico do que antes.
>
> *Amory Lovins*

> Estou otimista, porque a vida tem os seus próprios caminhos para evitar a extinção; e também os seres humanos têm os seus próprios caminhos. Eles vão dar continuidade à tradição da vida.
>
> *Vandana Shiva*

É verdade que a transição para um mundo sustentável não será fácil. Mudanças graduais não serão suficientes para virar o jogo; vamos precisar também de algumas grandes revoluções. A tarefa parece sobre-humana, mas, na verdade, não é impossível. Nossa nova concepção dos sistemas biológicos e sociais complexos nos mostrou que perturbações significativas podem desencadear múltiplos processos de realimentação que podem produzir rapidamente o surgimento de uma nova ordem. A história recente nos deu alguns exemplos marcantes dessas transformações dramáticas — da queda do Muro de Berlim e da Revolução de Veludo, na Europa, até o fim do Apartheid na África do Sul.

Por outro lado, a teoria da complexidade também nos diz que esses pontos de instabilidade podem desencadear não uma mudança inovadora, mas um simples colapso das estruturas existentes. Nesse caso, qual a esperança que podemos ter para o futuro da humanidade? Na minha opinião, a resposta mais inspiradora a essa questão existencial foi dada por um dos personagens centrais das transformações sociais recentes, o grande dramaturgo e estadista tcheco Václav Havel, que transforma a pergunta numa meditação sobre a esperança em si:

> O tipo de esperança sobre a qual penso freqüentemente,... compreendo-a acima de tudo como um estado da mente, não um estado do mundo. Ou nós temos a esperança dentro de nós ou não temos; ela é uma dimensão da alma, e não depende essencialmente de uma determinada observação do mundo ou de uma avaliação da situação... [A esperança] não é a convicção de que as coisas vão dar certo, mas a certeza de que as coisas têm sentido, como quer que venham a terminar.[14]

Notas

Capítulo 1

1. Estas passagens foram inspiradas pela obra de Luisi (1993) e pelas estimulantes conversas e troca de correspondência que mantive com o autor.
2. Ver Capra (1996), pp. 203 *et seq.* na edição em português; ver também as pp. 73 *et seq.*, mais adiante.
3. Ver as pp. 33-4, mais adiante.
4. Certas partes das células, como as mitocôndrias e os cloroplastos, eram no passado bactérias independentes que invadiram células maiores e evoluíram junto com elas para constituir novos organismos compostos; ver Capra (1996), p. 185 na edição em português. Esses orgânulos ainda se reproduzem num momento diferente do restante da célula, mas não podem fazê-lo sem o funcionamento integrado da célula como um todo e, por isso, já não podem ser considerados sistemas vivos autônomos; ver Morowitz (1992), p. 231.
5. Ver Morowitz (1992), pp. 59 *et seq.*
6. Ibid., pp. 66 *et seq.*
7. Ibid., p. 54.
8. Ver Lovelock (1991); Capra (1996), pp. 90 *et seq.*, na edição em português.
9. Morowitz (1992), p. 6.
10. Ver *New York Times*, 11 de julho de 1997.
11. Luisi (1993).
12. Ver, mais adiante, pp. 39 *et seq.*
13. Margulis, comunicação pessoal, 1998.
14. Ver, por exemplo, Capra (1996), p. 139, na edição em português.
15. Margulis, comunicação pessoal, 1998.
16. Ver Capra (1996), p. 219, na edição em português.
17. Margulis (1998a), p. 63.
18. Com exceção dos componentes primários, como o oxigênio, a água, o dióxido de carbono e também as "moléculas de alimento" que entram na célula.
19. Ver Capra (1996), pp. 87 *et seq.*, na edição em português.
20. Ver Luisi (1993).

21. Ibid.
22. Ibid.
23. Ver Morowitz (1992), p. 99.
24. Ver Capra (1996), p. 138, na edição em português.
25. Ver Capra (1996), p. 114, na edição em português.
26. Goodwin (1994), Stewart (1998).
27. Stewart (1998), p. xii.
28. Ver as pp. 181 *et seq.*, mais adiante. Nelas, discutimos de modo mais extenso o determinismo genético.
29. Margulis, comunicação pessoal, 1998.
30. Ver Capra (1996), pp. 80 *et seq.*, na edição em português.
31. É interessante notar que a palavra "complexidade" deriva-se etimologicamente do verbo latino *complecti* ("entretecer") e do substantivo *complexus* ("rede", "teia", "tecido"). Assim, a idéia da não-linearidade — de uma rede de fios entretecidos — está na própria raiz do significado de "complexidade".
32. Brian Goodwin, comunicação pessoal, 1998.
33. Ver Capra (1996), p. 80, na edição em português.
34. Ver Margulis e Sagan (1995), p. 57.
35. Luisi (1993).
36. Ver Capra (1996), pp. 85-86, na edição em português.
37. Ver Gesteland, Cech, e Atkins (1999).
38. Ver Gilbert (1986).
39. Szostak, Bartel, e Luisi (2001).
40. Luisi (1998).
41. Morowitz (1992).
42. Ibid., p. 154.
43. Ibid., p. 44.
44. Ver ibid., pp. 107-08.
45. Ibid., pp. 174-75.
46. Ibid., pp. 92-3.
47. Ver p. 46, mais adiante.
48. Ver Morowitz (1992), p. 154.
49. Ibid., p. 9.
50. Ibid., p. 96.
51. Luisi (1993 e 1996).
52. Ver Fischer, Oberholzer e Luisi (2000).
53. Ver Morowitz (1992), pp. 176-77.
54. Pier Luigi Luisi, comunicação pessoal, janeiro de 2000.
55. Ver Capra (1996), pp. 82-83, 85 *et seq.*, na edição em português.
56. Morowitz (1992), p. 171.
57. Ver ibid., pp. 119 *et seq.*
58. Ibid., pp. 137, 171.
59. Ibid., p. 88.
60. Ver Capra (1996), pp. 183 *et seq.*, na edição em português.
61. Entretanto, as mais recentes pesquisas no campo da genética parecem indicar que a taxa ou o ritmo das mutações não se deve pura e simplesmente ao acaso; pelo contrário, seria regulada pela rede epigenética da célula. Ver as pp. 176-77, mais adiante.

62. Margulis (1998b).
63. Margulis, comunicação pessoal, 1998.
64. Ver Sonea e Panisset (1993).
65. Ver Capra (1996), pp. 184 *et seq.*, na edição em português.
66. Ver Margulis (1998a), pp. 45 *et seq.*
67. Margulis e Sagan (1997).
68. Ver Gould (1994).
69. Margulis (1998a), p. 8.

Capítulo 2

1. Revonsuo e Kamppinen (1994), p. 5.
2. Ver Capra (1996), pp. 88-9 e 144-45, na edição em português.
3. Ver ibid., pp. 210 *et seq.*, na edição em português.
4. Ver Capra (1982), pp. 162-63, na edição em português.
5. Ver Varela (1996a), Tononi e Edelman (1998).
6. Ver, por exemplo, Crick (1994), Dennett (1991), Edelman (1989), Penrose (1994); *Journal of Consciousness Studies*, Vols. 1-6, 1994-99; Conferência de Tucson II, "Toward a Science of Consciousness", Tucson, Arizona, 13 a 17 de abril, 1996.
7. Ver Edelman (1992), pp. 122-23.
8. Ver ibid., p. 112.
9. Ver Searle (1995).
10. Chalmers (1995).
11. Ver Capra (1996), pp. 37 *et seq.*, na edição em português.
12. Varela (1999).
13. Ver Varela e Shear (1999).
14. Ver ibid.
15. Ver Varela (1996a).
16. Ver Churchland e Sejnowski (1992), Crick (1994).
17. Crick (1994), p. 3.
18. Searle (1995).
19. Ver ibid., Varela (1996a).
20. Dennett (1991).
21. Ver Edelman (1992), pp. 220 *et seq.*
22. Ver McGinn (1999).
23. Varela (1996a).
24. Capra (1988), p. 113, na edição em português.
25. *Journal of Consciousness Studies*, Vol. 6, n°s 2-3, 1999.
26. Ver Vermersch (1999).
27. Ver ibid.
28. Ver Varela (1996a), Depraz (1999).
29. Ver Shear e Jevning (1999).
30. Ver Wallace (1999).
31. Ver Varela *et al.* (1991), Shear e Jevning (1999).
32. Penrose (1999); ver também Penrose (1994).
33. Edelman (1992), p. 211.
34. Ver, p. ex., Searle (1984), Edelman (1992), Searle (1995), Varela (1996a).

35. Varela (1995), Tononi e Edelman (1998).
36. Tononi e Edelman (1998).
37. Ver Varela (1995); ver também Capra (1996), pp. 228-29, na edição em português.
38. Ver Varela (1996b).
39. Ver Varela (1996a), Varela (1999).
40. Ver Tononi e Edelman (1998).
41. Ver Edelman (1989), Edelman (1992).
42. Ver pp. 54-5, acima; ver também Capra (1996), pp. 203 *et seq.*, na edição em português.
43. Núñez (1997).
44. Maturana (1970), Maturana e Varela (1987), pp. 167 *et seq.*; ver também Capra (1996), pp. 224 *et seq.*, na edição em português.
45. Ver pp. 50-1, acima.
46. Ver Maturana (1995).
47. Maturana (1998).
48. Maturana e Varela (1987), p. 245.
49. Fouts (1997).
50. Ibid., p. 57.
51. Ver Wilson e Reeder (1993).
52. Ver Fouts (1997), p. 365.
53. Ibid., p. 85.
54. Ver ibid., pp. 74 *et seq.*
55. Ibid., pp. 72, 88.
56. Ibid., pp. 302-03.
57. Ver ibid., p. 191.
58. Kimura (1976); ver também Iverson e Thelen (1999).
59. Fouts (1997), pp. 190-91.
60. Ver ibid., pp. 193-95.
61. Ver ibid., pp. 184 *et seq.*
62. Ibid., p. 192.
63. Ibid., p. 197.
64. Ver Johnson (1987), Lakoff (1987), Varela *et al.* (1991), Lakoff e Johnson (1999).
65. Lakoff e Johnson (1999).
66. Ibid., p. 4.
67. Ver Lakoff (1987).
68. Ver ibid., pp. 24 *et seq.*
69. Lakoff e Johnson (1999), pp. 34-5.
70. Ver ibid., pp. 380-81.
71. Ver ibid., pp. 45 *et seq.*
72. Ver ibid., p. 46.
73. Ver ibid., pp. 60 *et seq.*
74. Ibid., p. 3.
75. Ibid., p. 551.
76. Searle (1995).
77. Lakoff e Johnson (1999), p. 4.
78. Ver pp. 26-8, acima.
79. Ver p. 52, acima.
80. Steindl-Rast (1990).
81. Ver Capra e Steindl-Rast (1991), pp. 14-5.

Capítulo 3

1. Ver Capra (1996), pp. 133 *et seq.*, na edição em português.
2. O surgimento e a elaboração do conceito de *padrão de organização* foi um dos elementos cruciais para o desenvolvimento da pensamento sistêmico. Maturana e Varela, em sua teoria da autopoiese, traçam uma nítida distinção entre a *organização* e a *estrutura* de um ser vivo; e Prigogine criou o termo "*estrutura* dissipativa" para caracterizar a física e a química dos sistemas abertos que se mantêm distantes do equilíbrio [termodinâmico]. Ver Capra (1996), pp. 33 *et seq.*, 89, 82-3, na edição em português.
3. Ver pp. 26-8, acima.
4. Ver Searle (1984), p. 79.
5. Sou grato a Otto Scharmer por me chamar a atenção para esse ponto.
6. Ver, por exemplo, Windelband (1901), pp. 139 *et seq.*
7. Baert (1998), em cujo texto baseiam-se em grande medida as páginas seguintes, faz uma apresentação concisa das ciências sociais no século XX.
8. Ver pp. 94-5, mais adiante.
9. Ver Baert (1998), pp. 92 *et seq.*
10. Ver ibid., pp. 103-04.
11. Ibid., pp. 134 *et seq.*
12. Ver, por exemplo, Held (1990).
13. Ver Capra (1996), pp. 171-72, na edição em português.
14. Ver Luhmann (1990); ver também Medd (2000), que apresenta uma extensa recapitulação da teoria de Luhmann.
15. Ver p. 120, mais adiante.
16. Luhmann (1990).
17. Ver Searle (1984), pp. 95 *et seq.*
18. Ver p. 51, acima.
19. Ver Williams (1981).
20. Galbraith (1984); trechos publicados novamente no ensaio "Power and Organization" em Lukes (1986).
21. Ver nota 20. Em vez de "coercivo", Galbraith usa a misteriosa palavra "condigno", que significa "apropriado" e é usada, em inglês, sobretudo para qualificar os castigos ("*condign punishment*").
22. Ver David Steindl-Rast em Capra e Steindl-Rast (1991), p. 190.
23. Galbraith, o mesmo que a nota 20.
24. Citado em Lukes (1986), p. 28.
25. Ibid., p. 62.
26. As complexas interações entre as estruturas formais de organização e as redes informais de comunicações, que existem dentro de todas as organizações, serão discutidas de modo um pouco mais detalhado mais adiante; ver as pp. 122-23.
27. Castells, comunicação pessoal, 1999.
28. Ver pp. 74 *et seq.*, acima.
29. Ver p. 51, acima.
30. Ver, por exemplo, Fischer (1985).
31. Castells (2000b); citações de definições semelhantes, de Harvey Brooks e Daniel Bell, em Castells (1996), p. 30.
32. Ver pp. 72-3, acima.

33. Ver Capra (1996), p. 205 na edição em português.
34. Ver Kranzberg e Pursell (1967).
35. Ver Morgan (1998), pp. 270 *et seq.*
36. Ver Ellul (1964), Winner (1977), Mander (1991), Postman (1992).
37. Kranzberg e Pursell (1967), p. 11.

Capítulo 4

1. Ver pp. 249 *et seq.*, mais adiante.
2. Ver Wheatley e Kellner-Rogers (1998).
3. Minha compreensão da natureza das organizações humanas e de o quanto a visão sistêmica da vida pode contribuir para a mudança empresarial foi influenciada de maneira decisiva por uma prolongada colaboração com Margaret Wheatley e Myron Kellner-Rogers, ao lado de quem conduzi uma série de seminários sobre os sistemas auto-organizadores em Sundance, Utah, nos anos de 1996 e 1997.
4. Ver pp. 27-8, acima.
5. Wheatley e Kellner-Rogers (1998).
6. Ver Castells (1996), p. 17; ver também pp. 125 *et seq.*, mais adiante.
7. Ver Chawla e Renesch (1995), Nonaka e Takeuchi (1995), Davenport e Prusak (2000).
8. Ver pp. 30 e 50, acima.
9. Ver p. 100, acima.
10. Ver De Geus (1997a), p. 154.
11. Block (1993), p. 5.
12. Morgan (1998), p. xi.
13. Ver Capra (1982); Capra (1996), pp. 34 *et seq.*, na edição em português.
14. Ver Morgan (1998), pp. 21 *et seq.*
15. Morgan (1998), pp. 27-8.
16. Senge (1996); ver também Senge (1990).
17. Senge (1996).
18. Ibid.
19. De Geus (1997a).
20. Ver ibid., p. 9.
21. Ibid., p. 21.
22. Ibid., p. 18. É uma pena que a Shell, ao que parece, não tenha prestado a mínima atenção às recomendações de um dos seus principais executivos. Depois da campanha de extração de petróleo na Nigéria no começo da década de 1990, que teve conseqüências desastrosas para o meio ambiente, e depois ainda da subseqüente e trágica execução de Ken Saro-Wiwa e oito outros manifestantes pela liberdade, realizou-se uma investigação independente coordenada pelo professor Claude Aké, diretor do Centro de Estudos Sociais Avançados da Nigéria. Segundo Aké, a Shell continuou a manifestar a mesma atitude insensível e arrogante que caracteriza todas as empresas petrolíferas multinacionais. Aké se declarou perplexo pela cultura empresarial das empresas petrolíferas. "Francamente", desabafou, "esperava da Shell uma estratégia empresarial muito menos grosseira." (*Manchester Guardian Weekly*, 17 de dezembro de 1995)
23. Ver p. 94, acima.

24. Ver *Business Week*, 13 de setembro de 1999.
25. Ver Cohen e Rai (2000).
26. Ver pp. 225 *et seq.*, mais adiante.
27. Ver Wellman (1999).
28. Castells (1996); ver também p. 143, mais adiante.
29. Wenger (1996).
30. Wenger (1998), pp. 72 *et seq.*
31. Ver pp. 97 *et seq.*, acima.
32. De Geus (1997b).
33. Wenger (1998), p. 6.
34. Sou grato a Angelika Siegmund pelas longas conversas a respeito desse tema.
35. Deve-se observar, porém, que nem todas as redes informais são fluidas e autogeradoras. As notórias "redes de veteranos", por exemplo, são estruturas patriarcais informais que podem chegar a um alto grau de rigidez e exercer um poder considerável. Quando falo de "estruturas informais" nos parágrafos seguintes, refiro-me a redes de comunicações que geram continuamente a si mesmas, ou seja, a comunidades de prática.
36. Ver Wheatley e Kellner-Rogers (1998).
37. Ver pp. 52-3, acima.
38. Wheatley e Kellner-Rogers (1998).
39. Ver Capra (1996), pp. 44-5, na edição em português.
40. Ver p. 100 acima.
41. Tuomi (1999).
42. Ver Nonaka e Takeuchi (1995).
43. Nonaka e Takeuchi (1995), p. 59.
44. Ver Tuomi (1999), pp. 323 *et seq.*
45. Ver Winograd e Flores (1991), pp. 107 *et seq.*
46. Ver pp. 66 *et seq.*, acima.
47. Wheatley (2001).
48. Wheatley (1997).
49. Ver p. 31, acima.
50. Citado em Capra (1988), p. 15, na edição em português.
51. Ver Capra (1975).
52. Proust (1921).
53. Ver p. 103, acima.
54. Ver Capra (2000).
55. Ver pp. 79 *et seq.*, acima.
56. Ver pp. 85-6, acima.
57. Sou grato a Morten Flatau pelos prolongados debates acerca desse ponto.
58. Wheatley (1997).
59. Ver p. 77, acima.
60. Wheatley e Kellner-Rogers (1998).
61. De Geus (1997b).
62. Siegmund, comunicação pessoal, julho de 2000.
63. De Geus (1997a), p. 57.
64. Ver *The Economist*, 22 de julho de 2000.

65. Ver, por exemplo, Petzinger (1999).
66. Ver Castells (1996); ver também pp. 148 *et seq.*, mais adiante.

Capítulo 5

1. Mander e Goldsmith (1996).
2. Castells (1996).
3. Ibid., p. 4.
4. Castells (1996-98).
5. Giddens (1996).
6. Ver Castells (1998), pp. 4 *et seq.*
7. Ibid., p. 338.
8. Hutton e Giddens (2000).
9. Václav Havel, observações feitas durante as discussões do Fórum 2000, 10 a 13 de outubro de 1999.
10. Ver pp. 130 *et seq.*, acima.
11. Ver Castells (1996), pp. 40 *et seq.*
12. Ver Capra (1996), pp. 56 *et seq.*
13. Ver Abbate (1999).
14. Ver Himanen (2001).
15. Ver Capra (1982), pp. 180 *et seq.*, na edição em português.
16. Ver Castells (1996), pp. 18-22; Castells (2000a).
17. Castells (1996), pp. 434-35.
18. Castells (1998), p. 341.
19. Giddens em Hutton e Giddens (2000), p. 10.
20. Ver Castells (2000a).
21. Ibid.
22. Ver Volcker (2000).
23. Ver Faux e Mishel (2000).
24. Volcker (2000).
25. Castells, comunicação pessoal, 2000.
26. Kuttner (2000).
27. Castells (2000a).
28. Ver pp. 223-24 *et seq.*, mais adiante.
29. ver pp. 137, acima.
30. Ver Castells (1996), pp. 474-75.
31. Castells (1996), p. 476.
32. Ver Castells (1998), pp. 70 *et seq.*
33. UNDP [United Nations Development Programme] (1996).
34. Ver UNDP (1999).
35. Ver Castells (1998), pp. 130-31.
36. Ver Castells (2000a).
37. Castells (1998), p. 74.
38. Ver ibid., pp. 164-65.
39. Ver Capra (1982), p. 216, na edição em português.
40. Ver Brown *et al.* (2001) e os relatórios anuais anteriores; ver também Gore (1992), Hawken (1993).

41. Gore (1992).
42. Goldsmith (1996).
43. Ver ibid.
44. Ver Shiva (2000).
45. Ibid.
46. Goldsmith (1996).
47. Ibid.
48. Ver Castells (1996), pp. 469 *et seq*.
49. Ver Castells (1998), pp. 346-47.
50. O mesmo pode ser dito sobre o novo fenômeno do terrorismo internacional, como ficou bem claro nos ataques de 11 de setembro de 2001 contra os Estados Unidos; ver Zunes (2001).
51. Castells (1998), pp. 166 *et seq*.
52. Ibid., p. 174.
53. Ibid., pp. 179-80.
54. Ibid., pp. 330 *et seq*.
55. Ibid., p. 330.
56. Ver Korten (1995) e Korten (1999).
57. Manuel Castells, comunicação pessoal, 1999.
58. Ver Capra (1982), p. 273, na edição em português.
59. Ibid. (1996), pp. 44-5, na edição em português.
60. Ver Castells (1996), pp. 327 *et seq*.
61. Ver p. 97, acima.
62. Castells (1996), p. 329.
63. McLuhan (1964).
64. Ver Danner (2000).
65. Ver Castells (1996), p. 334.
66. Ver p. 123, acima.
67. Ver Castells (1996), pp. 339-40.
68. Castells, comunicação pessoal, 1999.
69. Ver Schiller (2000).
70. Ver p. 67 acima.
71. Castells (1996), p. 371.
72. Ver ibid., p. 476.
73. Castells (1998), p. 348.
74. George Soros, comentários feitos durante o Fórum 2000, Praga, outubro de 1999; ver também Soros (1998).
75. Castells (2000a).
76. Ver pp. 235 *et seq*., mais adiante.

Capítulo 6

1. Ver p. 28, acima.
2. Keller (2000).
3. Ho (1998a), p. 19; ver também Holdrege (1996), que apresenta uma introdução à genética e à engenharia genética, fácil de ler.

4. Ver Capra (1982), pp. 111 *et seq.*, na edição em português.
5. Ver Ho (1998a), pp. 42 *et seq.*
6. Ver Margulis e Sagan (1986), pp. 89-90.
7. Ho (1998a), pp. 146 *et seq.*
8. Ver *Science*, 6 de junho de 1975, pp. 991 *et seq.*
9. Embora esses animais tenham sido criados por manipulação genética, e não por reprodução sexuada, não são clones no sentido estrito da palavra; ver p. 192, mais adiante.
10. Ver Altieri (2000b).
11. Ver pp. 206 *et seq.*, mais adiante.
12. Ho (1998a), pp. 14 *et seq.*
13. Ver o *New York Times*, 13 de fevereiro de 2001.
14. Ver ibid.
15. *Nature*, 15 de fevereiro de 2001; *Science*, 16 de fevereiro de 2001.
16. Keller (2000), p. 138.
17. Bailey, citado em Keller (2000), pp. 129-30.
18. Um gene consiste numa seqüência de elementos, chamados "nucleotídeos", que se distribuem por um dos filamentos da dupla hélice do DNA; ver, por exemplo, Holdrege (1996), p. 74.
19. Keller (2000), p. 14.
20. Ibid., pp. 26 *et seq.*
21. Ibid., p. 27.
22. Ibid., p. 31.
23. Ibid., pp. 32 *et seq.*
24. Ibid., p. 34.
25. Ver Capra (1996), pp. 180-81, na edição em português.
26. Shapiro (1999).
27. Ver p. 46, acima.
28. Ver p. 50, acima.
29. McClintock (1983).
30. Ver Watson (1968).
31. Citado em Keller (2000), p. 54.
32. Ho (1998a), p. 99.
33. Strohman (1977).
34. Ver Keller (2000), pp. 59 *et seq.*
35. Ver Baltimore (2001).
36. Ver Keller (2000), p. 61.
37. Ibid., p. 63.
38. Ibid., pp. 64 *et seq.*
39. Ibid., p. 57.
40. Ibid., p. 100.
41. Ibid., pp. 55 *et seq.*
42. Ibid., pp. 90 *et seq.*
43. Ver Strohman (1997).
44. Ver, por exemplo, Kauffman (1995), Stewart (1998), Solé e Goodwin (2000).
45. Ver Capra (1996), p. 39, na edição em português.
46. Ver Keller (2000), pp. 112-13.
47. Ibid., pp. 103 *et seq.*

48. Ibid., pp. 111 *et seq.*
49. Dawkins (1976).
50. Keller (2000), p. 115; ver também Goodwin (1994), pp. 29 *et seq.*, que discute e critica a metáfora do "gene egoísta".
51. Sou grato a Brian Goodwin pelas esclarecedoras conversas que tivemos sobre esse assunto.
52. Ver Capra (1996), pp. 110 *et seq.*, onde se apresenta uma introdução breve à linguagem matemática da teoria da complexidade.
53. Gelbart (1998).
54. Keller (2000), p. 9.
55. Holdrege (1996), pp. 116-17.
56. Ibid., pp. 109 *et seq.*
57. Ehrenfeld (1997).
58. Strohman (1997).
59. Weatherall (1998).
60. Ver Lander e Schork (1994).
61. Ver Ho (1998a), p. 190.
62. Keller (2000), p. 68.
63. Strohman (1977).
64. Ho (1998a), p. 35.
65. No sentido estrito, o termo "clone" refere-se a um ou vários organismos derivados de um único genitor por reprodução assexuada, como numa pura cultura de bactérias. Exceto pelas diferenças devidas às mutações, todos os membros de um clone são geneticamente idênticos ao genitor.
66. Lewontin (1997).
67. Ibid.
68. Ver Ho (1998a), pp. 174-75.
69. As estruturas celulares chamadas de mitocôndrias, por exemplo (as "usinas de energia" da célula), contêm seu próprio material genético e reproduzem-se independentemente do restante da célula; ver Capra (1996), p. 185, na edição em português. Os genes das mitocôndrias estão ligados à produção de algumas enzimas essenciais.
70. Ver Lewontin (1997).
71. Ver Ho (1998a), p. 179.
72. Ibid., pp. 180-81.
73. Ver Capra (1982), pp. 245 *et seq.*, na edição em português.
74. Ehrenfeld (1997).
75. Ver Altieri e Rosset (1999).
76. Ver Simms (1999).
77. Ver *Guardian Weekly*, 13 de junho de 1999.
78. Ibid.
79. Altieri e Rosset (1999).
80. Lappé, Collins e Rosset (1998).
81. Ver Simms (1999).
82. Altieri (2000a).
83. Ver Altieri e Rosset (1999).
84. Simms (1999).
85. Ver Jackson (1985), Altieri (1995); ver também Mollison (1991).

86. Ver Capra (1996), pp. 231 *et seq.*, na edição em português.
87. Ver Hawken, Lovins e Lovins (1999), p. 205.
88. Ver Norber-Hodge, Merrifield e Gorelick (2000).
89. Ver Halweil (2000).
90. Ver Altieri e Uphoff (1999); ver também Pretty e Hine (2000).
91. Citado em Altieri e Uphoff (1999).
92. Ibid.
93. Altieri (2000a).
94. Ver Altieri (2000b).
95. Ver p. 170, acima.
96. Bardocz (2001).
97. Meadows (1999).
98. Ver Altieri (2000b).
99. Ver Shiva (2000).
100. Ver Shiva (2001).
101. Ver Steinbrecher (1998).
102. Ver Altieri (2000b).
103. Losey *et al.* (1999).
104. Ver Altieri (2000b).
105. Ver Ho (1998b), Altieri (2000b).
106. Stanley *et al.* (1999).
107. Ehrenfeld (1997).
108. Ver Altieri e Rosset (1999).
109. Shiva (2000).
110. Ibid.
111. Ver p. 197, acima.
112. Ver Mooney (1988).
113. Ver Ho (1998a), p. 26.
114. Ver Shiva (1997).
115. Shiva (2000).
116. Ver pp. 235 *et seq.*, mais adiante.
117. Ver Ho (1998a), pp. 246 *et seq.*; Simms (1999).
118. Ver pp. 241 *et seq.*, mais adiante.
119. Benyus (1997).
120. Strohman (1997).
121. Ver p. 186, acima.

Capítulo 7

1. Ver Brown *et al.* (2001).
2. Ver Hawken, Lovins e Lovins (1999), p. 3.
3. Citado em Brown *et al.* (2001), p. 10; ver também McKibben (2001).
4. Ibid., pp. xvii-xviii e pp. 10 *et seq.*
5. Ver *New York Times,* 19 de agosto de 2000.
6. Ver Brown *et al.* (2001), p. 10.
7. Ver Capra (1982), p. 270-71, na edição em português.
8. Ver Brown *et al.* (2001), p. xviii e pp. 10-1.

9. Ibid., pp. 123 *et seq.*
10. Ibid. (2001), p. 137.
11. Janet Abramovitz em Brown *et al.* (2001), pp. 123-24.
12. Ver Brown *et al.* (2001), pp. 4-5.
13. Ver p. 167, acima.
14. Ver pp. 148 *et seq.*, acima.
15. Ver Castells (2000a).
16. Ver Barker e Mander (1999), Wallach e Sforza (2001).
17. Ver pp. 158-59, acima.
18. Ver Henderson (1999), pp. 35 *et seq.*
19. Ver *Guardian Weekly*, 1-7 de fevereiro de 2001.
20. Ver pp. 113-14, acima.
21. Ver Capra e Steindl-Rast (1991), pp. 16-7.
22. Ver Union of International Associations, www.uia.org; ver também Union of International Associations (2000/2001).
23. Ver, p. ex., Barker e Mander (1999).
24. Ver Hawken (2000).
25. Hawken (2000).
26. Citado em Hawken (2000).
27. Ver Khor (1999/2000).
28. Ver Global Trade Watch, www.tradewatch.org.
29. *Guardian Weekly*, 8-14 de fevereiro de 2001.
30. Ver p. 159, acima.
31. Castells (1997), pp. 354 *et seq.*
32. Ver p. 144, acima.
33. Warkentin e Mingst (2000).
34. Citado em Warkentin e Mingst (2000).
35. É interessante observar que essa nova forma de discurso político foi inventada pelo Partido Verde alemão no começo da década de 1980, quando esse partido chegou ao poder pela primeira vez; ver Capra e Spretnak (1984), p. xiv.
36. Ver pp. 166-67, acima.
37. Warkentin e Mingst (2000).
38. Castells (1998), pp. 352-53.
39. Debi Barker, FIG, comunicação pessoal, outubro de 2001.
40. Ver pp. 118-19 e p. 162, acima.
41. Robbins (2001), p. 380.
42. Ver, por exemplo, "The Monsanto Files", número especial do *The Ecologist*, setembro/outubro de 1998.
43. Robbins (2001), pp. 372 *et seq.*; ver também Tokar (2001).
44. Ver Robbins (2001), p. 374.
45. *Wall Street Journal*, 7 de janeiro de 2000.
46. Brown (1981).
47. World Comission on Environment and Development (1987).
48. Ver p. 223-24, acima.
49. Ver Orr (1992); Capra (1996), pp. 231 *et seq.*, na edição em português; Callenbach (1998).
50. Ver Barlow e Crabtree (2000).

51. Benyus (1997), p. 2.
52. Ver p. 131, acima.
53. Ver Hawken (1993), McDonough e Braungart (1998).
54. Ver Pauli (1996).
55. Ver Pauli (2000); ver também o *website* da ZERI, www.zeri.org.
56. Ver p. 153 *et seq.*, acima.
57. Ver o *website* da ZERI, www.zeri.org.
58. McDonough e Braungart (1998).
59. Ibid.
60. Ver Brown (1999).
61. Ver Hawken, Lovins e Lovins (1999), pp. 185-86.
62. Hawken (1993), p. 68.
63. Ver McDonough e Braungart (1998); ver também Hawken, Lovins e Lovins (1999), pp. 16 *et seq.*
64. Ver Anderson (1998); ver também Hawken, Lovins e Lovins (1999), pp. 139-41.
65. Ver o *website* da Canon, www.canon.com.
66. Ver o *website* do Grupo Fiat, www.fiatgroup.com.
67. Ver Hawken, Lovins e Lovins (1999), pp. 11-2.
68. Ver Gardner e Sampat (1998).
69. Hawken, Lovins e Lovins (1999), pp. 10-2.
70. Ver ibid., pp. 94 *et seq.*
71. McDonough e Braungart (1998).
72. Ver Hawken, Lovins e Lovins (1999), pp. 94, 102-03; ver também Orr (2001).
73. Ver p. 158, acima.
74. Ver Register e Peeks (1997), Register (2001).
75. Newman e Kenworthy (1998); ver também Jeff Kenworthy, "City Building and Transportation Around the World", em Register e Peeks (1997).
76. Ver pp. 261-62 *et seq.*, mais adiante.
77. Dunn (2001).
78. Ver Capra (1982), pp. 228 *et seq.*, na edição em português.
79. Citado em Capra (1982), p. 391, na edição em português.
80. Citado em Hawken, Lovins e Lovins (1999), p. 249.
81. Ver Dunn (2001).
82. Ver Hawken, Lovins e Lovins (1999), pp. 247-48.
83. Ver Capra (1982), pp. 393 *et seq.*, na edição em português.
84. Ver "The Future of Fuel Cells", Relatório Especial, *Scientific American*, julho de 1999.
85. Ver Lamb (1999), Dunn (2001).
86. Ver Dunn (2001).
87. Ver Hawken, Lovins e Lovins (1999), p. 24.
88. Ibid., pp. 22 *et seq.*
89. Ibid., pp. 35-37. A independência do petróleo da OPEC possibilitaria aos Estados Unidos mudar radicalmente sua política exterior no Oriente Médio que, no momento, é norteada pela necessidade constatada do petróleo como um "recurso estratégico". Uma mudança nessa política mudaria significativamente as condições subjacentes à recente onda de terrorismo internacional. Por isso, uma política energética baseada em fontes renováveis de energia e conservação não só é um imperativo para viabilizar a preservação ecológica, mas também vital para a segurança nacional dos Estados Unidos; veja Capra (2001).

90. Lovins *et al.* (1996).
91. Ver Lovins e Lovins (2001).
92. Ver www.hypercar.com.
93. *The Wall Street Journal*, 9 de janeiro de 2001.
94. Ver Denner e Evans (2001).
95. Ver Hawken, Lovins e Lovins (1999), p. 34.
96. Ibid., pp. 36-37.
97. Lovins e Lovins (2001).
98. Dunn (2001).
99. Myers (1998).
100. Ver Hawken (1993), pp. 169 *et seq.*; Daly (1995).

Epílogo

1. Vandana Shiva, citado na p. 158, acima.
2. Suzuki (2001).
3. Ver Dominguez e Robin (1999).
4. Ver Ramonet (2000).
5. Gilmore (1990).
6. Curiosamente, Gilmore não menciona o fato conhecido e fartamente discutido pela literatura feminista de que as mulheres não têm necessidade de provar sua feminilidade por causa da sua capacidade de dar à luz, que era percebida pelas culturas pré-patriarcais como um poder transformativo tremendo; ver, por exemplo, Rich (1977).
7. Gilmore (1990), p. 229. Entretanto, a psicóloga Vera van Aaken salienta que, nas culturas patriarcais, a definição da virilidade em função das qualidades guerreiras tem prioridade sobre aquela que trata da produção de utensílios. Observa ainda que Gilmore tende a subestimar o sofrimento infligido às comunidades pelo ideal guerreiro; ver van Aaken (2000), p. 149.
8. Gilmore (1990), p. 110.
9. Ver Capra (1982), pp. 32 *et seq.*, na edição em português.
10. Ver Capra (1996), pp. 13 *et seq.*, na edição em português.
11. Ver Spretnak (1981).
12. Suzuki e Dressel (1999), pp. 263-64.
13. Brown (1999); Lovins, comunicação pessoal, maio de 2001; Shiva, comunicação pessoal, fevereiro de 2001.
14. Havel (1990), p. 181.

Bibliografia

AAKEN, VERA VAN, *Männliche Gewalt* [Violência Masculina], Patmos, Düsseldorf, Alemanha, 2000.

ABBATE, JANET, *Inventing the Internet*, MIT Press, 1999.

ALTIERI, MIGUEL, *Agroecology*, Westview Press, Boulder, CO, 1995.

_____, "Biotech Will Not Feed the World", *San Francisco Chronicle*, 30 de março de 2000a.

_____, "The Ecological Impacts of Transgenic Crops on Agroecosystem Health", *Ecosystem Health*, Vol. 6, Nº 1, março de 2000b.

_____ e PETER ROSSET, "Ten Reasons Why Biotechnology Will Not Ensure Food Security, Protect the Environment and Reduce Poverty in the Developing World", *Agbioforum*, Vol. 2, Nºs 3 e 4, 1999.

_____ e NORMAN UPHOFF, *Report of Bellagio Conference on Sustainable Agriculture*, Cornell International Institute for Food, Agriculture, and Development, 1999.

ANDERSON, RAY, *Mid-Course Correction*, Peregrinzilla Press, Atlanta, GA, 1998.

BAERT, PATRICK, *Social Theory in the Twentieth Century*, New York University Press, 1998.

BALTIMORE, DAVID, "Our Genome Unveiled", *Nature*, 15 de fevereiro de 2001.

BARDOCZ, SUSAN, painel da conferência sobre "Tecnologia e Globalização", Fórum Internacional sobre a Globalização, Nova York, fevereiro de 2001.

BARKER, DEBI e JERRY MANDER, "Invisible Government", Fórum Internacional sobre a Globalização, outubro de 1999.

BARLOW, ZENOBIA, e MARGO CRABTREE (org.), *Ecoliteracy: Mapping the Terrain*, Center for Ecoliteracy, Berkeley, Califórnia, 2000.

BENYUS, JANINE, *Biomimicry*, Morrow, Nova York, 1997.

BLOCK, PETER, *Stewardship*, Berrett-Koehler, San Francisco, 1993.

BROWN, LESTER, *Building a Sustainable Society*, Norton, Nova York, 1981.

_____, "Crossing the Threshold", em *World Watch Magazine*, Worldwatch Institute, Washington, DC., 1999.

_____, *et al.*, *State of the World 2001*, Worldwatch Institute, Washington, DC., 2001.

CALLENBACH, ERNEST, *Ecology: A Pocket Guide*, University of California Press, Berkeley, 1998.

CAPRA, FRITJOF, *The Tao of Physics*, Shambhala, Boston, 1975; quarta edição atualizada, 1999. [*O Tao da Física*, publicado pela Editora Cultrix, São Paulo, 1985.]

_____, *The Turning Point*, Simon & Schuster, Nova York, 1982. [*O Ponto de Mutação*, publicado pela Editora Cultrix, São Paulo, 1986.]

_____, *Uncommon Wisdom*, Simon & Schuster, Nova York, 1988. [*Sabedoria Incomum*, publicado pela Editora Cultrix, 1990.]

_____, *The Web of Life*, Anchor/Doubleday, Nova York, 1996. [*A Teia da Vida*, publicado pela Editora Cultrix e Amana-key, São Paulo, 1997.]

_____, "Is There a Purpose in Nature", em Anton Mainos (org.), *Is There a Purpose in Nature?* Procedimentos de um seminário de Praga, Centro de Estudos Teóricos, Praga, 2000.

_____, "Trying to Understand: A Systemic Analysis of Internacional Terrorism", www.fritjof.capra.net, outubro de 2001.

_____ e CHARLENE SPRETNAK, *Green Politics*, Dutton, Nova York, 1984.

_____ e DAVID STEINDL-RAST, *Belonging to the Universe*, Harper San Francisco, 1991. [*Pertencendo ao Universo*, publicado pela Editora Cultrix, São Paulo, 1993.]

_____ e GUNTER PAULI (orgs.), *Steering Business Toward Sustainability*, United Nations University Press, Tóquio, 1995.

CASTELLS, MANUEL, *The Information Age*, Vol. 1, *The Rise of the Network Society*, Blackwell, 1996.

_____, *The Information Age*, Vol. 2, *The Power of Identity*, Blackwell, 1997.

_____, *The Information Age*, Vol. 3, *End of Millennium*, Blackwell, 1998.

_____, "Information Technology and Global Capitalism", em Hutton e Giddens (2000a).

_____, "Materials for a Exploratory Theory of the Network Society", *British Journal of Sociology*, Vol. 51, Nº 1, janeiro/março de 2000b.

CHALMERS, DAVID J., "Facing Up to the Problem of Consciousness", *Journal of Consciousness Studies*, Vol. 2, Nº 3, pp. 200-19, 1995.

CHAWLA, SARITA, e JOHN RENESCH (orgs.), *Learning Organizations*, Productivity Press, Portland, Oregon, 1995.

CHURCHLAND, PATRICIA e TERRENCE SEJNOWSKI, *The Computational Brain*, MIT Press, Cambridge, Mass., 1992.

COHEN, ROBIN e SHIRIN RAI, *Global Social Movements*, Athlone Press, 2000.

CRICK, FRANCIS, *The Astonishing Hypothesis: The Scientific Search for the Soul*, Scribner, Nova York, 1994.

DALY, HERMAN, "Ecological Tax Reform", em Capra e Pauli (1995).

DANNER, MARK, "The Lost Olympics", *New York Review of Books*, 2 de novembro de 2000.

DAVENPORT, THOMAS e LAURANCE PRUSAK, *Working Knowledge*, Harvard Business School Press, 2000.

DAWKINS, RICHARD, *The Selfish Gene*, Oxford University Press, 1976.

DE GEUS, ARIE, *The Living Company*, Harvard Business School Press, 1997a.

_____, "The Living Company", *Harvard Business Review*, março-abril de 1997b.

DENNER, JASON e THAMMY EVANS, "Hypercar makes its move", *RMI Solutions*, boletim informativo do Rocky Mountain Institute, primavera de 2001.

DENNETT, DANIEL, *Consciousness Explained*, Little Brown, Nova York, 1991.

DEPRAZ, NATALIE, "The Phenomenological Reduction as Praxis", *Journal of Consciousness Studies*, Vol. 6, N°s 2-3, pp. 95-110, 1999.

DOMINGUEZ, JOE e VICKI ROBIN, *Your Money or Your Life*, Penguin, 1999.

DUNN, SETH, "Decarbonizing the Energy Economy", em Brown *et al.* (2001).

EDELMAN, GERALD, *The Remembered Present: A Biological Theory of Consciousness*, Basic Books, Nova York, 1989.

_____, *Bright Air, Brilliant Fire*, Basic Books, Nova York, 1992.

EHRENFELD, DAVID, "A Techno-Pox Upon the Land", *Harper's Magazine*, outubro de 1997.

ELLUL, JACQUES, *The Technological Society*, Knopf, Nova York, 1964.

FAUX, JEFF e LARRY MISHEL, "Inequality and the Global Economy", em Hutton e Giddens (2000).

FISCHER, ALINE, THOMAS OBERHOLZER e PIER LUIGI LUISI, 'Giant vesicles as models to study the interactions between membranes and proteins", *Biochimica et Biophysica Acta*, Vol. 1467, pp. 177-88, 2000.

FISCHER, CLAUDE, "Studying Technology and Social Life", em Manuel Castells (org.), *High Techonology, Space, and Society*, Sage, Beverly Hills, Califórnia, 1985.

FOUTS, ROGER, *Next of Kin*, William Morrow, Nova York, 1997.

GALBRAITH, JOHN KENNETH, *The Anatomy of Power*, Hamish Hamilton, Londres, 1984.

GARDNER, GARY e PAYAL SAMPAT, "Mind over Matter: Recasting the Role of Materials in Our Lives", Worldwatch Paper 144, Worldwatch Institute, Washington, DC., 1998.

GELBART, WILLIAM, "Data Bases in Genomic Research", *Science*, 23 de outubro de 1998.

GESTELAND, RAYMOND, THOMAS CECH e JOHN ATKINS (orgs.), *The RNA World*, Cold Spring Harbor Laboratory Press, Nova York, 1999.

GIDDENS, ANTHONY, *Times Higher Education Supplement*, Londres, 13 de dezembro de 1996.

GILBERT, WALTER, "The RNA World", *Nature*, Vol. 319, p. 618, 1986.

GILMORE, DAVID, *Manhood in the Making*, Yale University Press, 1990.

GOLDSMITH, EDWARD, "Global Trade and the Environment", em Mander e Goldsmith (1996).

GOODWIN, BRIAN, *How the Leopard Changed Its Spots*, Scribner, Nova York, 1994.

GORE, AL, *Earth in the Balance*, Houghton Mifflin, Nova York, 1992.

GOULD, STEPHEN JAY, "Lucy on the Earth in Stasis", *Natural History*, Nº 9, 1994.

HALWEIL, BRIAN, "Organic Farming Thrives Worldwide", in Lester Brown, Michael Renner e Brian Halweil (orgs.), *Vital Signs 2000*, Norton, Nova York, 2000.

HAVEL, VÁCLAV, *Disturbing the Peace*, Faber and Faber, Londres e Boston, 1990.

HAWKEN, PAUL, *The Ecology of Commerce*, HarperCollins, Nova York, 1993.

_____, "N30: WTO Showdown", *Yes!*, primavera de 2000.

_____, AMORY LOVINS e HUNTER LOVINS, *Natural Capitalism*, Little Brown, Nova York, 1999. [*Capitalismo Natural*, publicado pela Editora Cultrix, São Paulo, 2000.]

HELD, DAVID, *Introduction to Critical Theory*, University of California Press, Berkeley, 1990.

HENDERSON, HAZEL, *Beyond Globalization*, Kumarian Press, West Hartford, CT, 1999.

HIMANEN, PEKKA, *The Hacker Ethic*, Random House, Nova York, 2001.

HO, MAE-WAN, *Genetic Engineering – Dream or Nightmare?*, Gateway Books, Bath, Inglaterra, 1998a.

_____, "Stop This Science and Think Again", palestra proferida perante a Linnaean Society, Londres, 17 de março de 1998b.

HOLDREGE, CRAIG, *Genetics and the Manipulation of Life*, Lidisfarne Press, 1996.

HUTTON, WILL e ANTHONY GIDDENS (orgs.), *Global Capitalism*, The New Press, Nova York, 2000.

IVERSON, JANA e ESTHER THELEN, "Hand, Mouth, and Brain", *Journal of Consciousness Studies*, Vol. 6, Nos 11-12, pp. 19-40, 1999.

JACKSON, WES, *New Roots for Agriculture*, University of Nebraska Press, 1985.

JOHNSON, MARK, *The Body in the Mind*, University of Chicago Press, 1987.

KAUFFMAN, STUART, *At Home in the Universe*, Oxford University Press, 1995.

KELLER, EVELYN FOX, *The Century of the Gene*, Harvard University Press, Cambridge, Mass., 2000.

KHOR, MARTIN, "The Revolt of Developing Nations", em "The Seattle Debacle", número especial de *Third World Resurgence*, Penang, Malásia, dezembro de 1999/janeiro de 2000.

KIMURA, DOREEN, "The Neural Basis of Language Qua Gesture", em H. Whitaker e H. A. Whitaker (orgs.), *Studies in Linguistics*, Vol. 2, Academic Press, 1976.

KORTEN, DAVID, *When Corporations Rule the World*, Berrett-Koehler, San Francisco, 1995.

_____, *The Post-Corporate World*, Berrett-Koehler, San Francisco, 1999.

KRANZBERG, MELVIN e CARROLL PURCELL Jr. (orgs.), *Technology in Western Civilization*, 2 vols., Oxford University Press, Nova York, 1967.

KUTTNER, ROBERT, "The Role of Governments in the Global Economy", em Hutton e Giddens (2000).

LAKOFF, GEORGE, *Women, Fire, and Dangerous Things*, University of Chicago Press, 1987.

_____ e MARK JOHNSON, *Philosophy in the Flesh*, Basic Books, Nova York, 1999.

LAMB, MARGUERITE, "Power to the People", *Mother Earth News*, outubro/novembro de 1999.

LANDER, ERIC e NICHOLAS SCHORK, "Genetic Dissection of Complex Traits", *Science*, 30 de setembro de 1994.

LAPPÉ, FRANCES MOORE, JOSEPH COLLINS e PETER ROSSET, "World Hunger: Twelve Myths", Grove Press, 1998.

LEWONTIN, RICHARD, "The Confusion over Cloning", *New York Review of Books*, 23 de outubro de 1997.

LOSEY, J. *et al.*, "Transgenic Pollen Harms Monarch Larvae", *Nature*, 20 de maio de 1999.

LOVELOCK, JAMES, *Healing Gaia*, Harmony Books, Nova York, 1991.

LOVINS, AMORY *et al.*, *Hypercars: Materials, Manufacturing, and Policy Implications*, Rocky Mountain Institute, 1996.

_____ e HUNTER LOVINS, "Frozen Assets?", *RMI Solutions*, boletim informativo do Rocky Mountain Institute, primavera de 2001.

LUHMANN, NIKLAS, "The Autopoiesis of Social Systems", em Niklas Luhmann, *Essays on Self-Reference*, Columbia University Press, Nova York, 1990.

LUISI, PIER LUIGI, "Defining the Transition to Life: Self-Replicating Bounded Structures and Chemical Autopoiesis", em W. Stein e F. J. Varela (orgs.), *Thinking about Biology*, Addison-Wesley, 1993.

_____, "Self-Reproduction of Miscelles and Vesicles: Models for the Mechanisms of Life from the Perspective of Compartmented Chemistry", em I. Prigogine e S. A. Rice (orgs.), *Advances in Chemical Physics*, Vol. XCII, John Wiley, 1996.

_____, "About Various Definitions of Life", *Origins of Life and Evolution of the Biosphere*, 28, pp. 613-22, 1998.

LUKES, STEVEN (org.), *Power*, New York University Press, 1986.

MANDER, JERRY, *In The Absence of the Sacred*, Sierra Club Books, San Francisco, 1991.

_____ e EDWARD GOLDSMITH (orgs.), *The Case Against the Global Economy*, Sierra Club Books, San Francisco, 1996.

MARGULIS, LYNN, *Symbiotic Planet*, Basic Books, Nova York, 1998a.

_____, "From Gaia do Microcosm", palestra proferida na Cortona Summer School, "Science and the Wholeness of Life", agosto de 1998b (não publicada).

_____ e DORION SAGAN, *Microcosmos*, publicado originalmente em 1986; nova edição da University of California Press, Berkeley, 1997.

_____ e DORION SAGAN, *What is Life?*, Simon & Schuster, Nova York, 1995.

MATURANA, HUMBERTO, "Biology of Cognition", publicado originalmente em 1970; publicado novamente em Humberto Maturana e Francisco Varela, *Autopoiesis and Cognition*, D. Reidel, Dordrecht, Holanda, 1980.

_____, "Biology of Self-Consciousness", em G. Trautteur (org.), *Consciousness: Distinction and Reflection*, Bibliopolis, Nápoles, 1995.

_____, seminário dado na reunião dos membros da Society for Organizational Learning, Amherst, MA, junho de 1998 (não publicado).

_____ e FRANCISCO VARELA, *The Tree of Knowledge*, Shambhala, Boston, 1987.

McCLINTOCK, BARBARA, "The Significance of Responses of the Genome to Challenges", Aula Nobel de 1983, publicada novamente em Nina Fedoroff e David Botstein (orgs.), *The Dynamic Genome*, Cold Spring Harbor Laboratory Press, 1992.

McDONOUGH, WILLIAM e MICHAEL BRAUNGART, "The Next Industrial Revolution", *Atlantic Monthly*, outubro de 1998.

McGINN, COLIN, *The Mysterious Flame*, Basic Books, Nova York, 1999.

McKIBBEN, BILL, *"Some Like is Hot"*, New York Review, 5 de julho de 2001.

McLUHAN, MARSHALL, *Understanding Media*, Macmillan, Nova York, 1964.

MEADOWS, DONELLA, "Scientists Slice Genes as Heedlessly as They Once Split Atoms", *Valley News*, Plainfield, New Hampshire, 27 de março de 1999.

MEDD, WILLIAM, "Complexity in the Wild: Complexity Science and Social Systems", tese de doutorado, Departamento de Sociologia, Lancaster University UK, março de 2000.

MOLLISON, BILL, *Introduction to Permaculture*, Tagain Publications, Austrália, 1991.

MOONEY, PATRICK, "From Cabbages to Kings", em *Development Dialogue: The Laws of Life*, Fundação Dag Hammarskjöld, Suécia, 1988.

MORGAN, GARETH, *Images of Organizations*, Berrett-Koehler, San Francisco, 1998.

MOROWITZ, HAROLD, *Beginnings of Cellular Life*, Yale University Press, 1992.

MYERS, NORMAN, *Perverse Subsidies*, International Institute for Sustainable Development, Winnipeg, Manitoba 1998.

NEWMAN, PETER e JEFFREY KENWORTHY, *Sustainability and Cities*, Island Press, 1998.

NONAKA, IKUJIRO e HIROTAKA TAKEUCHI, *The Knowledge-Creating Company*, Oxford University Press, Nova York, 1995.

NORBERG-HODGE, HELENA, TODD MERRIFIELD e STEVEN GORELICK, "Bringing the Food Economy Home", International Society for Ecology and Culture, Berkeley, CA, outubro de 2000.

NÚÑEZ, RAFAEL E., "Eating Soup with Chopsticks: Dogmas, Difficulties, and Alternatives in the Study of Conscious Experience", *Journal of Consciousness Studies*, Vol. 4, Nº 2, pp. 143-66, 1997.

ORR, DAVID, *Ecological Literacy*, State University of New York Press, 1992.

_____, *The Nature of Design*, Oxford University Press, Nova York, 2001.

PAULI, GUNTER, "Industrial Clustering and the Second Green Revolution", aula dada no Schumacher College, maio de 1996 (não publicada).

_____, *UpSizing*, Greenleaf, 2000.

PENROSE, ROGER, "The Discrete Charm of Complexity", Palestra Temática da XXV Conferência Internacional do centro Pio Manzù, Rímini, Itália, outubro de 1999 (não publicada).

_____, *Shadows of the Mind: A Search for the Missing Science of Consciousness*, Oxford University Press, Nova York, 1994.

PETZINGER, THOMAS, *The New Pioneers*, Simon & Schuster, Nova York, 1999.

POSTMAN, NEIL, *Technopoly*, Knopf, Nova York, 1992.

PRETTY, JULES e RACHEL HINE, "Feeding the World with Sustainable Agriculture", Departamento de Desenvolvimento Internacional do Reino Unido, outubro de 2000.

PROUST, MARCEL, *In Search of Lost Time* [À procura do Tempo Perdido], Vol. IV, *Sodom and Gomorrah*, publicado originalmente em 1921; tradução inglesa de C. K. Scott Moncrieff e Terence Kilmartin; revisão de D. J. Enright; The Modern Library, Nova York.

RAMONET, IGNACIO, "The Control of Pleasure", *Le Monde Diplomatique*, maio de 2000.

REGISTER, RICHARD, *Ecocities*, Berkeley Hills Books, Berkeley (2001).

_____ e BRADY PEEKS (orgs.), *Village Wisdom/Future Cities*, Ecocity Builders, Oakland, CA, 1997.

REVONSUO, ANTTI e MATTI KAMPPINEN (orgs.), *Consciousness in Philosophy and Cognitive Neuroscience*, Lawrence Erlbaum, Hillsdale, Nova Jersey, 1994.

RICH, ADRIENNE, *Of Woman Born*, Norton, Nova York, 1977.

ROBBINS, JOHN, *The Food Revolution*, Conari Press, Berkeley, 2001.

SCHILLER, DAN, "Internet Feeding Frenzy", *Le Monde Diplomatique*, edição em inglês, fevereiro de 2000.

SEARLE, JOHN, *Minds, Brains, and Science*, Harvard University Press, Cambridge, Mass., 1984.

_____, "The Mystery of Consciousness", *The New York Review of Books*, 2 e 16 de novembro de 1995.

SENGE, PETER, *The Fifth Discipline*, Doubleday, Nova York, 1990.

_____, Prefácio ao livro de Arie de Geus, *The Living Company*, 1996.

SHAPIRO, JAMES, "Genome System Architecture and Natural Genetic Engineering in Evolution", em Lynn Helena Caporale (org.), *Molecular Strategies in Biological Evolution*, Anais da Academia de Ciências de Nova York, Vol. 870, 1999.

SHEAR, JONATHAN e RON JEVNING, "Pure Consciousness: Scientific Exploration of Meditation Techniques", *Journal of Consciousness Studies*, Vol. 6, N°s 2-3, pp. 189-209, 1999.

SHIVA, VANDANA, *Biopiracy*, South End Press, Boston, Mass. 1997.

_____, "The World on the Edge", em Hutton e Giddens (2000).

_____, "Genetically Engineered Vitamin A Rice: A Blind Approach to Blindness Prevention", em Tokar (2001).

SIMMS, ANDREW, "Selling Suicide", Christian Aid Report, maio de 1999.

SOLÉ, RICARD e BRIAN GOODWIN, *Signs of Life*, Basic Books, Nova York, 2000.

SONEA, SORIN e MAURICE PANISSET, *A New Bacteriology*, Jones & Bartlett, Sudbury, Mass., 1993.

SOROS, GEORGE, *The Crisis of Global Capitalism*, Public Affairs, Nova York, 1998.

SPRETNAK, CHARLENE (org.), *The Politics of Women's Spirituality*, Anchor/Doubleday, Nova York, 1981.

STANLEY, W., S. EWEN e A. PUSZTAI, "Effects of Diets Containing Genetically Modified Potatoes... on Rat Small Intestines", *Lancet*, 16 de outubro de 1999.

STEINBRECHER, RICARDA, "What Is Wrong With Nature?", *Resurgence*, maio/junho de 1998.

STEINDL-RAST, DAVID, "Spirituality as Common Sense", *The Quest*, Theosophical Society in America, Wheaton, Ill., Vol. 3, N° 2, 1990.

STEWART, IAN, *Life's Other Secret*, John Wiley, 1998.

STROHMAN, RICHARD, "The Coming Kuhnian Revolution in Biology", *Nature Biotechnology*, Vol. 15, março de 1997.

SUZUKI, DAVID, painel da conferência sobre "Tecnologia e Globalização", Fórum Internacional sobre a Globalização, Nova York, fevereiro de 2001.

_____, e HOLLY DRESSEL, *From Naked Ape to Superspecies*, Stoddart, Toronto, 1999.

SZOSTAK, JACK, DAVID BARTEL e PIER LUIGI LUISI, "Synthesizing Life", *Nature*, Vol. 409, N° 6818, 18 de janeiro de 2001.

TOKAR, BRIAN (org.), *Redesigning Life?*, Zed, Nova York, 2001.

TONONI, GIULIO e GERALD EDELMAN, "Consciousness and Complexity", *Science*, Vol. 282, pp. 1846-51, 4 de dezembro de 1998.

TUOMI, ILKKA, *Corporate Knowledge*, Metaxis, Helsinki, 1999.

UNION OF INTERNATIONAL ASSOCIATIONS (orgs.), *Yearbook of International Organizations*, 4 vols., Saur, Munique, 2000/2001.

UNITED NATIONS DEVELOPMENT PROGRAMME (UNDP), *Human Development Report 1996*, Oxford University Press, Nova York, 1996.

_____, *Human Development Report 1999*, Oxford University Press, Nova York, 1999.

VARELA, FRANCISCO, "Resonant Cell Assemblies", *Biological Research*, Vol. 28, pp. 81-95, 1995.

_____, "Neurophenomenology", *Journal of Consciousness Studies*, Vol. 3, N° 4, pp. 330-49, 1996a.

_____, "Phenomenology in Consciousness Research", aula dada no Dartington Hall, Devon, Inglaterra, novembro de 1996b (não publicada).

_____, "Present-Time Consciousness", *Journal of Consciousness Studies*, Vol. 6, N°s 2-3, pp. 111-40, 1999.

_____, EVAN THOMPSON e ELEANOR ROSCH, *The Embodied Mind*, MIT Press, Cambridge, Mass., 1991.

_____ e JONATHAN SHEAR, "First-Person Methodologies: What, Why, How?", *Journal of Consciousness Studies*, Vol. 6, N°s 2-3, pp. 1-14, 1999.

VERMERSCH, PIERRE, "Introspection as Practice", *Journal of Consciousness Studies*, Vol. 6, N°s 2-3, pp. 17-42, 1999.

VOLCKER, PAUL, "The Sea of Global Finance", em Hutton e Giddens (2000).

WALLACE, ALAN, "The Buddhist Tradition of Samatha: Methods for Refining and Examining Consciousness", *Journal of Consciousness Studies*, Vol. 6, N°s 2-3, pp. 175-87, 1999.

WALLACH, LORI e MICHELLE SFORZA, *Whose Trade Organization?*, Public Citizen, 2001.

WARKENTIN, CRAIG e KAREN MINGST, "International Institutions, The State, and Global Civil Society in the Age of the World Wide Web", *Global Governance*, Vol. 6, pp. 237-57, 2000.

WATSON, JAMES, *The Double Helix*, Atheneum, Nova York, 1968.

WEATHERALL, DAVID, "How Much Has Genetics Helped?", *Times Literary Supplement*, Londres, 30 de janeiro de 1998.

WELLMAN, BARRY (org.), *Networks in the Global Village*, Westview Press, Boulder, Colorado, 1999.

WENGER, ETIENNE, "Communities of Practice", *Healthcare Forum Journal*, julho/agosto de 1996.

_____ *Communities of Practice*, Cambridge University Press, 1998.

WHEATLEY, MARGARET, "Seminar on Self-Organizing Systems", Sundance, Utah, 1997 (não publicado).

_____ e MYRON KELLNER-ROGERS, "Bringing Life to Organizational Change", *Journal of Strategic Performance Measurement*, abril/maio de 1998.

_____, "The Real Work of Knowledge Management", *Human Resource Information Management Journal*, primavera de 2001.

WILLIAMS, RAYMOND, *Culture*, Fontana, Londres, 1981.

WILSON, DON e DEE ANN REEDER, *Mammal Species of the World*, Segunda Edição, Smithsonian Institute Press, 1993.

WINDELBAND, WILHELM, *A History of Philosophy*, Macmillan, Nova York, 1901.

WINNER, LANGDON, *Autonomous Techonology*, MIT Press, 1977.

WINOGRAD, TERRY e FERNANDO FLORES, *Understanding Computers and Cognition*, Addison-Wesley, Nova York, 1991.

WORLD COMMISSION ON ENVIRONMENT AND DEVELOPMENT (COMISSÃO MUNDIAL DE MEIO AMBIENTE E DESENVOLVIMENTO), *Our Common Future*, Oxford University Press, Nova York, 1987.

ZUNES, STEPHEN, "International Terrorism", Instituto de Estudos Políticos, www.frif.org., setembro de 2001.